KV-416-601

कथा
लोकनाथ की

कथा लोकनाथ की

ऋता शुक्ल

सत्साहित्य प्रकाशन, दिल्ली

प्रकाशक : सत्साहित्य प्रकाशन, 205-बी चावड़ी बाजार, दिल्ली-110006
सर्वाधिकार : सुरक्षित / संस्करण : प्रथम, 2018 / मूल्य : चार सौ रुपए
मुद्रक : आर-टेक ऑफसेट प्रिंटर्स, दिल्ली ISBN 978-81-7721-364-5

KATHA LOKNATH KI *novel by* Smt. Rita Shukla ₹ 400.00
Published by Satsahitya Prakashan, 205-B Chawri Bazar, Delhi-110006

यह कृति
'कथा लोकनाथ की'
समर्पित है—
ग्राम तिवारीपुर
के
आदि पुरखे
रत्नदेव तिवारी
की
आन को,
जो आज भी
अप्रमेय, अपराजेय है!

—ऋता शुक्ल

मर्मवेदना

यह कथा लोकनाथ की है। एक नहीं, अनेक लोकनाथ!

वे सब, जो स्नेह-वात्सल्य की गंगोत्तरी हैं, ज्ञान-स्वाभिमान के अनहद शिखर हैं। मन, प्राणों में असीम उद्विग्नता लिये, जीवन की क्षरण वेला में भी अदम्य जिजीविषा रखनेवाले।

अकल्पनीय यंत्रणा झेलते शरीर-मनवाले लोकनाथ की यह कथा हर उस कलमव्रती की पीड़ा का साक्षात्कार है, जो अपने सपनों के संसार को सत्य की आकृति देने के लिए आकुल-व्याकुल रहता है। ऐसी पारसमणियों को भी अंतर्दाह झेलना होता है।

ग्रंथों के संसार में निवास करनेवाली आत्मा को लौकिकता का दंश मिलना ही है। एक ओर अकूत भौतिक समृद्धि और दूसरी ओर ज्ञान-संपदा को ही सर्वस्व मानने की मनस्विता! विषकीट से संबंधों की, ज्ञान गुमानियों की तितीक्षा, भारतीय संस्कृति के लोकराग से जुड़ी भोगवादी मनोवृत्ति से कोसों दूर कल्मष से युद्ध करती ये संज्ञाएँ।

अपनी-अपनी अनुभूतियों की सलीब पर चढ़े, अग्निस्नान करते, विपरीतताओं से सतत जूझते लोकनाथों की व्यथा-कथा आपके समक्ष है।

मेरे लोकनाथ कभी क्लांत नहीं होते। झूठ, स्वार्थ और कपट से भरे संसार के द्वारा प्रदत्त अशेष मनोवेदना की थाती सहज मानवीय अनुभूति के साथ सहेजते आगे बढ़ते ही जाते हैं। इसका कारण यह है कि 'अस्ति' से संलग्न रहा करते हैं ऐसे व्यक्तित्व। मनोजगत् के विभ्रमजाल से उत्पन्न नास्ति का इनके जीवन में कोई स्थान नहीं होता। आध्यात्मिक संकल्प जिनकी पूँजी हो, वे किसी भी दुरभिसंधि के आगे कभी घुटने नहीं टेक सकते।

यह कथा शब्दांजलि है।

ॐ अद्य अमुक गोत्र, अमुक नाम...

मेरे पिता भी लोकनाथ की कोटि के शब्दधर्मा मनुष्य थे। अपनी सहजता में उदात्त, अपनी वाणी में अनुपमेय, अपनी शिष्य-परंपरा में ज्ञानसूर्य का रश्मि विभव भरनेवाले। अपने ही रक्त-संबंधों के द्वारा प्रज्वलित स्वार्थ के विषदाह से तिल-तिल सुलगने के लिए विवश। क्या प्रत्येक परमहंस ज्ञानी विदेह की यही नियति होती है?

पुत्रवादी दुराग्रही जनारण्य अब भी हमारे बीच पल रहा है। गीली समिधाएँ बनकर सुलगती ऋचाएँ, काटकर फेंक दी गई शाखाओं-सी कन्या संतानें अपना सृजन धर्म निबाहती हैं। हर थके-हारे प्रवर पुरुष की भविष्यद्रष्टा करुणा में वे अपने जनक की गरिमा को बूँद-बूँद एकत्र करती हैं और तब,

भोर के तारे को टेरती अजान सी, ढोल-मंजीरे की मृदुता में डूबे प्रभाती ज्ञान सी एक अनहद आह्वान बनकर निःसृत होती है—

कथा लोकनाथ की

—ऋता शुक्ल

कथा लोकनाथ की

कटि प्रदेश के पास से तनिक कृश होती, शंकर के प्रिय वाद्य डमरू की आकृति धारण करती उत्तर से पूरब की ओर प्रवाहित देवनदी गंगा का ऊँचा तटबंध दूर से ही दिखाई पड़ने लगता है।

डमरू नटराज शिव का प्रिय वाद्य।कहते हैं—सती का शव अपने कंधे पर उठाकर विरहोन्माद से भरे महादेव ने क्रुद्ध भाव से त्रैलोक्य की परिक्रमा की थी, उस समय उनके डमरू की 'डिमिक' ध्वनि से पूरी सृष्टि थर्रा उठी थी। महाप्रलय का नाद देती उसी शिव के डमरू सी प्रतिभासित देवनदी।

स्नान-ध्यान के लिए आई प्रौढ़ा स्त्रियों का भजन-पूजन भक्तिभाव से चल रहा है। छोटी-छोटी लहरों की उठान पर टिके सोहर के पारंपरिक बोल कभी गुनगुनाहट तो कभी मुखर रागबद्धता के साथ पुत्र जन्म के उल्लास को प्रकट कर रहे हैं—

गंगाजी के ऊँच अररिया, तिरियवा एक तप करे हो,
ऐ गंगा मइया अपनी लहरिया हमें देई
हम डूबि मरितीं हो!

यह कौन स्त्री है, जो गंगाजी के ऊँचे तटबंध पर खड़ी करुण-क्रंदन कर रही है—मातेश्वरी गंगे, अपनी लहरों के आँचल में मुझे समेट लो। डूबने की शक्ति दो माँ।

अपने जीवन को स्वेच्छा से नि:शेष करने की ऐसी करुण प्रार्थना! पर क्यों, किसलिए?

संतानहीना उभयनिष्ठा काकी सुनाना चाहती हैं। आँसुओं के उफान में उमगती हुई देवकी की अनुहार से उनका कंठ-स्वर कंपित हो उठता है—

सात पुतर राम दीहले, त सातो हरि लीहले नु हो,
गंगा मइया अठवाँ ही पुत्र गरभ से त सेकरो भरोस नाहीं!

सात पुत्र कंस जैसे भाई की दुराकांक्षा की बलि चढ़ गए। आठवाँ गर्भ में है, इसके जीवन का क्या भरोसा?

उस गीतकथा का श्रवण करती योगेश्वरी की आँखों में आँसुओं का सघन जमाव है। काकी सास का करुणाद्र स्वर गंगा माँ के आशीर्वाद की शीतल हिलोर भरता योगेश्वरी बहू को आश्वस्त करता है—

जनि रोव ए तिरिया जनि रोव,
जनि रोई मरहू होऽ।
तिरिया, आजु के नउवें महीनवें,
होरिलवा जनम लीहें हो।

गंगा माँ हैं और उनका वरदान कभी व्यर्थ नहीं जा सकता। अपने अनेक अजन्मे शिशुओं को खोकर योगेश्वरी की वेदना गंगा माँ का आँचल गहती है— तुमने देवकी को कृष्ण जैसे पुत्र का वरदान दिया, फिर मुझे क्यों नहीं। हे मातेश्वरी, मैं तुम्हारी शरण में हूँ। इस बार मेरी कोख में पल रहे जीव की रक्षा करना।

गंगा-स्नान का सुफल वरदान बनकर फलित हुआ था।

विलासी धगड़िन काँसे की थाली और बेलन लिये घर की अँगनाई को गुलजार कर आई थी—

चान सुरूज अइसन पूत…
संकर अइसन जटा जूट लेले पइदा भइल बाड़न

कनियाऽ दूनों हाथ के पहुँची, गोड़ के झाँझ, पाँचों पोशाक एतना से कम में विलासी दाई ना मनिहें।

योगेश्वरी की चेतना अपने नैहर के गाँव मँझरिया का गंगाघाट निहारती स्मृति विभोर थी—राजज्योतिषी भवानंद शास्त्री की इकलौती संतान योगेश्वरी।

निखिलानंद काका ने भविष्य बाँचा था—भवानंद, तुम्हारी यह पुत्री अत्यंत तेजस्वी पुत्र को जन्म देगी। वही तुम्हारा दौहित्र अपनी प्रखर विद्या के बल पर कुल, ग्राम की ही नहीं, पूरे जनपद की यशवृद्धि करेगा।

तिवारीपुर गाँव के तीनों टोले उछाहमगन थे—उभया आजी ब्रह्मनाथ के चबूतरे पर रामायण बाँचते कुवलय पंडित को न्योत आई थीं—पोथी-पतरा ले ले आव, बचवा के भाग बाँच। जगिला कनिया के कोख गंगामइया के किरपा से फुलाइल बाऽ।

कुवलय पंडित के लिए ऊँचा आसन डँसाया गया था। योगेश्वरी के श्रवण

दालान की चौखट पर जा टिके थे—मेष राशि का है यह बालक। सूर्य की महादशा में जन्म, देह से सुकुमार, मन से खूब बली, भगवान् श्रीराम इसके आराध्य होंगे और कालीमाता की उपासना से ग्रह-दोषों का निवारण स्वत: होता जाएगा।

उभया काकी, यह बालक अतिविशिष्ट प्रतिभा संपन्न होगा। कफजनित व्याधि सताएगी। इसे चाँदी का चंद्रमा धारण करा दीजिएगा। योगेश्वरी किसी आशंका से उद्विग्न हो उठी थीं। चचिया सास को पास बुलाकर धीरे से कहा था—बचवा के जिनगी पर कवनो खतरा··· ?

अरे नाहीं, कनिया, तुम निश्चिंत रहो। खूब लंबी आयु है तुम्हारे लोकनाथ की। सरद-गरम का प्रभाव तो हर बालक के साथ लगा ही रहता है।

उनके पिता भवानंद शास्त्री अस्वस्थ थे। उन्होंने निखिलानंद काका को तिवारी पुर भेजा था—थोड़ा ज्वर है, ठीक हो जाएँगे तुम्हारे बाबूजी, इस समय तो ब्रह्मानंदमय हैं। कह रहे थे—मेरा त्राता आ गया। अब मैं रहूँ या न रहूँ, इस बात की कोई पीड़ा तो नहीं होगी न कि पितृपक्ष में मुझे जलांजलि देनेवाला कोई नहीं है।

तुम्हारे पिता का दु:खभार हल्का करने के लिए मैंने परिहास किया था—भवानंद भाई, अभी से इतनी उम्मीद नहीं लगा बैठिए। कहीं नाती नास्तिक निकल गया तो।

उनके दृढ विश्वास ने मुझे निरुत्तर कर दिया था—मेरी योगेश्वरी का पुत्र सर्वगुण संपन्न होगा, तुम देख लेना।

आठों पहर उपासनारत रहनेवाली, दीन-दुखियाओं की सेवा में सतत तत्पर रहनेवाली जगिला की कोख से साधु स्वभाव की संतान ही अवतरित होगी। आज उसकी माई जीवित होती तो···।

निखिलानंद काका ने भरे गले से कुशल-मंगल बतियाते हुए झोले में से एक-एक उपहार निकालना शुरू किया था—चाँदी का कजरौटा, सुनहले कड़े, तश्तरी, कटोरी, गिलास, चम्मच का रुपहला सेट, बालक के लिए कपड़े, बेटी-दामाद के लिए पहिरन और साथ में कुछ नगद रुपए।

मँझरिया गाँव के मंदिर-प्रांगण में बिछावन पर लेटे-भवानंदजी ने छोटी संदूकची पास मँगवाई थी—''इसमें एक ताबीज है। पिछले नवरात्र में मैंने बालक की सुरक्षा के निमित्त ही इसे सिद्ध किया था! तुम इसे अपने हाथों से उसके गले में पहना देना और बिटिया से कहना—प्रत्येक मंगलवार को एकादश बार श्रीहनुमान चालीसा का पाठ अवश्य करेगी। प्रभु सब मंगल करेंगे।''

कुल्हड़िया स्टेशन पर रेलवे सुरक्षा कर्मचारी थे जगमोहन तिवारी! श्याम वर्ण, पैनी आँखें, खूब लंबी कद-काठी, भारी-भरकम आवाजवाले योगेश्वरी के पतिदेव...!

निखिलानंदजी पर अवमानना भरी दृष्टि डालते दालान की ओर बढ़ गए थे—"ससुरजी ने नाहक इतना खरच-बरच किया। जोतिसी ठहरे, कर्ज काढ़ा होगा और क्या? अपनी भतीजी को यह तो समझा दिया न कि बचवा की देखभाल मुस्तैदी से करेंगी। ऐसा न हो कि पिछली बार की तरह..."

लोकनाथ के गले में यंत्र पहनाती उभयनिष्ठा बरज उठी थीं—"जगमोहन, जीभ काट बबुआ! घरे आइल पाहुन से अइसन कुबोल! तहरा ससुरजी के पाले पइसा नइखे, बाकिर उहाँ के सिद्ध महातमा हुई। जगिला अइसन लछिमी से तहार घर पबित्तर भइल बा।"

योगेश्वरी निखिलानंदजी के पाँव पकड़कर रो पड़ी थीं—"इनकी बातों का दुःख मत मानिएगा, काकाजी। अंग्रेज स्टेशन मास्टर टामसन की सोहबत का असर है। बाबूजी से इस बारे में कुछ भी मत...।"

"योगेश्वरी, चिंता मत कर बचिया, सब ठीक हो जाएगा। तेरे बाबूजी का आदेश है—सेतुबंध रामेश्वरम् की यात्रा पर निकलना है। तुम्हारे इस पुत्र की प्राप्ति के लिए भवानंद भाई और मैंने रेती पर बैठकर सवा लाख महामृत्युंजय का पाठ किया था, अब वह उपासना रुद्राभिषेक से पूरी करनी है।"

... ...

"और हाँ, एक बात बताना तो भूल ही गया। अब तेरा यह काका बक्सर के सिद्धाश्रम में धूनी रमाएगा, तुझे कोई भी कष्ट होगा तो अपने बनिहार को दौड़ा देना। मैं आ जाऊँगा।"

योगेश्वरी साँसों में अनहद प्रार्थना का स्वर भरती लोकनाथ का रक्षा-कवच बनी हुई थीं—"तनिक सम-विषम होता, नाड़ी तेज चलती या देह जरा सी तपती तो चुरामन पुर के वैद्य को इक्कागाड़ी में बिठाकर तुरंत बुलाया जाता। गुलबनफ्शा, जोशांदा, तुलसीपत्र, नीम, बासक और बालक जब तक पूर्ण स्वस्थ नहीं हो जाता, तब तक योगेश्वरी के लिए नानाविध परहेज—कनिया, कढ़ी मत खइह, मसूर की दाल, बैंगन, सेम, दही एकदम बंद।"

अभय निष्ठा रोज कुदीठ उतारतीं, "तहार सास रहती त इ डूटी उनके रहित! जगमोहन के पोस-पाल दिहली, अब उनकर पूत के सम्हारत बानी। जिनगी के इहे अनमना बाऽ!"

योगेश्वरी की मुँहबोली ननद सुलोचना, बड़का टोले के नंदकिशोर तिवारी की बड़ी बिटिया प्रयाग में पढ़ती थी। छुट्टियों में जब भी गाँव आती, दिन-दिन भर उनकी अँगनाई को गुलजार करती रहती—"भौजी, सच बताओ! तुम्हारे गाँव में कोई स्कूल नहीं था, तब तुम्हारी पढ़ाई-लिखाई···"

वे हँस देतीं, "कितनी बार बताऊँ! मेरे बाबूजी संस्कृत के पंडित थे। वेद-पुराण, उपनिषद्, श्रीमद्भागवत बाँचते थे। उनके शिष्यगण दूसरे गाँवों से भी आते। महारानी केतकी सुंदरी का मंदिर ही हमारा घर था।"

"बाबूजी सभी शिष्यों के साथ गर्भगृह के बाहर विराजमान होते और मैं अकेली गर्भगृह के भीतर। इस तरह उनके पीछे छिपकर मैंने अभ्यास किया। एक दिन उनके प्रिय शिष्य विद्याधर ने बालक का शब्दरूप गलत बताया। उसे कड़ी धूप में मंदिर की लंबी-चौड़ी बारादरी बुहारने की सजा मिली। उसे रोता देख मुझे दया हो आई। मैंने बाबूजी से कहा, तुम कहते हो कि कोई भी गलती को सुधार दे तो तुम अपनी शिष्य मंडली का अपराध बख्श दोगे! बाबूजी, मैं शब्द रूप बताती हूँ। तुम विद्याधर भाई को क्षमा कर दो!"

मेरे मुँह से दस शब्द रूप सुनकर उनका क्रोध पिघला था, "तू इतनी गुनवंती कब से हो गई, जगिला? मैंने तुझे तो कभी पढ़ाया नहीं है।"

"इसमें कौन सी बड़ी बात है। इतना तो भात राँधते हुए सीख गई थी मैं। बाबूजी, सामवेद की ऋचा गाकर सुनाऊँ? इस तरह टकटकी लगाए क्या देख रहे हो? अब मैंने कौन सा अपराध कर दिया?"

गमछे के छोर से आँखें पोंछते प्राणप्रिय पुत्री के पास चले आए थे वे—"तू पुत्री बनकर जनमी, यही तेरा अपराध है, जगिला! और मैं तेरा निर्धन पिता हूँ, यह मेरा अपराध है। आज से तू मेरे साथ बैठकर पढ़ेगी! मैं तुझे विद्यादान दूँगा।"

सुलोचना प्रयाग के किस्से-कहानियाँ बताती—"भौजी, तुम्हारे गाँव में लड़कों के साथ बोलने-बतियाने की आजादी थी क्या?"

... ...

"नहीं न, लेकिन वहाँ शहर में लड़के-लड़कियाँ एक साथ पढ़ते हैं। कोई रोक-टोक नहीं है। मेरे बाबूजी जिस प्रेस में काम करते हैं, वहाँ लड़के-लड़कियाँ अकसर मीटिंग करते रहते हैं। साथ बैठकर नाश्ता-खाना, बात-विचार··· ।"

"किस बात की मीटिंग, कैसा विचार?"

"तुम नहीं समझोगी भौजी! वह सब अंग्रेजी की गिट-पिटवाली बोली का मामला है। वे लोग राजनीति करते हैं। बाबूजी से उनकी गुप्त मंत्रणा...।"

"तुम्हें अंग्रेजी आती है, ननदजी?"

"हाँ भौजी, थोड़ी-बहुत।"

"तो तुम मेरे लोकनाथ को अंग्रेजी लिखना-बोलना सिखा देना।"

लोकनाथ माई की उँगली पकड़कर गंगाजी जाते और घाट पर चुपचाप बैठकर लहरों का निष्पलक देखा करते—"माई, गंगा मइया की लहरें गाती हैं, गुनगुनाती हुई कोई कथा-कहानी कहती हैं।"

"इनकी कहानी बताओ न!"

"तुम्हारे नानाजी ने मेरे बचपन में मुझे यह कहानी सुनाई थी। लोकनाथ, ध्यान देकर सुनो!" गंगावतरण की वह कथा—

"राजा भागीरथ ने बारह वर्षों तक कठोर तप किया। हहास बाँधकर स्वर्ग से उतरने लगी देवनदी गंगा। शंकर ने कहा—देवी, अपना वेग थोड़ा शांत कीजिए। मेरी जटाओं में थम जाइए, विश्राम कीजिए। गंगा रुकीं, तनिक विश्राम किया, फिर गोमुख से चल पड़ीं अपनी धरती का कंठहार बनने के लिए। इनकी कृपा से सारे दुःख-दारिद्र्य दूर होते हैं, सभी अभिलाषाएँ पूरी होती हैं। इन्हीं की कृपा से मैंने तुम्हें पाया है बबुआ!"

"हाँ माई, उभय आजी ने वह सब हमें बता दिया है, लेकिन अब और गंगा मइया को कष्ट मत देना। आजी बता रही थीं कि तुम रोज नई फरमाइश लिये रामरेखा घाट आती हो। अभी से मेरे लिए कनिया माँग रही थीं न तुम!"

योगेश्वरी ने हँसकर उन्हें अपने गले से लगा लिया था—"हाँ, तो इसमें हरज ही क्या है। तुम बड़े हो जाओगे तो तुम्हारा ब्याह तो होगा ही न। मैं तो गंगा मइया को याद दिलाती रहती हूँ।"

जगमोहन तिवारी ने तय किया था—"दिनभर अपनी माई के आँचर से लिपटे रहते हैं। किस पोथी का ज्ञान देती हैं, यह तो वे ही जानें! उभया काकी का नेह-छोह परले दर्जे का सत्यानाशी होता जा रहा है। काली माई के थान पर मत्था टेकने के बहाने ले जाती हैं और किसना जमूरे का तमाशा देखती-दिखाती घर लौटती हैं।"

लोकनाथ ने अभिनय कला का कमाल दिखाया था। सुंदर, काली भौंहों को ललाट की ओर उठाते हुए पिता की गोद में बैठकर उन्हीं की ओर निशाना साधा था—"लेकिन

बाबूजी, आप तो महीने में एक बार गाँव आते हैं। रातभर रहते हैं, सवेरे लौट जाते हैं। फिर आपको कैसे पता कि उभया आजी हमें कहाँ-कहाँ लेकर जाती हैं?''

उन्होंने एक हल्की सी चपत लगाई थी, ''अच्छा बच्चू, बाप से ही चतुराई। तो सुनो, कल शाम अपनी माई को साड़ी ओढ़कर बँदिरया का नाच कौन नाच रहा था? दिनुवाँ बता रहा था कि तुम रोज उसकी मड़ई में जाकर बाइस्कोप देखते हो—तीस मन की धोबिन, हावड़ा का पुल, आगरे का ताजमहल, बाँबी का साँप और न जाने क्या-क्या?''

... ...

''नहीं, कन्नी काटने से कुछ नहीं होगा। दलसागर के स्कूल में तुम्हारा नाम लिखाना है। चलो, तैयार हो जाओ!''

बुक्का फाड़कर रो पड़े थे लोकनाथ—''नहीं ईस्कूल नहीं जाना।''

''जाना तो पड़ेगा ही बच्चा, हँसकर जाओ या रोकर!''

... ...

निखिलानंदजी तीर्थयात्रा से वापस लौट आए थे। सरपंचजी के दालान में पुआल की अँटिया बिछाई गई थी। ढोल, मंजीरे के साथ रामचरित मानस के नवाहन पाठ का प्रयोजन बना था।

व्यास पीठ पर विराजमान लोकनाथ के मुँहबोले नानाजी, ठीक उनकी बगल में लाल आसन बिछाकर मलमल का कुरता, लट्ठे का पाजामा पहन, आँखों में हल्का सा काजल आँज, रोली-तिलक लगाए बालबटुक लोकनाथ।

माई की हिदायत थी, ''काकाजी दोहा-चौपाई गाएँगे, तुम उनके साथ दोहराना। और छंद, सोरठा, सवैया—यह सब भी तो दोहराना होगा न माई? तुम भी, आधी बात बताती हो।''

वे उठकर स्त्रियों की मंडली में बैठने चलीं तो लोकनाथ उनका आँचल थामे ठुनक उठे थे, ''कहाँ चलीं? तुम भी यहीं बैठो न माई।''

''नहीं बचवा, हम लोगों की पाँत अलग सबसे पीछे है।''

''तब हम भी वहीं बैठेंगे।''

''जिद नहीं करते, तुम मर्द बच्चे हो।''

''नहीं, हम सिर्फ बच्चे हैं और हमको तुम्हारे काकाजी की दाढ़ी से डर लगता है।''

''अच्छा ठीक है, जाओ, अपनी उभया आजी को बुला लाओ। वे तुम्हारे पास बैठ जाएँगी। अब तो खुश।''

निखिलानंदजी ने श्रीगणेश किया था—''तिवारीपुर ग्राम के प्रिय रामभक्तो, मानस प्रेमियो! आस-पास के सप्त ग्राम से जुटे भक्तजनो!

आपके आदि पुरखे रत्नदेव बाबा को साक्षी मानकर, उनके स्वाभिमान को नमस्कार करते हुए तुलसीकृत रामकथा का पारायण करने की अनुमति चाहता हूँ। गोस्वामी तुलसीदास इस भारत देश के जातीय स्वाभिमान की जीती-जागती प्रतिमूर्ति थे। धर्म भ्रष्ट समाज, म्लेच्छों के द्वारा पराभूत देश की असह्य मनोयंत्रणा और ऐसी विषम परिस्थिति में रामकथा रचने का संकल्प। गोस्वामी तुलसीदास जैसा संत ही इतना बड़ा दुस्साहस कर सकता था।

उन्होंने त्रेता के राम को कलियुग की भावभूमि पर उतारा। करोड़ों कामदेवों की श्री को लज्जित करनेवाले राम को दीन-दुखियों का उद्धारक बनाया। असुरों से संत्रस्त धरणी को भयमुक्त करने के लिए ज्ञानियों के ज्ञानयज्ञ की रक्षा के लिए राम का पुनरावतरण हुआ। स्त्री-जाति की मर्यादा-वृद्धि के लिए श्री जानकी आईं और स्वाभिमान की अनल शिखा बनकर प्रत्येक नारी के मन-प्राणों में समा गईं।

यह कथा सचमुच कलिकाल के समस्त दोषों का परिहार करनेवाली है। आइए, मेरे साथ श्रद्धा-भक्तिपूर्वक श्री रामचरित मानस का गायन कीजिए—

अत्यंत दृप्त स्वर में श्लोक की वह उठान, ''वर्णानांर्थ संघानां रसानां छंद सामऽपि···।''

साथ-साथ दुहराते हुए भक्ति विह्वल ग्रामजन। बालक लोकनाथ का अनगढ़ सुर सबसे अधिक टहकार फूटता—निखिलानंद अपने गुरुभाई का स्मरण कर पुलक-मगन थे—''लोकनाथ को सिखाना नहीं पड़ेगा। मेरी जगिला का बेटा माँ के उदर से ही बहुत कुछ सीखकर आया है।''

पहले दिन की कथा ने विराम पाया था।

दस वर्षीय लोकनाथ माई के पास लेटे अपनी शंका का समाधान पाने की जुगत भिड़ाए प्रतीक्षामगन थे, ''रसोई में खटर-पटर मत करो। सीधे मेरे पास आओ।

हाँ, अब ध्यान देकर सुनो! आज नानाजी ने रत्नदेव बाबा का नाम लिया। कौन थे वे? माई, मुझे पूरी कथा सुनाओ। मेरा उनसे क्या नाता है?''

उत्तर प्रदेश के गाजीपुर ग्राम के जमींदार के यहाँ कुल पुरोहिताई का धर्म निभाते

रत्नदेव पंडित। यह जो अपना गाँव है न, यहाँ पहले सुनसान ढूह था। दूर-दूर तक इन्सानी बस्ती का कोई नामोनिशान नहीं। गंगा मइया के कछार पर बसे इस गाँव के सिरजनहार थे रत्नेदव बाबाऽ। गाजीपुर की पैतृक भूमि का परित्याग, कुल पुरोहिताई की तिलांजलि…।

स्वाभिमान से बड़ा कोई विभव नहीं, मान-मरजाद की कोई कीमत नहीं। सर्वथा निश्छल भावभक्ति के साथ उन्होंने बलदेव सिंह के पूर्वजों का देवालय भार सँभाला था। पराशक्ति को शाश्वत लीला में आत्मविभोर युवक रत्नदेव अपनी पारिश्रमिक राशि के सिवा एक तिनका भी कहीं से उठाना पाप समझते थे।

रामकथा बाँचते तो प्रेमभक्ति की दिव्यता से भरी आत्मिक ऊर्जा अद्‌भुत रसमयता बनकर उनकी वाणी में उतर जाती। जो राममय होते हैं, उनके समस्त विकारों का शमन हो जाता है। इसीलिए तो तुलसी बाबा ने अपनी बानी में अमृत घोलकर कहा है—

"सियाराममय सब जगजानी।"

गाँव-जवार के लोग उस सुंदर रामकथा को सुनने के लिए रत्नदेव के सम्मोहन पाश में बँधे खिंचे चले आते। मिथ्याभिमान तो देवताओं के पतन का भी कारण बनता है। इसीलिए तुलसी बाबा कह गए हैं—

"आवत ही हरषै नहीं, नैनन नाहिं सनेह।
तुलसी तहाँ न जाइए, जँह कंचन बरसे मेह॥"

धन की वर्षा होती हो, लेकिन आँखों में स्नेह की एक बूँद भी नहीं हो। जहाँ दंभ पलता हो, वहाँ नहीं जाना चाहिए।

राम राजा थे, अवतारी पुरुष थे। सर्वजन सुलभ थे। वे अहल्या, शबरी, केवट कपीश और निषादराज के राम थे। पाषाण-हृदय को सहज अनुरागी बना दें, ऐसे थे राम।

बालकांड के रामजन्म का प्रसंग आता तो आलोका काकी की आँखों में सरयू उमड़ पड़ती—"पूत होते हुए भी निपूती हैं हम। रतनदेव बबुआ ने हमें सगी माँ का मान दिया। मेरे लिए राम ही तो हैं ये।"

कभी फुरसत में होते तो आलोका काकी की घोर वेदना को शमित करने का प्रयास करते—"सुरेश्वर ने अपना पुत्रधर्म नहीं निभाया। वे आपको अनाथ छोड़कर चले गए, इसमें आपका क्या दोष है काकी, जो कुछ आपके वश में नहीं है, उसके

लिए मन मलिन करने से क्या लाभ? काकी, गाँव भर के बालकों को अपना बालक समझिए। जो संबंध शूल बनकर बेधने लगे, उसके विस्मरण में ही भलाई है। आप इस देवालय की सेवा में हैं और श्रीरघुनाथ की कृपा से यहीं आपका जीवन पार होगा। मैं हूँ न।''

ऐसे रत्नदेव के स्वाभिमान को क्षत-विक्षत करने का दुष्प्रयास किया था जमींदार की पत्नी ने। रत्नदेव की बुलाहट हुई थी। रेशमी परदों की ओट से कढ़ता गर्व-प्रमत्त स्वर—''रामायण, भागवत की कथा बाँचते हो या सचमुच तुम्हारी कोई सिद्धि भी है महराज?''

नि:संतान थी चंचला रानी। रत्नजटित कंगन से सजा हाथ बढ़ाकर कटाक्ष भाव से बोल पड़ी थी, ''जरा मेरा हाथ देखना तो! ये रेखाएँ क्या कहती हैं, मुझे कोई संतान होगी या नहीं?''

रत्नदेव ने सबकुछ भाँप लिया था, वे हथेलियाँ उस भवन की पुरानी परिचारिका देवला की थीं। रत्नदेव ने संयत भाव से शास्ति दी थी, ''निस्संदेह इन हथेलियों की रेखाएँ संतान का योग निर्दिष्ट करती हैं, लेकिन चचंला बहन, ऐसे निर्मम परिहास की क्या आवश्यकता थी? प्रश्न कुंडली के आधार पर मेरा अल्प ज्ञान कहता है, आपके प्रारब्ध में संतान का योग नहीं है। अब मुझे आज्ञा दें।''

उसी रात ठाकुर के स्वर्ण मुकुट की चोरी हुई थी और ब्राह्ममुहूर्त में जमींदार के कारिंदे उनके घर आ धमके थे।

अजपाजप की विशेष भावभूमि पर टिकी हुई थी रत्नदेव की चेतना। ध्यान-चक्र पर समाहित भूमाभाव, अखंड प्रभा-वलय के उन्मेष की वह मनोदशा। कर्कश स्वर में अभद्र नामोच्चार सुनकर रत्नदेव सहसा विचलित हो गए थे—''क्या बात है भाई?''

''मालिक का हुकुम है। घर की तलाशी…''

अपराजिता पुष्प चुनकर डलिया में रखती आलोका काकी ने चंडी का रूप धारण किया था—''लाज नहीं आती। ऐसे साधु सुभाव लड़के पर झूठी तोहमत लगाते हो। यह सारी आग उस निपूती जमींदारनी की लगाई हुई है। घबड़ाना नहीं बबुआ, हम अभी पूरे गाँव को इकट्ठा करती हैं। एक मिनट में दूध-का-दूध और पानी-का-पानी हो जाएगा।''

रत्नदेव का स्वर जल से भरे मेघों के रव सा था—शांत, स्थिर, तेजोमय। ''काकी, अपनी बहुरिया से कहो, परदा कर लें, इन्हें अपना काम करने दें।''

कारिंदों ने घर का कोना-कोना छान मारा था। पूजनगृह के आसन से लेकर ठाकुरजी की चौकी, गंगाजली, यहाँ तक कि हवन-सामग्री की टोकरी भी।

कहीं कुछ नहीं मिला। मनराखन कारिंदे ने दबी जबान से अफसोस भी जाहिर किया—"हम हुकुम के गुलाम ठहरे पंड्डीजी, हमें छिमा कीजिएगा।"

आलोका काकी के आँसुओं में उनके सात्त्विक क्रोध की अग्निधारा फूट पड़ी थी—"जाओ, जाकर कह दो अपने जमींदार से! इस देवता सरीखे बालक का अपमान तो उसे भारी पड़ेगा। भुगतेगा वह।"

कारिंदों के सामने रत्नदेव ने केवल एक वाक्य कहा था—"आप शांत रहें काकी, मेरा दाना-पानी यहाँ से उठ गया। अपनी बहुरिया से कहें, आवश्यक चीजें सहेज लें। हमें जाना होगा, इसी वक्त।"

काकी का मातृत्व हाहाकार कर उठा था—"ऐसे कैसे जाओगे बबुआ! कोई ठिकाना भी है? बहुरिया की कोख में नया जीव है। उसके बारे में कुछ सोच-विचार किए बिना।"

"मेरे पास सत्य की पूँजी है, काकी। अनृत के इस कुंभीपाक से दूर जहाँ मेरा प्रारब्ध होगा, वहीं आश्रय मिल जाएगा। गाँववाले जगें, मिथ्या प्रचार हो, इसके पहले हमें निकल जाना होगा।"

आत्म-निर्वासन का कैसा कठिन योग साधा था रत्नदेव पंडित ने। पुरखों की थाती-पोथियाँ, देह पर चढ़ा पहिरन और अज्ञात, अछोर दिशा में बढ़ते संकल्पबद्ध चरण।

सरजू केवट की नाव खुली तो गंगा कछार की बलुआही माटी का बिछोह कल्याणी की आँखों में कसक बनकर उभर आया था—"इसी तट पर गंगा माँ से बिनती की थी—माँ, मेरी कोख फलेगी और मैं यहीं आकर आपका पूजन करूँगी। कोख तो फली, लेकिन आपका तट छूट रहा है। आपकी लहरों के बीच समाकर माँ की गोद जैसा सुख मिलता था। खोंइछा में आपकी असीस लिये जा रही हूँ। दैव जानें, फिर कभी लौटना हो पाएगा या नहीं?"

जन्मभूमि के चिर वियोग की व्यथा ने रत्नदेव को भीतर तक मंथित कर दिया था। उससे भी बढ़कर आलोका काकी की आँखों का अशेष करुणा भाव। "अपनी कोख से जन्म नहीं दिया तो क्या, महामारी में बलदेव भइया और भउजी गुजरीं तो तुम्हें कलेजे से लगाकर पाला-पोसा। ठाकुरजी का यह कैसा अन्याय बबुआऽ। पूत-कपूत हो गया तो तुम्हारी अमरित बानी सुन-सुनकर जिनगी की आस बँधती और

अब तुम भी। हमें अपने साथ ले चलो। तुम्हारे बिना तो···''

रत्नदेव और कल्याणी ने आलोका काकी की पगधूलि ली थी—''हमारा ठौर-ठिकाना नहीं, आशीर्वाद दीजिए—अपने बलबूते कोई नया आश्रय पा सकूँ। तब तक यहीं गाँव में रहें काकी, पुरखों के घर में सँझाबाती आप ही को करनी है।''

कैसा वह दुर्गम यात्रा-क्रम। भूख-प्यास और थकान से विह्वल उस मानी दंपती का एक-दूसरे के लिए प्रबोध—''थक गईं कल्याणी, भूख भी तो लगी होगी न! देखो, गंगा मइया के तट पर चलते-चलते साँझ घिर आई है। हम सामनेवाले देवालय में विश्राम करेंगे।''

फटे हुए पैरों में कँकरीली माटी की शूल सी चुभन, अपमान से आहत मन और भुवन भास्कर की पहली जोत के साथ उदित होती उम्मीद की एक किरण। राम रेखा घाट के शिवालय की सीढ़ियों पर निढाल पड़े रत्नदेव के मस्तक पर जलेश्वर बाबा की बूढ़ी हथेलियों का वह स्नेह भरा स्पर्श—''दोनों प्राणी घर से रूठकर भागे हो न! भूख लगी होगी। अच्छा, यह दूध पी लो।''

भूख के ताप से दहकते हुए रत्नदेव के नेत्रों से अश्रुपात होने लगा था।

जलेश्वर लोटा भर दूध सामने रखकर आगंतुकों के अल्पाहार की तैयार में जुट गए थे—''मैं धीवर हँ भइया, गंगा मइया के इस मंदिर का रखवारा! मेरे हाथ का पका अन्न खाने में शायद परहेज हो तुम दोनों को! मैं सब सरंजाम जुटाए देता हूँ—बहुरिया भात पका लेगी।''

रत्नदेव ने दूध का पात्र निढाल पड़ी कल्याणी की ओर बढ़ा दिया था—''इसे पी लो! मैं स्नान करके आता हूँ।''

थोड़ी देर में जलेश्वर जनक बन गए थे और कल्याणी उनकी जनम दुलारी बिटिया।

''तभी कहूँ, इतना मानी है तुम्हारा यह पति! देखो बचिया, अब तुम दोनों को कहीं जाने की जरूरत नहीं। गंगामाई ने ठिकाना दे दिया समझो। रतन पंडित यहीं रहकर अपने गियान का अलख जगावें और तुम अन्नपूर्णा बनकर इस बूढ़े बाबा की टूटी-फूटी गिरहस्ती सँभालो! तुम्हारी कोख में जो पूत पल रहा है, उसकी देखभाल की जिम्मेदारी हमारी।''

रत्नदेव की भुजाओं में बल था। ''बाबा, यह गँड़ासी मुझे दीजिए। लकड़ियाँ चीरने का काम मैं करूँगा।''

स्व-उपार्जन के चिंतनभाव से भरे रत्नदेव की आँखों में नई भोर की उजास थी—''सामने का ढूह धीरे-धीरे काटकर माटी चौरस कर दी जाए तो खेती लायक...'

''रतन, ऐसी गलती मत करना बबुआ, विषैले गाछ-बिरिछ से पटा हुआ है वह ढूह। काले नागों के डर से दिन में भी कोई उधर नहीं जाता। गंगाजी की तरावट से कोसों दूर है वह पथरीली धरती। रात-बिरात जंगली जानवरों की बोली सुनाई देती है।''

रत्नदेव मन-ही-मन प्रतिश्रुत थे—'भय, आलस्य और पलायन—नव सृजन-पथ के बाधक तत्त्व हैं ये। गाजीपुर के जमींदार के विषैले आतंक से बेहतर है वन-प्रांतर के विषधारियों का सामना करना।'

रत्नदेव ने श्रमजीवी बनने का संकल्प लिया था। जलेश्वर बाका की गृहस्थी में कुदाल, गँड़ासा, गैंता जैसे आयुध उपलब्ध थे। ढूह उच्चाटन और भू-कर्षण यज्ञ में रामरेखा घाट की पूरी केवट बिरादरी उल्लास के साथ सम्मिलित हुई थी।

रत्नदेव के संगी उनके केवट बंधु थे और कल्याणी की गृहस्थी को नित्य नए उपादनों से सँवारनेवाली उनकी श्यामांगी सखियाँ थीं, ''भउजी, हमारे काकी-काका सोनपुर मेला जा रहे हैं। लहठी मँगवानी है न और बिंदी आलता भी?''

... ...

रत्नदेव के हाथों की छुअन पाकर वह टीला चौरस भूमि में परिणत हो गया था। गेहूँ और चने की पहली फसल तैयार थी। कल्याणी की कोख में पल रहा जीव संसार में आने के लिए विकल था। जलेश्वर भागते हुए फूलमती धगड़िन को बुलाने निकल पड़े थे—''भउजी, देरी मत करो, अबहिएँ चलो।''

''काहे जलेश्वर देवर, तुम्हारी सगी पुतोहू होती, तब भी तुम अइसे हाहो दइया नहीं भचाते। तनिक चिलम तो पी लेने दो।''

''चिलम-विलम बाद में। तुम्हें तुरत-फुरत हमारे साथ चलना होगा।''

कल्याणी की मुँहबोली ननद किसुनी ने पूरी ताकत के साथ काँसे की थाली बजाई थी। फूलमती की टाँसी आवाज गंगा मइया की लहरों पर सोहर के बोल बनकर नाचने लगी थी—

सीता को बन में लाल हुए
आनंद बधइया कोई नहीं।
जहाँ सास नहीं, जहाँ ससुर नहीं,
देवता पुजवइया कोई नहीं।

कल्याणी के कान रत्नदेव का स्वर सुनने के लिए विकल थे—''दीया-बाती हो गई। कहाँ रह गए इतनी देर तक?''

रत्नदेव फसल की कटाई करके लौट रहे थे। किसुनी ने दूर से ही उन्हें देख हाँक लगाई थी, ''भाईजी, तनिक जल्दी-जल्दी गोड़ बढ़ाइए। भउजी को बेटा हुआ है, बेटा। हमको हमरा नेग चाहिए, समझे कि नहीं?''

रत्नदेव की आत्मा निर्वासन के दुःख भार से अनमनी हो उठी थी। आज पूरा गाँव उनके ओसारे पर होता। आलोका काकी बालक की जिह्वा पर शहद-जल टपकातीं 'ॐ' अंकित करतीं, कल्याणी के लिए नेह-छोह से भरी सौ-सौ यत्न करतीं।

उन्होंने पलटकर गंगा के चौड़े पाट की ओर अपलक दृष्टि डाली थी और मन का ताप मिटाने के लिए गंगाजी में प्रवेश कर गए थे—''माँ गंगे, संतान माता-पिता के शुभ कर्मों की पहचान बनकर आती है। कल्याणी का कठोर तप इस संतान के रूप में साकार हुआ है। मेरे पुरखे जहाँ भी हों, इस बालक का रक्षादीप बनें। जन-जन में भक्ति और अविरल कर्मयोग ही बालक की शक्ति बने।''

... ...

साँस रोके सुनते रहे थे लोकनाथ! उनकी जिज्ञासा कथा के उत्तरार्द्ध से जुड़ गई थी—''लेकिन माई, वे ब्रह्म कैसे बने, उन्हें अवतारी पुरुष किसलिए कहा गया है, और हमारे गाँव के तीनों टोलों के लोग उनकी पूजा करते हैं, किसलिए?''

योगेश्वरी की पोर-पोर में उस पुरखे के लिए अनंत श्रद्धा का स्रोत समाहित था—''यह कलियुग है। चारों तरफ कुतर्कियों का बोलबाला। देवता-पितर सब झूठ बताए जा रहे हैं, तीरथ-बरत ढोंग। लेकिन एक बात गाँठ बाँध लो बबुआ, आन पर जान देनेवाला मरद-मानुस ही देवता-पितर की पदवी पा जाता है। कुकुर-बिलार की तरह जीनेवालों की बाढ़ सी आ गई है। सच की रक्षा करनेवाले, वचन पर मर-मिटनेवाले थे तुम्हारे पुरखे रत्नदेव बाबा। इस गाँव की संतानें अपने उस पुरखे सी मति-गति पा जाएँ तो देश-गाँव स्वर्ग नहीं हो जाए। खाली डीह-डिहवोर पूजने से कुछ नहीं होता।''

... ...

रत्नदेव की तीनों संतानें—भक्ति, ज्ञान और सेवाभाव की जीती-जागती मूरतें थीं। पिता का अध्यात्म, कल्याणी माँ की भक्ति, जलेश्वर बाबा की कठोर श्रम-शक्ति। टीला समतल हुआ, गाँव बसा, गोंड, अहीर, कमकर, केवट, जुलाहा सबको आश्रय मिला।

आशुतोष, आनंद और प्रभाकर—तीनों पुत्र कल्याणी की गृहस्थी का त्रिवेणी रूप हुए। दिनभर अपना-अपना काम और साँझ ढले शिवाला पर रत्नदेव पंडित का सरस मानस गायन। उपनिषद्, शिवपुराण, दुर्गा भागवत, महाभारत का पारायण। आस-पास के गाँवों से भी लोग-बाग जुट आते।

जलेश्वर बाबा सबसे आगे बैठकर कथा सुनते तुलसीमय हो जाते। खल-वंदना प्रसंग आते ही उनका बाल सुलभ कौतुक जग पड़ता।

"बहुरि बंदि खलगन सतिभाएँ, जे बिनुकाज दाहिनेहू बाएँ।"

रतन बेटा, जमींदार की ठाकुरबाड़ी में कितनी बार तुमने यह चउपाई गाई होगी। उसका पाथर मन तब भी नहीं पसीजा न?

तुलसी बाबा एकदम ठीक लिख गए हैं—

"उजरें हरष विषाद बसेरें।"

प्रभु ऐसे लोगों के लिए क्या खूब दंड विधान रचते हैं। गाजीपुरवाले मेरे समधी बता रहे थे—बलराम सिंधवा की सकल संपत उसके छोटे भाई ने हथिया ली। उसे अशक्त बनाकर हवेली में नजरबंद कर दिया और वह चंचला रानी? उसने माहुर खाकर प्राण दे दिए।"

रत्नदेव ने हाथ जोड़कर चिरौरी की थी—"मैं अपना अतीत बच्चों के सामने नहीं रखना चाहता। अपने पुरुषार्थ से इस बियाबान टीले को समतल बनाकर मैंने हरियाली उगाई है; खर-पतवार बटोरकर एक झोंपड़ी बनाई है। आशुतोष, आनंद और प्रभाकर अब सयाने हो चले हैं।"

कल्याणी अपने बच्चों की आचार गुरु थीं और रत्नदेव ज्ञानगुरु।

"आशुतोष बेटा, संस्कृत हमारी आदि भाषा है। इसे पढ़े बिना तुम अपनी विद्या-धरोहर से विमुख हो जाओगे।"

"हम उत्तरायण मार्गी हैं। कर्मों की उत्तरोत्तर शुभता और अनुकूलता से हमारे जीवन में निखार आता है।"

प्रभाकर की वाक्पटुता देखने लायक होती। उसकी बाल शंकाएँ पोखर में छिपी मछलियों की तरह बीच-बीच में अपनी झलक दिखा जातीं—"बाबूजी, हमारे मन में ढेर सारे प्रश्न उठते हैं। वह कौन है, जो इन प्रश्नों को मन के भीतर बोता है?"

रत्नदेव बालक की ज्ञान-तृषा का सयत्न शांत करने का प्रयास करते—"संपूर्ण सृष्टि की प्रेरक एक अनंत शक्ति है। नेत्र उसे भले न देखें, वाणी की पहुँच से वह

बेशक परे हो, लेकिन वही अज्ञात शक्ति चंदन और जल का संयोग बनकर हमारी भाव-दशाओं का, हमारे शुभ कर्मों का निर्धारण करती है।''

आशुतोष ज्येष्ठ था। उसकी जिज्ञासा का स्वरूप अधिक गंभीर होता—''भगवान् ने देवासुर संग्राम में देवताओं का साथ दिया, फिर देवताओं का पतन क्यों हुआ ?''

''देवजाति विजय मद में उस सर्वशक्तिमान को भुला बैठी। केनोपनिषद् की कथा को प्रतीक रूप में समझने का प्रयास करो। अभिमानी देवों को सबक सिखाने के लिए प्रभु ने एक विशालकाय यक्ष का रूप धारण किया। अग्निदेव उस यक्ष की सत्यता जानने के लिए पहुँचे और अपनी शक्ति का बखान करने लगे। यक्ष ने एक तृण सामने रखा—'इसे जलाओ।'

''अग्निदेव के सारे प्रयत्न व्यर्थ हुए। तिनका नहीं जला। तब उन्हें बोध हुआ—उनके भीतर दाह का सामर्थ्य भरनेवाला कोई और है। यही दशा वायु और इंद्र की हुई, तिनका अपने स्थान पर सुरक्षित बना रहा। 'केनोपनिषद्' की यह कथा कहती है—अभिमानी के नेत्रों पर अज्ञान की पट्टी चढ़ी रहती है, वह प्रभु का अस्तित्व पहचान नहीं पाता और पराभव को प्राप्त होता है।''

रत्नदेव की सुनहली गृहस्थी में अशुभ की कालिमा लेकर बेनामीपुर के जदुनंदन का प्रवेश हुआ था। उनका हलवाहा, पशुधन की सार-सँभाल करनेवाला, प्रभाकर को पहलवानी के दाँव-पेंच सिखानेवाला जदुनंदन।

कल्याणी को दया आती—''प्रभाकर, सुबह से साँझ तक तुम्हारे जदु काका खटते रहते हैं। जाओ, यह दूध उनके लिए...''

साल बीतते न बीतते जदु काका आनंद और प्रभाकर के चहेते बन गए थे। कभी-कभार बाहरी ओसारे से पीठ ठिकाए बैठ जाते और अपनी रामकहानी कह सुनाते—''तीन धिया, दू पूता। सब बियहन जोग। दूनो पूत कपूत निकल गए भउजी। यहाँ आपके तीनों बचवन को देखते हैं तो कलेजा जुड़ा जाता है—कितने सुलच्छन हैं आपके बेटवन। महादेवजी ने ऐसी अडबंगी अउलाद हमारे ही कपारे...''

जदुनंदन की बड़ी बेटी सुभद्रा का ब्याह किसी तरह तय हो पाया था। लाठी पटककर सुस्ताते हुए उन्होंने वह पूरा घटना-क्रम कल्याण और रत्नदेव के सामने दोहराया था—''नर पिसाच हैं वे लोग। पछाहीं गाय, बरध की जोड़ी, दस भरी चाँदी, पाँच भरी सोना, बाकी दान-दहेज, बरतन-बासन, कपड़ा, लत्ता, बारात की खवनई अलग से।''

कल्याणी की आशंका स्पष्ट थी—''इतना खरच-बरच आपके बूते से बाहर है। आप किस तरह ?''

''बस यही बिनती लेकर आपके दरबार में आए हैं। रतन भइया थोड़ी सी मदद कर दें तो··· ।''

जलेश्वर बाबा की आँखों में पुराने अनुभव की कड़वाहट थी—''जदुनंदन पुराना करजखोर है। पैसे लेने के बाद पलटकर देखता तक नहीं। बहुरिया, इसे कुछ भी देना तो सोच समझकर।''

जदुनंदन के धार-धार आँसुओं की माया ने उन दोनों को भरमा लिया था। ''दो सुवर्ण मुहरें मेरे पास हैं, पुरखों की पुश्तैनी निशानी। मेरे पास थोड़े से गहने बचे हैं। आप कहें तो···''

''दे दो कल्याणी, गाँव-जवार की बेटी, अपनी भी बेटी। जदु कह रहा है, फसल कटते ही पूरा कर्ज चुका देगा।''

दो सुवर्ण मुहरोंवाले गोपन ऋण की कथा जलेश्वर बाबा नहीं जान पाए थे। उस साल वर्षा का दूर-दूर तक कोई नामोनिशान नहीं था। बगुले की पाँख से सफेद बादल दिखलाई पड़ते और पलक झपकते ही आकाश के उदर में जाने कहाँ समा जाते।

काशी की मंडी से लौटकर जलेश्वर बाबा ने चेताया था—''अबकी बरिस अन्न के लिए हाहाकार मचेगा। बहुरिया, कोठिला के धरे अनाज को समझ-बूझकर खरचना। पूरनमासी, एकादशी, अमावस, तीज-तेवहार का दान भी समझ-बूझकर···''

आशुतोष के मन में विद्याध्ययन के लिए काशी जाने की अभिलाषा थी—''बाबूजी, अपने गुरु शिवस्वरूप शास्त्रीजी के पास पत्र भेजिए न। वहाँ से आचार्य की परीक्षा में उत्तीर्ण होना कितने सौभाग्य की बात है न!''

रत्नदेव की आंतरिक इच्छा थी—आशुतोष और आनंद को काशी भेजकर वहाँ की ज्ञान-परंपरा से उन्हें जोड़ने की। शिवस्वरूप शास्त्रि ने कहलवा भेजा था, ''दोनों बालकों को मेरे पास भेज दो। तुम्हें विद्या दान दिया, तो क्या दोनों संततियों को नहीं दूँगा। तुम बाकी प्रबंध करो।''

उन्होंने मन-ही-मन हिसाब लगाया था—दोनों बच्चों को एक साथ घर से बाहर भेजने का अर्थ हुआ—कम-से-कम दस हजार रुपयों का खर्च। रातभर गहरी उधेड़-बुन के बाद उन्होंने निश्चय किया था, मुझे बेनामीपुर जाना होगा, जदुनंदन के पास।

कल्याणी की दाहिनी आँख में हल्का सा कंपन हुआ था। जलेश्वर की बात सच

निकली थी—बेटी के ब्याह के बाद जदुनंदन ने मुड़कर नहीं देखा था।

बड़ा बेटा आशुतोष उनके साथ जाने के लिए तैयार था, ''माई, वह लठैतों का गाँव है। वहाँ बाबू का अकेले जाना ठीक नहीं। हम भी साथ जाएँगे।''

रत्नदेव ने मना कर दिया था, ''मुझे कोई झगड़ा-टंटा थोड़े ही खड़ा करना है। बस, अपनी अमानत वापस लानी है। जदुनंदन चाहे तो किस्त में चुका दे, मेरा काम उतने भर से चल जाएगा।''

अदृष्ट की पदचाप सुन रहे थे रत्नदेव। कल्याणी के सामने हँसकर स्वीकारा था उन्होंने—''थोड़ी सी कचोट तो मेरे मन में भी है। मंगन के आगे मँगता बनकर जा रहा हूँ मैं, लेकिन निरुपायता है। जाना ही होगा।''

उन्होंने तीनों बेटों को सामने बिठाकर दिशा-निर्देश दिया था—''आशुतोष देवालय का कार्य सँभालेगा। पौरोहित्य के सकल कारज। आनंद गायों, वृषभों की देखभाल करेगा और प्रभाकर अपनी माई के कामकाज में हाथ बँटाएगा। मुझे लौटने में देर हो जाए तो जलेश्वर काका को बुलवा लेना, यहीं ओसारे में सो रहेंगे। तुम तीनों को उनकी कथा-कहानी का सुख भी प्राप्त हो जाएगा।''

कल्याणी ने चेतावनी दी थी—''किसी कारण से कारज नहीं बने तो तुरंत लौट आइएगा। मेरे प्राण अटके रहेंगे।''

''तुम ऐसी कातर हो रही हो, जैसे हम लाम पर जा रहे हैं। चिंता मत करो, देवाधिदेव सब मंगल करेंगे।''

रत्नदेव को गए दूसरा दिन था। बेनामीपुर के रामपूजन अहीर ने सबकुछ कह सुनाया था—''पंड्डीजी वहाँ गए, अच्छा नहीं हुआ। उन लोगों ने उनका अपमान किया।''

जलेश्वर उत्तेजित हो उठे थे—''हमारी बात कोई माने, तब न। हम तो जानते थे जदु और उसके बेटे मक्कार हैं, पूरे के पूरे।''

कल्याणी हड़बड़ाती हुई ओसारे में निकल आई थीं—''क्या हुआ काका, मुझे बताइए।''

''रत्नदेव ने अपनी थाती वापस माँगी, जदुनंदन साफ मुकर गया।''

''कइसन मोहर, कइसन गहना गुरियाऽ। हमको कुच्छो याद नहीं। मेहनत-मजूरी का पचास रुपल्ली पाते थे, इसके अलावे आपने हमको कुच्छ नहीं दिया।''

वर्षों पहले गाजीपुर के जमींदार बलराम सिंह के हाथों अपमानित होने की पीड़ा

चौगुने वेग के साथ जाग उठी थी—"इतनी बड़ी कृतघ्नता। ऐसा मिथ्या आचरण। जलेश्वर काका ठीक कहते हैं, 'राह चलतों पर विश्वास कर लेता हूँ मैं। तनिक, करुणा देखी नहीं कि द्रवित होकर सबकुछ लुटाने पर तुल गया मैं और अब इस पातकी के ये अनृत वचन। कल्याणी के आभूषण गए। पुरखों की निशानी दोनों सुवर्ण मुहरें गईं। क्या मुँह दिखाऊँगा उसे? कहती थीं—पुत्रवधुओं की है यह अमानत। मेरे नौहर का सर्वस्व-कन्याधन।"

क्रोध की एक तेज लहर उनके मुखमंडल को आरक्त बना गई थी—"तुम इतने बड़े कृतघ्न निकलोगे, मुझे ज्ञात नहीं था। तुम्हारी बेटी के विवाह के लिए मैंने अपनी समस्त पूँजी तुम्हें सौंप दी। तुमने कहा था—दो वर्षों में पूरा ऋण चुका दोगे। आज पूरे छह वर्ष बीतने जा रहे हैं। तुम इतना बड़ा झूठ किस प्रकार बोल सकते हो, जदुनंदन?"

उन्होंने हठपूर्वक निर्णय लिया था—"अपना प्राप्य लिये बिना यहाँ से जाना नहीं है। जदुनंदन के झूठ का प्रतिकार वे अपने आत्म-बलिदान से करेंगे।"

असत्य पोषित जदुनंदन, उद्दंडता और अभिमान की प्रतिमूर्ति, उसके दोनों पुत्र। "यहीं अठान-बिठान पड़ने का मन बना लिया, तो पड़े रहो महाराज। अरे, जब बापू ने कह दिया कि तुम्हारा कोई करज-वरज नहीं है उन पर, तब उठते क्यों नहीं यहाँ से? चलो, अपना रास्ता नापो।"

जलेश्वर, आशुतोष, आनंद, प्रभाकर बदहवास भागे आए थे, "आज तीसरा दिन है। अन्न, जल परित्याग कर आप यहाँ पड़े हैं। उठिए बाबूजी, हमारे साथ चलिए।"

जलेश्वर ने बाँह पकड़कर उठाना चाहा था, "हम कहते थे न बबुआ, करैत साँप को दूध पिलाने चले थे तुम। उठो, वापस गाँव चलो। इस पापी से हम बाद में निबट लेंगे।"

रत्नदेव के भीतरी नेत्र पराशक्ति की लीला का प्रत्यक्ष अनुभव कर रहे थे—"इस घोर लांछन का प्रक्षालन आत्म-बलिदान से ही संभव है।"

उन्होंने तीनों बेटों को पास बुलाया था, "अपनी माई को प्रबोध देना। गंगातट पर तुम तीनों भाइयों का पुरुषार्थ फलित होगा। गाँव होगा तिवारीपुर। काली माई को स्थान जरूर देना। तुम तीनों सक्षम हो, मेरा आशीर्वाद है—सत्य और स्वाभिमान को संपदा मानकर चलोगे तो गाँव फलेगा-फूलेगा।"

सबसे छोटे प्रभाकर की सिसकियों में करुण पुकार थी—"बाबूजी, घर चलिए।"

आशुतोष और आनंद कातर भाव से कह उठे थे, "नहीं जाना काशी। आपसे बढ़कर गुरु कौन होगा बाबूजी! ईश्वर के लिए अपना हठ त्याग दीजिए। हम तीनों माई को वचन देकर आए हैं। आपको अपने साथ लेकर ही जाएँगे। उठिए बाबूजी।"

रत्नदेव अडिग थे—"मरणधर्मा मानुस तन के लिए शोक नहीं करते। मेरी आत्मा पर जदुनंदन के झूठ का बोझ है। यह अपना पातक कबूले अन्यथा मेरा शरीर-त्याग अवश्यंभावी है।"

असत्य की खान जदुनंदन और उसके बेटों की कुटिलता देखते बनती थी।

रत्नदेव उस घर के बाहरी ओसारे पर पड़े सत्य धर्म के लिए संकल्पबद्ध थे। जन्माष्टमी का व्रत साधे निकले थे, अनंत चतुर्दशी के दिन प्राण त्यागे। अचेत होने से पहले की वह मधुर नूपुर-ध्वनि-प्राण कंठगत थे, चेतनापूर्ण जाग्रत्—"बाबा, मैं ही इस घर की वह अभागी धिया हूँ, अपने बाप, भाई के महाझूठ का परासचित करने आई हूँ। इन कपटी मरद-मानुसों के लिए अपनी ओर से बिनती करने आई हूँ। हो सके तो इन्हें छिमा…"

रत्नदेव की बंद पलकों में हल्का सा कंपन हुआ था—गुड़हा बताशे का घोल काँसे के कटोरे में लिये, हल्दी रँगी साड़ी में लिपटी वह बालिका उनके सामने थी। उस अमृत-जल की कुछ बूँदों ने उनके कंठ-स्वर को हमेशा के लिए विलीन होने के पहले क्षणित दीप्ति दी थी—"मेरे महाप्रयाण में बाधक मत बनो तुम। अच्छा, सुनो! मेरे अंतिम वचन को सत्य-प्रमाण मानना और इस गाँव को मेरी चेतावनी कह सुनाना—

"एह गाँव के धियवन के जय, पुतवन के क्षय।

इस गाँव की बेटियाँ जयी हों, कुटिल, प्रबंधक पूत-परंपरा का नाश हो।"

आगे की कथा कहती योगेश्वरी माई की चेतना में अपनी आदि पुरखिन कल्याणी माँ के जीवन भर का दाह सिमट आता।

रत्नदेव की निष्प्राण देह शिवालय के बाहर नीम की छाँह तले धरी हुई। कल्याणी की आँखें गंगाजी की रेती बनी हुई थीं, "प्रभाकर, रोते नहीं बचवा, तुम्हारी बाबूजी कहीं गए नहीं, वे अपनी आन में जीवित हैं। इस बियाबान को अपनी जिनगी के सकल रस से सींचकर इसी माटी की पोर-पोर में समा गए हैं वे।"

लोकनाथ की उनींदी आँखें अपने ग्राम पुरखे रत्नदेव बाबा की स्मृतियों से जुड़कर न जाने किस सम्मोहन की दुनिया में विचरण करने लगतीं—"आशुतोष तिवारी के वंशज हो तुम। यह पूरा गाँव तिवारीपुर अपने ही रक्त संबंधियों का है।"

× × ×

दलसागर पाठशाला के प्रथम अक्षर गुरु यदुनाथ बाबा। जगमोहन तिवारी का वज्र आदेश था, "मोहन, सुरेंद्र, सकलदेव, तीनों जाओ। सिंदूरिया आमवाले बगीचे में अपनी बाल मंडली के साथ विराजमान होंगे लोकनाथ। उनकी गुलेल घर में नहीं है, इसी से अंदाजा है कि वे वहीं कहीं टिकोरों पर निशाना साधते मिल जाएँगे। देखना, डाँट-डपट नहीं, पुचकारकर ले आना।"

मोहन उम्र में छोटे, रिश्ते में बड़े थे। उन्होंने तिकड़म भिड़ाई थी—

"जगमोहन भइया ने बायस्कोपवाले को घर में बुला रखा है। चलो लोकनाथ।"

घर लौटे तो बरामदे पर ही युगल मूर्ति के दर्शन हो गए थे—बेंत की बड़ी सी आरामकुरसी पर विराजते, हुक्के का कश लगाते छह फुट्टे जगमोहन तिवारी और सामने पड़ी चौकी पर पालथी मारकर सुड़ुक-सुड़ुक गुड़हा चाय पीते यदुनाथ बाबा।

लोकनाथ बिजली की फुरती से पिछवाड़े के दरवाजे की ओर भाग खड़े हुए थे—"अरे बाप रे माई, यह तो पग्गड़ बाँधे, मिरजई पहने लंबा-तड़ंगा मुच्छड़ आदमी बाबूजी के साथ बैठा है, क्यों आया है?"

योगेश्वरी कुछ कहतीं, इसके पहले उन्होंने अपना अपराध स्वीकार किया था—"माई, हमें डर लग रहा है। जरूर बाबूजी के सामने हमारी शिकायत… । हमने इनके खेत में घुसकर खूब मटर छीमियाँ खाई थीं, अब हमारी पिटाई… ।"

"नहीं बबुआ, ये तुम्हारे गुरुजी होंगे, तुम इनकी पाठशाला में पढ़ोगे। ये शिकायत करने नहीं आए, तुम्हारे बाबूजी की बोलाहट पर आए हैं। जाओ, दोनों हाथों से पाँव छू लेना और जो कुछ पूछें, उसका जवाब सोच-समझकर देना।"

कनखियों से पिता को निहारते, एक-एक कदम थाहकर आगे बढ़ाते लोकनाथ एक कोने में खड़े हो गए थे।

"अपना नाम बताओ बबुआ।"

"लोकनाथ तिवारी।"

"पिता का नाम।"

"जगमोहन तिवारी।"

"श्री लगाकर बोलना चाहिए। फिर से बोलो तो…"

"श्री जगमोहन तिवारी।"

"कुछ पढ़ा है, अक्षर ज्ञान है?"

उन्होंने सिर हिलाकर हामी भरी थी।

"अच्छा, जाओ, स्लेट-पेंसिल लेकर आओ।"

माई ने किवाड़ के पीछे से हाथ बढ़ाकर धुली हुई स्लेट थमा दी थी—

"आओ, यहाँ बैठकर लिखो—रा मो ग ति"

उन्होंने चटपट लिखकर स्लेट आगे बढ़ा दी थी—'रामो गति, देहु सुमति…।'

बड़ा सा सिर हिलाते हुए यदुनाथ बाबा हो-हो करते हँस पड़े थे—ताड़ के सूखे पत्तों की खड़खड़ाहट सी हँसी।

"पतोहिया बड़ी गुनवंती मालूम पड़ती है। अच्छा, बताओ तो बच्चा, संस्कृत की कोई प्रार्थना।"

उन्होंने चट-पट हाथ जोड़कर आँखें मूँद ली थीं और सावधान की मुद्रा में खड़े हो गए थे—"त्वमेव माता, च पिता त्वमेव

त्वमेव बन्धुश्च, सखा त्वमेव
त्वमेव विद्या द्रविणं त्वमेव
त्वमेव सर्वं मम देव देव।"

"वाह, क्या कहने? हो गई तुम्हारी परीक्षा, अब कल से पाठशाला आने की तैयारी कर लो, लोकनाथ बबुआ।

अकूत बाहुबल के धनी थे यदुनाथ बाबा। भोर वेला में किसान बनकर अपनी खेती सँभालते, जोताई, कोड़ाई करते, खर-पतवार निकालते, गाछ-बिरिछ को ममता से सींचते और गइया को सानी देकर दूध-रोटी का कटोरा जल्दी से अपने गले के नीचे उतारते, लंबा-लंबा डग बढ़ाते, अपने गाँव की बँसवारी पार करते ठीक समय पर पाठशाला पहुँच जाते।

कक्षा चार तक की पढ़ाई और अकेले गुरु यदुनाथ बाबा। लोकनाथ शुरुआती दिनों में खूब सहमे से रहते। कंबल की छोटी आसनी काँख में दबाए उभयनिष्ठा आजी साथ-साथ जातीं, रास्ते भर हिदायत देतीं, "देखो बचवा, इधर-उधर कहीं मत जाना। जब तक हम लेने नहीं आ जातीं, यहीं यदुनाथ बाबा के पास बैठे रहना।" छुट्टी होने के घंटा भर पहले आजी बरामदे में बैठी इंतजार करती रहतीं।

यदुनाथ बाबा पर उनकी कड़ी पाबंदी थी, "बचवा सुकुमार है। इसको फूल की छड़ी से भी छूना मना है। समझ गए मास्टर।"

धीरे-धीरे वह पाठशाला, वहाँ के विद्यार्थी रास आने लगे थे। पाठ याद करके

सुनाने में वे सबसे आगे थे। हर शनिवार को गुरुजी के लिए सीधा आया करता था। लोकनाथ की जिद होती—''माई, आटा थोड़ा और दे दो न। गुड़की भेली देने में इतनी कंजूसी क्यों, चुरामनपुरवाले मेरे साथी शिवनाथ की माँ पाँच भेली भिजवाती हैं और हाँ, अबकी बार होली में हमारे गुरुजी के लिए धोती, कुरता और गमछा खरीदना होगा। तुम बाबूजी से कहोगी न।''

यदुनाथ बाबा की स्नेह डोर जुड़ गई थी बालक लोकनाथ से—''क्यों बबुआ, आज पाठ में मन नहीं लग रहा, जलखावा नहीं करके आए हो क्या?''

वे जानबूझकर मुँह बनाते, भूखे पेट होने का स्वाँग रचाते, ''कहाँ गुरुजी, माई ने फर ही कम दी और एक छोटी सी गुड़ की भेली देकर टरका दिया। पढ़ते-पढ़ते इतनी भूख लगती है कि पूछिए मत। अब हम पाठ याद करें तो क्या खाक?''

''ऐसी बात है बचवा, तो जाओ, आज तुम्हारी छुट्टी। घर जाकर पहले एक कटोरा दूध पी लेना, फिर अपनी उभया आजी के साथ थोड़ा घूम-फिर लेना।''

''लेकिन गुरुजी, कल तो पाठशाला का निरीक्षण करनेवाले हाकिम आनेवाले हैं न। आपको भी तैयारी करनी होगी न।''

''अरे हाँ, हम तो भूल ही गए थे। घर जाकर कुरता-धोती धोना, सुखाना है। रजिस्टर दुरुस्त करना है। अच्छा, ऐसा करता हूँ। सब बच्चों की छुट्टी।''

पाठशाला का घंटा समय से पहले बज गया था। सभी बालक आजाद पंछी बन आम के बगीचे की ओर फुर्र हो गए थे। उभया आजी लोकनाथ का बस्ता थामे घर लौट आई थीं।

घर की साँझाबाती कर चुकने के बाद योगेश्वरी लोकनाथ की उँगली थामे कालीथान, शिवाला और ब्रह्म बाबा के थान का फेरा लगातीं।

खूब जतन से धोया हुआ अद्धी का छोटा सा कुरता, लट्ठे का पायजामा, दुपल्ली टोपी, आँखों में कच्ची हल्दी और देशी घी के साथ अजवाइन की बाती जलाकर बनाए गए अंजन की मोटी रेख, कानों के पीछे और नाभि में काला टीका।

लोकनाथ ठुनकते—''नाभि में काजल क्यों लगाती हो माई, कुरता खराब हो जाएगा न।''

उभया आजी चट से टोकतीं—''ना बचवा, मँझला टोला की संकर बो की दीठ बुरी है। उस दिन उसी की टोक लगी थी न, तुम्हारा पेट चलने लगा था। चुपचाप दिठोना लगवा लो, अइसा 'रिसिक' नहीं लेने का।''

आजी के मुँह से विलायती शब्द का अटपटा उच्चारण सुनकर वे हँस-हँसकर लोट-पोट हो जाते। ''तुम भी आजी, तुम पर रामकिशोर काका का रंग चढ़ने लगा है।''

× × ×

रत्नदेव तिवारी के लहुरे बेटे प्रभाकर तिवारी के वंशज रामकिशोर! गाँव भर में फर्राटेदार अंग्रेजी बोलनेवाला एक ही इनसान। अंग्रेजी हुकूमत के रंग में पूरी तरह रँगे हुए। उन्होंने अपने घर की अँगनाई में खड़े होकर ऐलान किया था, ''आगरे की छावनी में नौकरी करनी है। अब अधिक दिन गाँव में नहीं रहना है।''

सुदामा आजी और सुमित्रा काकी का रागबद्ध रुदन सुनकर पूरा गाँव उनके दरवाजे पर बटुरा गया था—''अरे, कोई इसे समुझावो, बुझावो? कहता है कि पलटनिया बनेगा। ललमुँहवन के बाल बचवन को टिरेनिंग देगा, चार आखर विलायती बोल क्या सीखकर लौटा, एकदमे बउरा गया है रामकिसोरवा।''

रामकिशोर की टेक अपनी जगह पर थी—अंग्रेज टीचर फादर विलियम्स का गुरुमंत्र उन्हें भा गया था, 'आर.के., अपने जीवन का मकसद आप तय करो—टेक युअर ओन डिसीजन। अंग्रेज परिवारों के छोटे-छोटे बच्चों को ट्यूशन पढ़ाओ और खाली समय में सिविल सर्विसेज की तैयारी करो। तुम्हारे रहने, खाने-पीने का इंतजाम यहीं छावनी में ही…''

उनकी नियुक्ति का तार दहिवर डाकघर में पहुँचा था। तार मिलते ही गाँव भर में कोहराम मच गया था—''घोर कलियुगी हो गया है रामकिसोरवा। एक बरिस गाँव से बाहर क्या रह गया, अपने सिंसकार भिरष्ट करके लवटा है ससुर। बिलायती भारवा में पोस्टकाट लिखता रहता था। तभी कहें, यह खुराफात कर रहा था। हमारी मानो तो इस कुलकलंकी को इसके कुटुम सहित गाँव से बाहिर करो। रतनदेव बाबा सब देख रहे हैं, इसको इसके किए का फल मिलेगा। काली माई के कोप से बच नहीं पाएगा।''

योगेश्वरी रामकिशोर की ढाल बनी हुई थीं—''रामकिशोर देवरजी गलत नहीं हैं। अंग्रेजी जानना, पढ़ना-पढ़ाना भी बुरी बात नहीं है। गाँव-गवार के किसी भी कमासुत मरद का नौकरी करने के लिए बाहर जाना कोई नई बात नहीं है। लड़का टोला के अनिरुद्ध तिवारी को रेलवई की नौकरी मिली, वे अपना परिवार समेटकर गए कि नहीं। छोटका टोला के दुर्गाचरन को कलकतिया बनने का सवख हुआ,

उनकी औरत काँखासूती साड़ी पहनने लगी, किसी ने कोई रोक-टोक की, दो-चार आखर अंग्रेजी पढ़ लेने से कोई विधरमी, कुजात कैसे हो जाएगा? साँझ-सुबह गीता-रामायण बाँचने भर से कोई धर्मात्मा नहीं हो जाता। हमारे ननदोई रामचंद्र मिसिर को देख लीजिए आप लोग। कहने को पूरे कर्मकांडी, लेकिन गाँजा चढ़ते ही साक्षात् कसाई। सब धम-कर्म गया चूल्हा में। सावित्री ननदजी की ऐसी कुटम्मस करते हैं कि··पतुरिया की फाँस जो गले पड़ी है। ऐसे मरद को धर्मात्मा कहेंगे आप लोग, बाभन बिसुन का औतार? हमार बस चले तो हम ब्रह्म बाबा के बोल दुहराएँ, ऐसे पुतवन का क्षय··। रामकिशोर देवरजी लाम पर जाएँ, चाहे फिरंगियों के खेमे में रहकर उनकी चाकरी बजाएँ, इस बात को इतना तूल देने की जरूरत नहीं है। उनके परिवार की हिफाजत पूरे गाँव की जिम्मेदारी है।''

रामकिशोर गाँव छोड़ने के पहले योगेश्वरी के पास आए थे—''भौजी, परिवार को आपके ही भरोसे छोड़कर जा रहे हैं। जो बात मेरी पत्नी सुमित्रा को नहीं मालूम वह आपको बताना जरूरी हो गया है—बागी हंसराज के सबसे अधिक करीबी थे रामकिशोर। वे भूमिगत रहकर हिंदी-उर्दू दोनों भाषाओं में खिलाफती रिसाला निकालना चाहते थे। छावनी में रहकर अंग्रेजी टीचर बनना एक बहाना भर था। वहाँ रहते हुए गोपनीय सूचनाएँ जुटाने में मदद हो जाती।''

निखिलानंदजी बक्सर लौट आए थे। प्रसाद की पोटली देने योगेश्वरी के पास आए तो लोकनाथ तेजी से हिल-हिलकर अपना पाठ याद कर रहे थे। दूर से उन्हें देखकर पाठ भूल भागते हुए रसोईघर की चौखट पर आ पहुँचे थे, ''माई, तपसी नाना आ गए, जल्दी निकलो।''

आसन पर विराजते हुए उन्होंने लोकनाथ को अपनी गोद में बिठा लिया था—

''क्या याद कर रहे थे, बबुआ?''

''हितोपदेश के श्लोक।''

''अरे वाह, अच्छा, अपनी पसंद का कोई भी एक श्लोक सुनाओ तो।''

लोकनाथ ने रूठने का अभिनय किया था, ''जो आता है, वही मेरा इम्तिहान लेने लगता है। यह नहीं कि मेरा पेट खाली है, मुझे इस थैले में रखा बेर-चूर्ण चाहिए और बक्सर का खट्टा-मिठा लेमनचूस भी तो। दो न तपसी नाना।''

''अच्छा भाई, लो पहले अपनी सौगात ले लो। अब तो सुनाओगे न।''

''हाँ-हाँ, सुनो—

''गुरुर्ब्रह्मा, गुरुर्विष्णु, गुरुदेवो महेश्वरः।''

मुट्ठी भर लेमनचूस अपने कुरते की जेब में डालकर वे छू-मंतर हो गए थे—''माई, रामकिशोर काका के यहाँ जा रहा हूँ। सुमना को लेमनचूस देना है।''

सूनी कोठरी में योगेश्वरी और निखिलानंद काका आमने-सामने थे, ''बगावत होकर रहेगी बचियाऽ। मेरा बलिदानी जत्था तैयार है। अब कुछ महीनों तक भूमिगत रहकर काम करना होगा। यहाँ आना संभव नहीं होगा।''

योगेश्वरी जानती थीं। जगमोहन तिवारी निखिलानंद काकाजी को बिल्कुल पसंद नहीं करते थे—''यह आदमी सचमुच साधु-महात्मा है? मुझे तो कोई छिपा रुस्तम लगता है। कहीं क्रांतिकारी चाहे सुराजी मत हो। सुनो मलकिनी, माना कि वेद-पुराण बखानने में इनका कोई जोड़ नहीं है, फिर भी इनकी आमदरफ्त इस घर के लिए, लोकनाथ के लिए ठीक नहीं है।''

योगेश्वरी ने उन्हें रामकिशोर के विषय में बताया था, वे प्रसन्न हुए थे—

''मैंने कहा न, बागियों का जत्था पूरे देश में फैलता जा रहा है। फिरंगियों के दिन अब गिनती के रह गए हैं।''

उन्होंने झोले में से कुछ बालोपयोगी पुस्तकें निकाली थीं, ''इन्हें लोकनाथ को पढ़ाना। संसार भर के क्रांतिकारियों की अमर कथाएँ हैं ये।''

योगेश्वरी ने अपने आँचल में छिपाकर सहेज लिया था उन पुस्तकों को। जगमोहन न जानने पाएँ।

लालटेन की रोशनी में योगेश्वरी पाठ पढ़ातीं, ''मंगलपांडे, इस नाम को अपने दिमाग की पिटारी में हमेशा के लिए सहेजकर रख लो बबुआऽ। अठारह सौ सत्तावन, मेरठ में क्रांति हुई थी। मंगल पांडे एक साधारण सिपाही थे। उन्होंने अंग्रेज अफसर का हुक्म मानने से इनकार कर दिया था। उनके साथ अनेक सिपाहियों ने बगावत की थी। भारतमाता को गुलामी की बेड़ियों से मुक्त करने की दिशा में यह पहला क्रांति-नाद था, जिसकी अगुवाई मंगल पांडे ने की थी। और यह गाथा है गुरु गोविंद सिंह की। 'बोले सो निहाल, सत् श्री अकाल' कहते हुए दुश्मनों पर टूट पड़नेवाले शेर-बबर की। अलमस्त फकीर और गजब के शूरमा थे हमारे ये पुरखे। तुम्हारी पोथी में लक्ष्मीबाई की कथा है न। मरदानी पोशाक में निहत्थी अंग्रेजों की फौज से भिड़ गई थीं वे।''

निखिलानंद काका ने हस्तलिखित गीत सबसे अलग छिपाकर दिया था उन्हें—

"अंग्रेज सरकार ऐसी रचनाओं को बरदाश्त नहीं कर पाती न, इसे जब्त कर लिया गया है, लेकिन तुम इसे पढ़ना योगेश्वरी और लोकनाथ थोड़े बड़े हो जाएँ, तब उन्हें इसके बारे में बताना, पढ़ाना यह गीत उन्हें।"

योगेश्वरी अपनी कोठरी के एकांत में वह गीत बाँचती, आँसू पोंछ लिया करती थीं। कवि मनोरंजन का मार्मिक गीत—

"सुंदर सुघड़ भूमि भारत के रहे रामा,
आजु इहे भइल मसान रे फिरंगिया।
अन्न, धन, जन, बल, बुद्धि सब नास भइल,
कवनो के ना रहल निसान रे फिरंगिया!
जहवाँ थोड़े ही दिन पहिले ही होत रहे
लाखों मन गल्ला आउर धान रे फिरंगिया!
उहवाँ पर आजु रामा, मथवा पर हाथ धरि के
बिलखि के रोवेला किसान रे फिरंगिया!
मरदानापन अब तनिको रहल नाहीं!
ठकुर सुहाती बोले बात रे फिरंगिया
जहवाँ भइल रहले, अरजुन, भीम, द्रोण भीषम
करन सम शूर रे फिरंगिया।
उहाँ आज झुंड-झुंड कायर के बास बाटे
साहस, वीरत्व भइल दूर रे फिरंगिया!"

× × ×

नीम की सूखी हुई तिकोनी पतली डाली को बंदूक बनाकर मंगल पांडे का अभिनय करते रँगे हाथ पकड़े गए थे लोकनाथ! अंग्रेजी फौजी अफसर बने थे, उनके साथी दीनदयाल—पाठशाला के अन्य बालक मूक दर्शक की भूमिका में।

एक-दो-तीन
ठाँय, ठाँय, ठाँय।
अंग्रेजी अफसर गिरा।
'भारत माता की जय। मंगल पांडे की जय।'
सामूहिक जयघोष के बाद फिर से खेल का वही क्रम।
तनिक दूर बैठी उभया आजी वह दृश्य देखकर निहाल हुई जा रही थीं—

"कितना सुहावन लग रहा है बचवा, आज घर पहुँचते ही इसकी नजर उतारनी होगी।"

पाठशाला निरीक्षक मिस्टर एन. थॉमस दलसागर आनेवाले थे। यदुनाथ बाबा की भागदौड़ तेज हो गई थी—विद्यार्थियों की उपस्थिति पंजिका दुरुस्त करते, फीस का हिसाब-किताब जोड़ते, बक्सर बाजार से स्लेट-पेंसिल, किताबों की खरीदारी करते हलकान हुए जा रहे थे वे—"बपतिस्मा पढ़कर नया-नया नारायण से एन. थॉमस बना है ससुर डिप्टी इंस्पेक्टर। निरीक्षण करना तो एक बहाना है। मालमत्ता बटोरना असल मकसद है।" उन्होंने उभया आजी से चिरौरी की थी—"एक घंटे में लौट आवेंगे हम। तनिक बचवन को सम्हार लीजिएगा काकी, देखिएगा, कोई घर नहीं जाने पाए। वह कलूटा अँगरेज कभी भी टपक सकता है।"

एन. थॉमस के पहले जगमोहन का आगमन हुआ था। पाठशाला में शोरगुल सुनकर उन्होंने अपनी एक्का गाड़ी दलसागर के सिवान पर रोकवा दी थी, "सारंगी, जरा रुकना, देखें, क्या बात है?"

मंगल पांडे का जयकारा लगाते बालवृंद और आगे-आगे छाती ताने बंदूक हाथ में लिये अंग्रेज अफसर बने बालक को झूठ-मूठ गरदनिया देकर बाहर निकालते लोकनाथ।

उस रात योगेश्वरी की दालान में पेशी हुई थी, "बचवा को मंगल पांडे की कथा किसने सुनाई? सुना, तुम्हारे पास ऐसी पोथियाँ हैं, जिनमें और भी आग-लगाऊ बातें लिखी हुई हैं।"

... ...

"देखो योगेश्वरी, यहाँ तुम्हारी पंडिताई नहीं चलेगी। सच-सच बताओ, ये पोथियाँ कहाँ से मिलीं? जरूर तुम्हारे उस दढ़ियल काका की दिमागी खुराफात है यह। हम सरकारी मुलाजिम हैं। हम नहीं चाहते कि हमारा बेटा इस तरह का बगावती पाठ पढ़े। खबरदार, जो लोकनाथ के दिमाग में किसी ने भी जहर बोया तो।"

उनके मन में एक आशंका और थी—बड़का टोला के नंद किशोर तिवारी प्रयाग में संपादकाचार्य बन गए थे। लाला लाजपतराय के द्वारा खोले गए नेशनल कॉलेज, लाहौर से बी.ए. पास करनेवाले गाँव-जवार के पहले युवक थे। बेहद शाहखर्च और परले दर्जे के गुमानी व्यक्ति। जगमोहन से पाँच साल बड़े थे वे। होली, दशहरा पर जब भी गाँव आते, जगमोहन से किसी-न-किसी भिड़ंत का बहाना ढूँढ़ ही लेते—

''जगमोहन अंग्रेज सरकार की चाकरी में क्या सेहत बनाई है? सुना है, वह अंग्रेज स्टेशन मास्टर तुम पर सौ जान से फिदा है। आखिर बात क्या है?''

मालगाड़ी में सरकारी खजाना जा रहा था। फुलवारी शरीफ स्टेशन से आगे खजाना लूटने की योजना बनाई थी क्रांतिकारियों न। जगमोहन ने सूचना पाते ही अंग्रेज रॉबिन्सन को सावधान कर दिया था। वह घटना न जाने कैसे पूरे गाँव को मालूम हो गई थी। नंद किशोर तिवारी ने बड़ी निर्ममता के साथ कटाक्ष किया था—''ऐसी भी क्या अंग्रेज भक्ति। जगमोहन चाहते तो किसी को कानोकान खबर तक नहीं होती और क्रांतिकारी अपने मिशन में सफल हो जाते। ऐसी भी क्या नमक हलाली भाई कि अपना देश, अपना दीन-धर्म सबकुछ गिरवी रख दिया।''

जगमोहन निरुत्तर थे। उनका सारा क्रोध योगेश्वरी पर बरसा था—''तुम रोज जाकर बड़का टोला के नंदकिशोर भाई की पत्नी और माँ के चरण दबाती हो। देखा, मुझी पर लांछन लगाने चले हैं। बड़े संपादकाचार्य बने फिरते हैं। किसी दिन पुलिस इनके घर की तलाशी लेगी, कुर्की-जब्ती होगी, तब पता चलेगा। इसीलिए कहता हूँ, इन लोगों से जितनी कम आमदरफत रखो, उतना ही बेहतर है। बबुआ को अंग्रेजी ही पढ़ाने की बात है न, सो हम पढ़ा देंगे। शनिचर, इतवार को हमारे पास समय रहता ही है।''

यदुनाथ बाबा विद्यालय निरीक्षक एन. थॉमस की फरमाइशों से तंग आ चुके थे। सप्ताह भर से बक्सर लॉज में डेरा डाले बैठे थॉमस की एक ही रट थी, ''आपने इतने बच्चों का नाम स्कूल में लिख लिया। सीटों से अधिक बच्चे और हमें सूचना तक नहीं दी। है कोई जवाब आपके पास?''

''हाँ, है जवाब। चुरामनपुर के पाँच और दहिवर के दो दलित बालकों का नामांकन लिया है मैंने। इन्हें निःशुल्क पढ़ा रहा हूँ। एक जून खानेवाले परिवारों से हैं ये बालक। मैंने यह सब सूचना निदेशक, प्राथमिक शिक्षा को दे दी है। आप नाहक...''

''अच्छा तो अब मैं नाहक माथा-पच्ची करनेवाला हो गया। ठीक है, तो निकालिए हजार रुपए। हमारे होटल में ठहरने और खाने-पीने का खर्च।''

''माफ कीजिएगा थॉमस साहब, मैं एक गरीब मास्टर हूँ। मेरे पास आपको देने के लिए एक धेला भी नहीं है।''

गुस्से से आग-बबूला, छड़ी घुमाता एन. थॉमस स्कूल के अहाते से बाहर चला

गया था। थोड़ी ही देर में किसनू बनिहार और राधू कुंभकार भागते हुए आ पहुँचे थे—''दहिवरवाले टाँड़ के पास जो दल-दल है न, वह निसपिट्टर उसी में धँसा हुआ है। आपके नाम की गोहार लगा रहा है। जल्दी चलिए, बाबाजी।''

मोटा रस्सा, गँड़ासा और खूँटे पर बँधा जुगाली करता बैल साथ लेकर यदुनाथ बाबा और गाँव के दस-बीस लोग पेट्रोमैक्स हाथ में लिये हाथी दह की ओर चल पड़े थे। यदुनाथ बाबा की भुनभुनाहट बढ़ती जा रही थी—रामायन का बखत बीत जाएगा। बिना सानी-पानी दिए दिनभर के थके बरध को भी उठा लाए।

इमली पेड़ की निहुरी हुई मोटी डाल को पकड़े थॉमस की चिल्लाहट मंद पड़ने लगी थी। बैल के गले में मोटा रस्सा और रस्से का दूसरा छोर थॉमस के हाथों में। यदुनाथ बाबा ने बैल को टिटकारी दी थी। नथुने फुलाता अपनी पूरी ताकत लगाता वृषभ गले तक फँसे थॉमस को दलदल से किसी तरह बाहर खींच पाया था।

यदुनाथ बाबा ने पाठशाला में ही थॉमस के ठहरने का बंदोबस्त किया था। ''देखिए भाई निरीक्षक जी, आज हमारे पास खाने के लिए कुछ भी नहीं है, सिवा इस सत्तू के। आपके दलदल पुराण के कारण दूध समय पर नहीं दुहा गया, नहीं तो इतनी आवभगत तो हम कर ही सकते थे।''

लोकनाथ के पीछे-पीछे उभया आजी लोटा भर दूध लेकर पाठशाला में हाजिर थीं—''ल राकस महाराज, पोर-पोर पिरात होई, परान बाँच गइल, इहे का कम बा, लोकनाथ बबुआ के खास फरमान भइल बा, हल्दी-गुड़ औंटाइल दूध पी ल, कुल्ह हरानी दूर हो जाई।''

काली थान के मरकट श्वान की तरह लपकते हुए थॉमस ने वह लोटा पकड़ लिया था और देखते-ही-देखते लोटे का पूरा दूध उसके उदर में समा गया था।

लोकनाथ अचरज भरी आँखों से देखते रहे थे, ''इ तो सचमुच राकस है आजी। एक ही बार में दो किलो दूध सुड़क गया।''

एन. थॉमस उलटे पाँव वापस लौट गया था। उभया आजी की पोपली हँसी बच्चों की किलकारी के साथ मिलकर पाठशाला को गुलजार बना गई थी।

योगेश्वरी को एक ही चिंता थी, बारह बरस पूरे होने को आए, लोकनाथ की सेहत में कोई सुधार नहीं। कुरता खोला तो पसली की एक-एक हड्डी गिनी जाए। दूध, घी की भरसक कमी नहीं होने देती थीं, फिर भी देह भरने का नाम नहीं।

उभया आजी ने सुझाव दिया था, ''दुखहरन गोंड़ को बुलवा लेते हैं, वह

पहलवानी का दाँव-पेंच सिखाएगा। लाठी भाँजना सिखाएगा, बबुआ की तंदुरुस्ती बनेगी।''

दुखहरन आए थे। उन्होंने पहला सबक सिखाया था—''देख बबुआजी, मंदिर, मसजिद, काबा, कासी, सब एही अखारा के बुझिह। चिक्कन माटी देह में लपेट आ पहिला पाठ खातिर तइयार होजा, सौ बार दंड बैठक।''

लोकनाथ का चेहरा थकान के मारे लाल भभूका—''ना माई, हमसे नहीं होगी पहलवानी।''

उभया आजी की चिंता का पारावार नहीं था—''साधु-फकीर, गंडा-ताबीज कुछुवो काम नइखे आवत। कामरूप कमच्छा के कउड़ी बेकार हो गइल। बबुआ के देह पर मांस ना चढ़ल।''

योगेश्वरी निश्चिंत थीं—''आप बेवजह परेशान रहती हैं, काकीजी, लोकनाथ अपने नाना पर गए हैं। वैसी ही कद-काठी, वैसा ही सुभाव। निखिलानंद काका बताते हैं—बचपन में वे भी ऐसे ही सींकिया पहलवान थे, लेकिन भीतरी ताकत की कमी नहीं थी।''

लोकनाथ को माई की बात से बल मिला था, ''हाँ आजी, विश्वास नहीं होता न, तो पंजा लड़ाकर देख लो। अपने नानाजी से उन्नीस नहीं पड़ेंगे हम।''

दु:खहरन बैरंग वापस हो गए थे।

लोकनाथ छठी कक्षा में थे। नंदकिशोर तिवारी जब भी गाँव आते, उनकी खोज-खबर अवश्य लिया करते थे, ''सुमना, जा तो बचिया, लोकनाथ को बुला ला।''

दबे पाँव लोकनाथ आते और दोनों हाथों से अपने ताऊजी के चरण छूकर सामने रखी मचिया पर विराजमान हो जाते, ''पढ़ाई कैसी चल रही है ?'' तसली में पक रहे मकई के भात की खदबदाहट-सी आवाज।

''बिलकुल ठीक-ठाक।'' आँखें झुकाए बैठे लोकनाथ का रटा-रटाया उत्तर।

''लो, तुम्हारे लिए प्रयाग से क्या लाए हैं ? बाल पोथियाँ, पुस्तिका और रंग-बिरंगी पेंसिल का डब्बा।''

''अंग्रेजी सीख रहे हो ?''

वे धीरे से सिर हिला देते, ''हाँ।''

''ठीक है, सीखो, नहीं तो जगमोहन की आशा पूरी नहीं होगी। शुद्ध हिंदी लिखने का अभ्यास करना, समझ गए न। अच्छा अब जाओ।''

नंदकिशोर ताऊजी को देखते हुए लोकनाथ के मन में एक ललक जगी थी—झक सफेद कुरता, ऊपर से लाल बंडी, एड़ी तक लहराती धोती, कोल्हापुरी चप्पलें। संयत सँवारे गए लंबे काले बाल, कुरते की जेब में सुनहली निबवाली काली-लाल कलम और चेहरे पर एक गुमानी भाव।

रामकिशोर काका आगरा छावनी से जब भी घर आते, रत्नदेव बाबा के चबूतरे पर नई उठानवाले गाँव के लड़के उनको घेरे रहते। लोकनाथ योगेश्वरी माई के साथ जाते। अंग्रेजों का रहन-सहन, उनकी चाल-ढाल, उनकी बोली की नकल करने में रामकिशोर माहिर थे। लोकनाथ की एक ही जिज्ञासा होती—"अंग्रेजों के बच्चे क्या खाते हैं, क्या पढ़ते-लिखते हैं, उनके खेल कौन-कौन से होते हैं?"

वे समझाते—"संसार भर का बचपन एक जैसा होता है बबुआ—सरसों के फूल सा सुंदर, सुकुमार। वे लोग भी मुझसे ऐसे ही सवाल पूछते हैं। आपके गाँव के बच्चे कैसे हैं? हाँ, एक फर्क है, तुम लोग दूध पीते हो, वे शोरबा पीते हैं।"

"वह क्या होता है?"

"मुरगी के चूजों को पकाते हैं।"

"रहने दीजिए काकाजी, अब आगे नहीं सुनना।"

उभया आजी ने तुरत टोका था—"काहे रामकिसोरवा, पलटन में ई खाद-अखाद खाईल, पियल जाला। जगमोहन बबुआ ठीके कहते रहलन, धरम भरस्ट करावत बाड़ लोग। मलेच्छ के छुवल खान-पियन।"

"ऐसी बात नहीं है काकी! अपने धर्म-ईमान का पूरा इत्मीनान है हमको। हम गुरु हैं, हमारा काम है विद्या-दान देना और रही बात अँगरेजों के बीच रहने की, तो हमारी जिंदगी पुरइन पात की तरह है। अपने देश, अपने धर्म की चिंता हमें दूसरों से कहीं अधिक है।"

लोकनाथ ध्यान देकर सबकी बातें सुनते। किसी से कुछ नहीं कहते। रात में योगेश्वरी माई के साथ सोते तो कोई हठीला राजकुँवर सजीले अश्व की बागडोर थामे उनकी बंद आँखों के सामने आ खड़ा होता—"चलो लोकनाथ, गाँव की चौहद्दी, सिवान। अमराई, बँसवारी, यदुनाथ बाबा की पाठशाला, सबसे अलग एक ऊँची उड़ान उड़ने के लिए तैयार हो जाओ।"

इतिहास के पन्नों से बाहर निकल सभी शूरमा लोकनाथ से मुखातिब होते—सिंह गर्जना करते वीर शिवाजी, कुँवर सिंह, मंगल पांडे, लक्ष्मीबाई, गुरु गोविंद सिंह

उनके मानस पटल पर उभर आते और वे मुट्ठियाँ भींचकर अज्ञात शत्रु को ललकारते, मार-काट प्रारंभ कर देते।

नींद में 'वंदे मातरम्', 'इनकलाब जिंदाबाद' जैसे नारे बड़बड़ाते और योगेश्वरी की आँखें खुली-की-खुली रह जातीं। यह कौन सा नया रुझान है लोकनाथ का?

अपने पति जगमोहन तिवारी के वज्र हठीले स्वभाव से भली-भाँति परिचित थीं वे। अंग्रेजों को देवता-पितर मानकर पूजते थे वे। उनके घर में 'वंदे मातरम्' गानेवाला उन्हीं का अपना अंश बगावती भंगिमा अख्तियार कर ले तो।

बिहटा स्टेशन पर क्रांतिकारियों ने मालगाड़ी रुकवाकर खजाना लूटने का प्रयास किया था। जगमोहन तिवारी ने उस प्रयास को विफल बना दिया था। उनकी चाक-चौबंद कर्मनिष्ठा को देखते हुए अंग्रेजी हुकूमत ने उन्हें एक बड़े इनाम से नवाजा था।

योगेश्वरी ने निखिलानंदजी से परामर्श किया था—"तुम निश्चिंत रहो बचिया! लोकनाथ मेष राशि के हैं। इनके रक्त में अध्यात्म है और इनकी वाणी में अद्‌भुत कोमलता। ऐसे बालक परम सहिष्णु और विद्या-व्यसनी हुआ करते हैं। दामादजी की इच्छा के प्रतिकूल कोई भी कार्य नहीं करेंगे लोकनाथ। हाँ, देशसेवा की उमंग इनके भीतर हर क्षण बनी रहेगी, लेकिन बगावत इनके वश की बात नहीं है। समय आकर इनकी कलाप्रियता उभरेगी और ये सरस्वती माता के परमप्रिय सुत की भूमिका में होंगे।"

लोकनाथ अपनी माई से कुछ भी नहीं छिपाते थे—"माई, नंदकिशोर चाचा हमको बहुत भाते हैं। सुंदर बालों का घनापन कंधों तक लहराता हुआ। झक सफेद अद्धी का कुरता, चौड़ी किनारीवाली धोती, कोल्हापुरी चप्पल। सुनहले फ्रेमवाले मोटे चश्मे के भीतर से झलकती बड़ी-बड़ी आबदार आँखें। वे कहते हैं—बबुआ लोकनाथ, संपादकाचार्य बनना हो तो अभी से खूब पढ़ो, खूब लिखो। देश-दुनिया की हर खबर पर नजर रखो। पत्रकार-लेखक की कलम कामधेनु हुआ करती है। जितनी सेवा करोगे, जितना तपाओगे, उतना ही फल देगी।"

लोकनाथ का दाखिला बक्सर मिडिल स्कूल में हुआ था। नए-नए संघतिया, नए-नए शिक्षकगण, नई किताबें।

अब उभया आजी साथ नहीं जा पाती थीं, लेकिन उनकी हिदायत हमेशा साथ रहती थी, "बँसवारी में रुकना मत बचवा, इयार-दोस्त कहें, तब भी नहीं।"

"क्यों आजी? हवा चलती है, नए-नए बाँस आपस में सटते हैं, कैसी मीठी

धुन सुनाई पड़ती है। लगता है चारों ओर सीटी बज रही हो। हमारा मन करता है, हम वहीं बैठे रहें, कोयल की कूक सुनें, लेकिन तुम तो वहाँ जाने ही नहीं देती। क्या बात है, आजी ?''

उभयनिष्ठा ने पतोहू को चेताया था, ''कनिया, ललमुँहवन की आवाजाही की राह वही है। बबुआ तिलकधारी बाबा के बगइचा से होकर जाएँ, यही ठीक रहेगा।''

योगेश्वरी जानती थीं, नंदकिशोर जेठजी के लेखों में फिरंगी शासन के खिलाफ बगावत का जोश हुआ करता था। उनके क्रांतिकारी विचारों की देश भर में धूम थी और वे गोरी चमड़ीवालों के कोपभाजन बने हुए थे।

आए दिन बड़का टोलेवाले उनके घर में छापा पड़ता। औरतों की चीज-बतुस की तलाशी ली जाती। कोई संदेहास्पद दस्तावेज मिले, न मिले, पूरे गाँव-जवार में हड़कंप जरूरत मच जाता।

जितने मुँह, उतनी बातें।

''बड़हन लेखक, पतरकार भइल बाड़न। सउँसे गाँव के डामिल-फाँसी पर चढ़वा दीहें। गाँव में ललमुँहवा पुलिस घुसे, एकरा से बड़हन इनसलट आउर का होई ? चतुरभुज चाचा बड़े बुजरुग बानीं, उहों के समुझावे के चाहीं।''

नंदकिशोर तिवारी की दबंगता अपनी जगह पर थी। उन्होंने गाँव की चौपाल में सबके सामने दो टूक ऐलान किया था—''फिरंगी हुकूमत अपना काम करे, हम अपना काम करेंगे। आप सब लोगों को अपनी और अपने परिवार की सुरक्षा का भय है तो आपके लिए चिंता की कोई बात नहीं। मेरी पत्नी सुमित्रा अपनी और अपने दुधमुँहे बालकों की रक्षा कर लेगी। हम खुलेआम ऐलान करते हैं कि गाँव क़े गोतिया-दयादों से हमारा हुक्का-पानी बंद है।''

उन्होंने आनन-फानन में एक बड़ा निर्णय लिया था। पुश्तैनी जमीन का बड़ा हिस्सा बेचकर पच्छिमी सिवानवाली बँसवारी के पास अपना घर बनाया था।

सुमित्रा रात के अँधेरे में योगेश्वरी से मिलने आई थीं—''कनिया, अपना दुःख किसको बतावें। तुम पढ़ी-लिखी समझदार हो। तुम्हारे जेठजी जो कुछ कर रहे हैं, देस की आजादी के लिए। साझा में रहना साँसत कर दिया था, हमारे दोनों देवर-देवरानी ने। किस मुसीबत में हम अपने बचवन को पोस रही हैं, यह हमीं जानती हैं। उनसे कहने का मन होता है, खिलाफत ही करनी थी तो सादी-बियाह नहीं करते। एक दफे दबी जुबान से समुझाया भी था तो लगे कहने—''माटी की सेवा में प्रान भले

चले जाएँ, लेकिन फिरंगियन का विरोध नहीं छोड़ेंगे।''

योगेश्वरी ने ढाड़स बँधाया था—''जेठी दीदी, भाईजी ने बहुत बड़ा बीड़ा उठाया है। सुनते हैं, भगत सिंह, सुखदेव, आजाद जैसे क्रांतिकारी लोग उनके यहाँ आकर ठहरते हैं, उनसे सलाह-मशविरा करते हैं। कितनी बड़भागिनी हैं आप। डरिए मत, हम आपके साथ हैं। कभी कोई जरूरत हो तो तुरंत खबर पठाएँगी, हम आ जाएँगी।''

लोकनाथ सब समझने लगे थे। मठिया पर निखिलानंदजी मानस का पारायण करते और तुलसी की पंक्तियों का सूत्र थामे वे विचारों के गंभीर सागर में डुबकी लगाने लगते—पराधीन सपनेहुँ सुख नाहीं।

सचमुच, गुलामी का दु:ख कितना दाहक होता है न। हिंदी भाषा और साहित्य पढ़ानेवाले उनके गुरु रामबालकजी मानस की पंक्तियाँ पढ़ाते हुए न जाने किस दुनिया में खो जाते हैं—

''प्रिय विद्यार्थियो, विदेशी आक्रांताओं के द्वारा पद-दलित था अपना देश, जब भारतीय संस्कृति के उद्गाता आलोक पुंज गोस्वामी तुलसीदास अवतरित हुए। उन्होंने मानवता की विजय का आख्यान लिखा। आज भी 'रामचरित मानस' की एक-एक पंक्ति प्रत्येक मनुष्य के जीवन-संघर्ष की ऊर्जा बनी हुई है। त्रिविध तापों से मुक्तिदायिनी सुरसरि के समान अमृत-प्रवाहमयी है यह रामकथा।''

उस दिन लोकनाथ एक उछाह भरा समाचार लेकर माई के सामने खड़े हुए थे।

''हाथ-मुँह धो लो, तब तक दूध गरम हो जाएगा।''

''माई, पहले हमारी पूरी बात सुनो। आज हमारे रामबालक गुरुजी ने कक्षा में ऐलान किया कि हमारे विद्यालय में तुलसी जयंती मनाई जाएगी। 'रामचरित मानस' के चुने हुए प्रसंगों के आधार पर नाटिका भी प्रस्तुत की जाएगी। मुझे राम बनना है।''

उनका गौर वर्ण सिंदूरी आलोक से जगमगा उठा था—''माई, तुम मुझे मानस की चौपाइयों का अर्थ विस्तारपूर्वक समझाओगी न?''

अयोध्या नरेश महाराज दशरथ का राजदरबार सजा हुआ है। विश्वामित्र आते हैं—''राजन्, मुझे अपना पुत्र दो!''

दशरथ के प्राण विकल हो उठते हैं—''मेरा जीवन राम के अधीन है—

राम देत नहीं बनइ गोसाईं।''

विश्वामित्र अडिग हैं। उन्हें राम को अपने साथ लेकर जाना है। उनकी यज्ञशाला पर आसुरी आतंक जो है। इस आतंक से राम ही उनकी रक्षा पर सकते हैं।

राम सहर्ष प्रस्तुत होते हैं। उनकी छायामूर्ति अनुज लक्ष्मण भी उनके साथ हैं।

रामबालक गुरुजी के कुशल निर्देशन में किशोरों का यह दल रामकथा की सटीक प्रस्तुति के लिए कठिन परिश्रम कर रहा है।

योगेश्वरी का प्रशिक्षण लोकनाथ के लिए सबसे अधिक महत्त्वपूर्ण है—सिंह ठवनि-वाले राम मर्यादा पुरुषोत्तम थे। उनके उठने, बैठने, चलने, बोलने में एक गंभीर अलौकिक भाव था।

लोकनाथ उस भावदशा में समा जाने के लिए आकुल हो उठते।

उच्चविद्यालय, बक्सर में तुलसी-जयंती का वह सुंदर आयोजन। राजसी वस्त्र धारण कर, हाथ में धनुष-बाण लिये राम-लक्ष्मण तापस विश्वामित्र के साथ यज्ञशाला की ओर बढ़ रहे हैं। लोकनाथ राम की भूमिका में हैं। योगेश्वरी की आँखों में पुलक-अश्रु हैं—गिरा अनयन, नयन बिनु बानी।

पीली रेशमी धोती में गोटा टाँकती, पीली साटन के कुरते को ठीक से तहियाती वे भाव मगन हो उठी थीं, ''लोकनाथ तनिक और बड़े हो जाएँ, फिर उन्हीं के जोड़ की बहुरिया साक्षात् सिया, सुंदरी पसंद करके ले आएँगी। यह आँगन-घर उसके नूपुरों की रुनझुन से गुलजार हो उठेगा। उस बहुरिया के रूप-गुण की जगर-मगर से घर-आँगन खिल उठेगा। उभया काकीजी अजिया सास बनेंगी और वे सास। नहीं-नहीं, सास नहीं, उस नई-नवेली की माँ बनेंगी, इतना नेह-छोह देंगी कि वह अपने नैहर का बिछोह भूल सके।''

लोकनाथ एंट्रेंस की तैयारी में व्यस्त थे। आँख झपकाने की भी फुरसत नहीं थी। नंदकिशोर काका दो-दो बार गाँव आए, चले गए। उनके बैठकखाने में एक बार भी लोकनाथ की झलक किसी ने नहीं देखी। नंदकिशोर काका हैरान-परेशान उनके घर चले आए थे, ''क्या बात है उभया काकी, लोकनाथ कहीं दिखाई नहीं पड़े, ऐसा तो नहीं कि जगमोहन भाई ने उन्हें हमारे यहाँ आने से मना कर दिया हो और वे...''

''अरे, नाहीं बड़कू, ऐसी कोई बात नहीं है। बबुआ अपनी कोठरी में बैठे पढ़ाई कर रहे हैं। सालाना इम्तिहान माथे पर हैं न, इसीलिए।''

... ...

''आओ न नंदू, भीतर दालान में विराजो!''

''नहीं काकी, बैठूँगा नहीं, ढेर सारे काम बाकी हैं। कागज-पत्तर बिखरे पड़े हैं। आज ही वापस भी जाना है।''

लोकनाथ ने उनकी आवाज सुनी थी और चीते की सी फुरती से लपकते हुए दालन में आ गए थे, "अरे वाह काकाजी, मुझे मिले बिना लौट रहे थे आप?"

नंदकिशोर ने आगे बढ़कर उनके माथे पर हाथ रखा था, "ऐसा कभी हो सकता है भला? तुमसे मिलने के लिए ही तो मैंने दोपहर वाली ट्रेन छोड़ दी। अच्छा लोकनाथ, यह बताओ, परीक्षा की तैयारी कैसी चल रही है?"

उन्होंने सिर हिलाया था, "बिल्कुल ठीक।"

"मेरी पत्रिका का क्रांति-विशेषांक कैसा लगा?"

"बहुत बढ़िया काकाजी। उसके कुछ लेख तो बेहद अच्छे बन पड़े हैं।"

"तुम लिखने का अभ्यास करते जाओ। तुम्हें लेखक बनना है, मुझसे भी आगे बढ़कर इस गाँव का, पूरे जवार का नाम रोशन करना है। अच्छा लोकनाथ बबुआ, अब विदा…।"

इक्कावान औतार ने हाँक लगाई थी—"चलिए किसोर भइया, देरी हो रही है। टीसन पहुँचना है और लवटती बखत बकसर बाजार से कुछ सउदा-सुलुफ भी लाना है।"

सुमित्रा ने अपने छोटे बेटे कन्हाई को पिछले दरवाजे से योगेश्वरी के पास भेजा था, "योगेश्वरी बहुरिया, मदद चाहिए। फिरंगी का हरकारा पहुँचने ही वाला है।"

योगेश्वरी चादर ओढ़कर चुपचाप घर से निकल पड़ी थीं। लोकनाथ उनके साथ थे, "नहीं माई, हमारा जाना जरूरी है। तुम घबड़ाओ मत, हम कुछ करेंगे नहीं, बस साथ-साथ रहेंगे।"

रत्नदेव बाबा के चबूतरे तक पहुँची ही थीं कि एक घुड़सवार उनके सामने आ खड़ा हुआ था। ललमुँहे हवलदार सैमसन का हरकारा सम्सुद्दीन। उसने कड़कती आवाज में पूछा था—"सुमित्रा देवी का घर किधर है?"

उन्होंने लोकनाथ को पीछे करते हुए इशारे से जवाब दिया था—"हमें नहीं पता।"

"गाँव में रहती हो, यह भी नहीं पता कि बागी लेखक किशोर तिवारी की लुगाई किस घर में रहती है? सीधी तरह से बताती हो या?"

योगेश्वरी की देह कमान बन गई थी—"कैंसे हिंदुस्तानी हो, औरतों से किस तरह बात की जाती है, इतनी भी तमीज तुम्हें नहीं? हम तो क्या, इस गाँव का चिरई-चुरमुन भी तुम्हें नहीं बताएगा कि सुमित्रा देवी कहाँ रहती हैं?"

''देखते हैं कैसे नहीं बताएगा, यह सोंटा देख रही हो न?''

योगेश्वरी की आँखों में रक्त उमड़ आया था—''कुत्ते की नस्ल भी तुमसे बेहतर होगी। इसी माटी में जनम लिया है, इसी में अंतिम शरण पाओगे। देशसेवा का धर्म निभानेवाले हमारे जेठजी के परिवार के पीछे पड़े हो। अपनी सलामती चाहते हो, तो तुरत वापस लौट जाओ, वरना⋯।''

सम्सुद्दीन हरकारे की झुकी हुई आँखें उस तेज को सहन नहीं कर पाई थीं। कहीं यही उस बागी की लुगाई तो नहीं? उसने धीरे से अपनी वरदी की जेब से एक बंद लिफाफा निकाला था—''लो, यह तुम्हारे लिए है। अभी तो हम लौट जाते हैं, लेकिन जवाब लेने के लिए कल फिर आएँगे।''

लोकनाथ ने कड़कती आवाज में चेतावनी दी थी—''गाँव के सिवान से भीतर घुसे तो तुम्हारी खैर नहीं। जल्दी भागो यहाँ से।''

सुमित्रा काकी को वह पत्र पढ़कर सुनाया था लोकनाथ ने—'संपादक नंद किशोर तिवारी को इत्तिला दी जाती है कि अपनी पत्रिका के 'क्रांति अंक' में छपे विस्फोटक लेखों की जिम्मेदारी अपने ऊपर लेते हुए पटने की अदालत में आत्मसपर्मण करे अन्यथा उनके घर की कुर्की-जब्ती की जाएगी। इस ऑर्डर की तामील पंद्रह दिनों के भीतर होनी चाहिए।'

लोकनाथ ने माई को कुछ भी नहीं बताया था। उनके कुछ संघतिया काली थान के पिछवाड़े एकत्र हुए थे। गुपचुप मंत्रणा की गई थी और काम को बखूबी अंजाम दिया गया था। बँसवारी के सँकरे रास्ते में अकवन के सूखे पत्तों की ढेरी सुलगा दी गई थी। दो घोड़ियों पर सम्सुद्दीन और हवलदार सैमसन साँझ ढले उस भूलभुलैयावाले रास्ते में घुसे ही थे कि जहरीले धुँए ने उन्हें अपने वश में कर लिया था। अधबूढ़े हरकारे सम्सुद्दीन की साँस उखड़ने लगी थी। सैमसन दमे का रोगी था। खाँसते-खाँसते वह अचेत हो चला था। घोड़े बिदककर भाग चले थे और दोनों की चीख-पुकार घनी बँसवारी में गुम हो गई थी।

उस रात योगेश्वरी सुमित्रा और उनके तीनों बच्चों को अपने घर लिवा लाई थीं—''आप यहीं रहें जिठानीजी, हमारे साथ! कल सुबह पटने से भाई आ जाएँ, तभी हम निश्चिंत हो पाएँगी। घबड़ाइए नहीं, रत्नदेव बाबा हैं न। हमारे वे पुरखे ही आपकी और इन बाल बच्चों की सुरक्षा करेंगे।''

सुमित्रा जरूरी चीज-बतुस समेटकर योगेश्वरी के जिम्मे कर गई थीं—''ब्रह्म

बाबा चाहेंगे, तो लोकनाथ बबुआ के लगन में ही गाँव लवटना होगा कनिया। तुम्हारा यह अहसान…।"

योगेश्वरी ने उनके मुँह पर हथेली रख दी थी, "यह तो हमारा फर्ज है दीदीजी, जेठ भाईजी, इतना बड़ा त्याग कर रहे हैं, उनकी सेवा के सामने यह कुछ भी नहीं है।"

उस रात लोकनाथ ने पहली कहानी लिखी थी—'माटी का कर्ज।'

निखिलानंदजी ने उस कहानी का एक-एक अक्षर पढ़ लिया था। उनकी आँखें भविष्य की कथा बाँचती भाव-विह्वल थीं—"योगेश्वरी तुम्हारा यह पूत शब्द-तपी होगा। मोती सी सुडौल लिखावट, निर्बंध अनुभूतियों की ऐसी पोख्ता रसद! चिंता है तो बस एक ही बात की।"

वात्सल्य भरे चित्त की गहराई में आशंकाएँ उफान लेने लगीं थीं—"काकाजी, आप चुप क्यों हो गए? अभी थोड़ी देर पहले आप लोकनाथ के हाथ की रेखाएँ बाँच रहे थे। कोई गंभीर समस्या हो तो…।"

"नहीं-नहीं, ऐसी कोई बात नहीं है। छोटी-मोटी हारी-बीमारी तो सबके साथ लगी रहती है। इनके स्वास्थ्य को लेकर तुम्हें विशेष रूप से सचेत रहना होगा। दो-तीन बार शल्य चिकित्सा की स्थिति बनती है, लेकिन देवाधिदेव महादेव समस्त कष्टों का निवारण करेंगे। सेतुबंध रामेश्वरम् का रक्षा-कवच सदैव बचवा के साथ रहेगा। मैंने प्रतिदिन लोकनाथ के लिए लाहिड़ी महाशयवाली गीता का पाठ करना प्रारंभ कर दिया है। तुम अकारण कोई शंका मन में मत पालना। दीर्घजीवी होंगे लोकनाथ।"

उन्होंने प्रसंग बदलते हुए मीठी मुसकराहट के साथ पुत्री-तुल्या योगेश्वरी को आश्वस्त किया था, "लोकनाथ को गले में एकमुखी रुद्राक्ष धारण करना होगा और तुम प्रतिदिन एक माला महामृत्युंजय मंत्र का जप किया करो। सब कल्याण होगा। वैसे एक बात है योग बिटिया! तुम्हारी पुतोहू अक्षय सौभाग्यशालिनी होगी। उस लक्ष्मीरूपा के भाग्य से लोकनाथ के यश, ऐश्वर्य आदि की उत्तरोत्तर वृद्धि होगी। उस मंगल विधान में भी अधिक विलंब नहीं है।"

उभया आजी ने सुना था और उनके भीतर का हुलास मंगल गीतों के बोल पर बरबस थिरकने लगा था—

"राम के माथे मउर भला सोभेला
तिलक सोभेला लिलार,

भले हो, आवसु राम,
चउक चढ़ि बइठसु।''

उनकी कल्पना के लोकनाथ वर वेश में सामने थे—माथे पर मोतियों की लड़ीवाला मोर मुकुट, ललाट पर श्वेत चंदन का तिलक, ऐसे राम का विवाह न जाने किस जानकी से होगा?

× × ×

फुलवारी शरीफ के रामगहन ओझा की मानिनी पुत्री गंगेश्वरी। वीरांगना फूलमणि की जेठी कन्या। रामगहन दिन-रात स्टेशन अगोरते और फूलमणि रेलवे क्वार्टर में अपने दोनों बच्चों की पहरेदारी करती रात-रात भर जागकर बिताती।

''ई ललमुँहवन के कवनो ठेकाना बा? आपन बाल-बचवन के रच्छा अपना हाथ में।''

कभी-कभार पति की कठिन नौकरी से उकतातीं तो सीधी पेशकश करतीं—''धनहर खेत बा सिंहनपुरा में, आपन गाँव खरहाटाँड़ में चलीं, गाँवे रहल जाव। अइसन इस्टेशन मास्टरी कवना काम के? दिन-रात बनर मुँहवन के जी-हुजूरी बजावत बीत रहल बा। जान रहीं त जहान रही।''

रामगहन हँसकर टाल देते—''नौकरी मिलना इतना आसान है? गांधी बाबा कहते हैं—फिरंगी भागेंगे, अपना राज होगा। इसी आसरे तो हम भी दिन काट रहे हैं। तुम घबड़ाओ मत, कुछ दिनों का कष्ट और है। फिर तुम नकबुल्ली झलकाती, बाल-बच्चों को साथ लेकर बिहिंया के मेले में जाना, महथिन दाई की चौखट पर मत्था टेकना, बरमपुर के मेले से चूड़ी, टिकुली, सेनुर, लहठी बेसाहना, तुम्हें पूरी छूट रहेगी।''

ऐसे माहौल में परवरिश हुई थी गंगेश्वरी की। गोरे सिपाहियों की गश्त लगती और भाई-बहन घर के भीतर दुबक जाते। स्कूल जाने का तो सवाल ही नहीं था। घर के भीतर बड़े भाई पढ़ाते कम, दौड़ाते अधिक। मनमानी फरमाइशों के साथ उनके धौल-धप्पे का सिलसिला, ऐसी उकताहट से भरा होता कि 'रामोगतिदेहु समुति' का पाठ रह-रहकर बिसर जाता। सात साल की गंगेश्वरी थीं और सत्रह साल के लोकनाथ! रेलवे इंस्पेक्टर जगमोहन तिवारी मालगाड़ी से गायब जरूरी सामान की जाँच के लिए फुलवारी शरीफ आए थे।

रामगहन ने घर पर कहवा भिजवाया था, ''इंस्पेक्टर साहब आए हैं। जिला-

जिवारी हैं। घर पर ही जल-खावा होगा।''

दाल भरी पूड़ी, आलूदम, दही और मिठाई।

गंगेश्वरी खिलखिलाकर हँस उठी थीं—''और सेवई क्यों नहीं? माई, सेवई बनाना, जरूर!''

उनके दूधिया दाँत अधिक आबदार थे या चहेरे का गोरापन भोर की सिंदूरी आभा से अधिक दमदार था, जगमोहन तिवारी अनुमान नहीं लगा पाए थे—''बचिया, तनिक हमारे पास आओ तो।''

आवाज में कैसी पुलिसिया कड़क।

भयभीत हिरणी सी एक छलाँग में बैठकखाने से बाहर निकल भागना चाहती थीं। ''अच्छा, यह बताओ, किस किलास में बढ़ती हो?''

उनके कान खड़े हो गए थे, पूरी देह सिकुड़ गई थी, बाप रे बाप, कैसा पहलवान सा दिखता है यह आदमी! एकदम बमपिलाट!

उनका मन हो रहा था, कहें—बाबूजी, हम एहिजा ना ठहरब!

जगमोहन तिवारी ने अपनी जेब से बीस रुपए का कड़कड़िया नोट निकाला था—''रामगहन भाई, यह हमारी ओर से बचिया की आसीरवादी। ध्यान रहे, इसका छेंका-लगन हमसे पूछे बिना नहीं। इमारे इकलौते सपूत हैं लोकनाथ। सत्रह बरिस के हुए। अभी एंट्रेंस का इम्तिहान देनेवाले हैं। गाँव के पास ही बक्सर हाईस्कूल में पढ़ते हैं। थोड़े सुकसुकाहे हैं। कभी पेट खराब तो कभी सिर बत्थी की शिकायत। बाकी पढ़ाई-लिखाई में पूरे गाँव-जवार में उनका जोड़ नहीं।''

... ...

''अच्छा, ऐसा कीजिएगा, इस बचिया को पाक-शास्त्र की उम्दा ट्रेनिंग जरूर दिलवाइएगा। अपनी मलकिनी से कहिएगा, गंगेश्वरी को हमारे घर, हमारी पतोहू बनकर जाना है। लोकनाथ बबुआ की मनपसंद गुड़ भरी रोटी, सादी पूड़ी, अरहर की दाल, हमारे लिए दाल पूड़ी, कोहड़े की तरकारी, आलू-कटहल का दम और हाँ, काँची हलवा और मालपुआ बनाना जरूरी सीखेंगी। क्यों बचिया? अच्छा, अब तुम अंदर जाओ।''

बाघ के मुँह से जैसे मेमना छूटकर बाहर निकला हो, गंगेश्वरी भागकर अपनी माई के आँचर में लुका गई थीं।

''कइसा आदमी है, एकदम राक्षस जइसा लंब-तड़ंग। क्या जाने, क्या-क्या

बोल रहा था, हमको कुछ भी समझ में नहीं आया माई।''

फूलमणि के मन में एक नए हुलास का अँखुवा फूटा था—

पूरब खोजलीं बेटी, पच्छिम खोजलीं,
खोजि अइलीं कासी, परयाग जी···
चारि ही कोस पर नगर अजोधिया
तहवाँ बसेले सिरी रामजी!

पूर्व, पश्चिम, काशी, प्रयाग-कहीं वर ढूँढ़ने की जरूरत नहीं। राम तो घर में ही मिल गए।

रामगहन की हिदायत थी—''यह बात अभी से किसी को भी बताने की जरूरत नहीं। गंगेश्वरी को तो बिल्कुल नहीं। बहुत छोटी, फूल सी सुकुमारी है हमारी बच्ची।''

टटका बासमती चावल का माँड़ पसातीं तो गंगेश्वरी को आवाज लगाई जाती—''आव बचिया, जल्दी से माँड़ भात खाल, नाहीं त सेरा जाई।''

कटोरी में माँड़, उसमें कलछुल भर भाप निकलता भात, देसी घी और कागजी नीबू का सवाद!

रामगहन समझाते—''माँड़ से वजन बढ़ता है। तुम गंगेश्वरी को अपनी तरह गुलथुल बनाकर दम लोगी?''

फलमणि मीठी झिड़की देती कह उठतीं, ''कुदीठ मत लगाई जी। चुप्पे रहीं। जबना दिन से निसपिहर साहेब देखले बाड़न, बचिया के रंग कुम्हला गइल बा। बढ़नी भारीं अइसन धन-दउलत के, का जाने, कवन जादू करि गइले गामा तिवारी!''

गंगेश्वरी के बाल-मस्तिष्क पर छह फुटे जगमोहन तिवारी के शब्द तीर बनकर बिंध गए थे—''बियाह···! क्या होता है बियाह, वह पहलवान हमको कैसे ले जा सकता है?''

फूलमणि की कोठरी में एक पुराना रेडियो था। कभी-कभार कोई ऐसा गीत बजता, जिसमें दूल्हा-दुल्हन, विदाई आदि का प्रसंग होता। गंगेश्वरी अपनी चारगज्जी साड़ी लपेट दुलहन बनने का स्वाँग करती छुई-मुई होकर बैठ जाती। ''माई, जरा बताना तो, हमारा यह पहिरन कैसा लग रहा है?''

फूलमणि बिहँसतीं, फिर कुछ सोचकर गंभीर हो जातीं और गंगेश्वरी को अपने गले से लगातीं, आँचर में लोर सुखा लिया करतीं।

रामगहन ओझा की तीसरी पत्नी थीं—फूलमणि। धनहर खेतीवाले गाँव की, बासमती चावल सी महमह करती फूलमणि। गंगेश्वरी के सौतेले बड़े भाई बिंदेश्वर, बड़ी बहन सुखपाली और वे स्वयं। नई नवेली थीं, जब खरहाटाँड की अँगनाई में रोज मुँह अँधेरे सफेद माथेवाली एक चील आकर बैठ जाती। कोई उसे उड़ाने की कोशिश करता, तब भी वह वहीं जमी रहती। पास-पड़ोस की पुरखिनों का मानना था—"दुधमुँहा बालक छोड़कर गई थी मँझली। सामनेवाली इसी कोठरिया में रही थीं। जरूर वही है। बचवा को देखने की अहक उसको खींच लाती है।"

"ए नयकी कनिया, तनिक बिंदेश्वर बचवा को साफ-सुथर पहिरन पहिरा दो। करिया टीका लिलार के किनारे ढोंढ़ी पर लगा के ले आओ तो।"

बिंदेश्वर तीन साल के थे। फूलमणि उनकी उँगली थामे सामनेवाली कोठरी से निकली थीं। पड़ोस की सोनामती आजी ने हिदायत दी थी—

"कनिया माथ पर आँचर डालकर परनाम करो। बबुआ का माथा निहुराओ।"

फूलमणि ने गले में आँचर डालकर भुंइपरी की थी। चील एकटक देखती बैठी रह गई थी। लगभग सवा महीने तक यह सिलसिला बना रहा था। फिर एक दिन सोनामती आजी के कहने पर खीर की कटोरी चील के सामने रखकर निहोरा किया था उन्होंने, "राउर बालक हमार थाती बा। रउरा निश्ंचित रहीं। इनकर पालन-पोषण हम जीव-जान से करब।"

याद करके रोआँ गनगना उठता है फूलमणि का। उस दिन पहली बार वह चील भर दीठ उन्हें देखती रही थी। फिर थोड़ी देर बाद पंख पसारकर दक्षिण दिशा की ओर उड़ गई थी। उसके बाद से गाँव में किसी ने भी उस सफेद माथेवाली चील को नहीं देखा था।

गंगेश्वरी का अपने बड़े भाई बिंदेश्वर से बड़ा लगाव था। उतना ही लिहाज भी। फूलमणि ने सोनामती आजी को बताया था—"हर दुआर के गंगाजी से मँगले रहलीं—पूत के कमी नइखे, एगो धिया चाहीं।"

"पौड़ी पर असनान करत रहीं त अँचरा में एगो टटका कमल के फूल आ गइल।"

घुलेटन पंड्डीजी का लोहे की कमानीवाला चश्मा नाक पर खिसक गया था। उन्होंने अपनी मटमैली धोती के छोर से दुबारा-तिबारा चश्मे का शीशा साफ करने की कोशिश की थी, फिर भी गणना वही की वही।

प्रसूतिघर में पड़ी फूलमणि के मन में ढेर सारे संदेह एक साथ कुलबुलाने लगे थे—"सोनमती आजी, तनी पता लगाईं त! गणना में इतना देरी काहे? कवनो जबुन बात नइखे नु··· ?"

घुलेटन पंडित पोथी-पतरा समेटकर चले गए थे, "आवे द रामगहन के··· !"

खरहाटाँड़ के तारबाबू किरपाल सिंह का फरमान आया था—'लछिमी जनमी है। छुट्टी-छपाटी का इंतजामकर गाँव आ जाएँ।'

अंग्रेज अधिकारी मिस्टर वाटसन को किसी तरह समझा पाए थे वे—"सर, आय हैव अ ग्रेट प्लेजर—माय न्यूली बॉर्न बेबी।"

"ब्वॉय और गर्ल?"

"सर, बेबी गर्ल।"

"गर्ल? रामगन···, आर यू फूल? इन योर कंट्री, देयर इज नो प्लेजर टु हैव अ गर्ल चाइल्ड एंड यू आर सेइंग···।"

तुम्हारे देश में लड़की का जन्म खुशी का कारण तो है नहीं? फिर भी तुम···।

रामगहन ओझा ने कड़क अंग्रेजी में जवाब दिया था—"बट, इन आवर फैमिली वी हैव आवर ओन सिस्टम एंड ट्रेडीशन सर।"

हमारे परिवार में बिल्कुल अलग परंपरा, अलग रिवाज है।

मिस्टर वाटसन ने पंद्रह दिनों की छुट्टी मंजूर की थी—"गो मैन, एंज्वाय योर न्यूली बॉर्न गर्ल चाइल्ड, बट यू हैव टु रिटर्न ऑन द वेरी सिक्सटीन्थ डे, ओ.के.?"

"ओ.के., थैंक यू सर!"

पटना बाजार से कचकड़े का बड़ा सा गुड्डा, पटहेरिन के यहाँ से काले पोत का नजरिया, काले सूत में लाल गुलाबी फुँदना गला हथहरा-गोड़हरा, सीताराम सोनार के यहाँ से रुनझुन बजती पैंजनी, श्रीकृष्ण वस्त्रालय से लाल गुलाबी मखमली पोशाकें, धगड़िन और सोनामती आजी के लिए नेग की उम्दा साड़ियाँ।

बिंदेश्वर ठुनकने लगे थे, "सबके लिए सब चीज और हमारे लिए?"

"अरे बबुआ, तुम्हारे लिए हम ले आए हैं निखालिस देशी घी से बना ब्रह्मपुर का शंकर लड्डू। तुम्हें पहलवानी का शौक है न। इसे कनस्तर में डालकर सिरहाने रखो और रोज सुबह एक गिलास गरमागरम दूध के साथ दो लड्डू का भोग लगाओ, फिर देखना, कैसी कद-काठी निकलती है।"

बालक बिंदेश्वरी की शंका थी—"और गंगेसरा चुपके से लड्डू चट कर गई तो?"

"अरे, बउराहा बालक, ऊ कइसे खाएगी? अभी तो बिस्तर में पड़ी-पड़ी केहाँ-केहाँ करेगी, तब तुम्हारी माई उसे दूध पिलाएगी। बस, इतना ही। डरो मत, तुम्हारी छोटी बहन तुम्हारा हक कभी नहीं मारेगी। देखो तो, कैसी कचकड़े की मूरत-सी आँखें मूँदे चुपचाप सोई है।"

पूरे खरहाटाँड़ में शंकर लड्डू बाँटे गए थे। गुड़ के पागवाली सोंधी-सोंधी सुगंध से भरी खाँची भर मिठाई। टिकरी, खाजा, सोनपापड़ी अलग से।

सोनामती आजी पिछुआरी गईं तो फरागत होने के लिए आई रमेसर बो चाची और खदेरन बो फुआ ने माहुर बचन कहे थे—"का हो, सोनमती चाची, साँचो रामगहन बबुआ बउरा गइल बाड़े का? देह-जाँगर में ताकत बा त बेटा पैदा कइले रहित। मुसरी अइसन बेटी पर एतना गुमान? गंगाजी उलटा बहे लगली का जी?"

एड़ी की लहर कपार पर चढ़ाती सोनमती आजी ने तुर्शी-ब-तुर्शी जवाब दिया था—"ए रमेसरा बो, सुन ए खदेरन बो। रामगहन के मरजी, ऊ लडुआ बाँटस, चाहे हीरा-मोती लुटावस! तहनी के पेट में दरद काहे उठता? लडुआ के सवाद तीत लागत होखे त लवटा दीह लोग!"

रामगहन ओझा ने हँसकर टाल दिया था—"छोड़िए भी चाची, घर की औरतें शौच-फरागत के लिए खुले में जाती हैं और सब तरह की गंदगी फैलाती हैं। अगली दफे गाँव लौटना होगा तो मुखिया, सरपंच से कहकर हर घर में पाखाना बनवाने का उपाय करना होगा, पक्का। हर घर के पिछवाड़े गहरा गड्डा खुदवाया जाएगा। सारी गंदगी सँड़ास से बाहर सीधे गड्ढे में। नहीं तो गाँव खरहाटाँड़ की सब औरतें पिछुआरी जाने के बहाने घंटों बतकूचन करेंगी और यहाँ का हवा-पानी खराब होगा।"

सोनामती आजी की ओर से फूलमणि को कड़ी चेतावनी थी—"गंगेसरा को लेकर पश्चिम टोलेवाली बुचालों के घर भूलकर भी नहीं।" फूलमणि ब्याहकर आई थीं, तब भी वे उनके रूप-रंग पर छींटाकशी करने से बाज नहीं आई थीं—"रामगहन कैसे नटुरे और उनकी कनिया लंबी-तड़ंगी। गरीब घर की ठहरी, माई-बाप के पास दहेज देने की औकात नहीं होगी, तभी रामहन के पल्ले बाँधकर छुट्टी पा गए।"

गंगेश्वरी के जन्म के बाद घर-घर में डुगडुगी पीट आई थीं—"रामगहन तो ऐसे इतरा रहे हैं जैसे सचमुच सिया-सुन्नरी का औतार हुआ है। सहर में रहकर चार पइसा कमा आए हैं, इसीलिए तो मिजाज में इतनी सोखी भरी हुई है। मुसरिया जैसी

बेटी के लिए बिलायती दूध का डब्बा ढो रहे हैं। छछात कलजुग है बहिनी! बताओ भला, कहते हैं कि घर-घर में सँड़ास बनवाएँगे, हम लोगों का बतकूचन बंद कराएँगे। हम तो अपने घर में सँड़ास कभी नहीं बनने देंगी। घर असुद्ध होगा, सो तो अलग, हम लोगों का भेंट-चोट होना भी दुलभ हो जाएगा। हम सब बूझती हैं, हमारी मीटिंग, सीटिंग से ई मरदवन को डाह होता है, हम सब बूझती हैं।''

बुचालो चाची पूरे गाँव में मरदमारन औरत के रूप में मशहूर थीं। उनके पति मनराखन लाम से लंबी छुट्टी लेकर आराम करने की नीयत से घर आते और दूसरे दिन से ही वापस लौटने की रट लगाने लगते।

माँ, बहिन की फरियाद अलग, बुचालों चाची का बाँकपन अलग। बक्सा, पेटी, वरदी, यहाँ तक कि मोजों के भीतर भी खुफिया हाथों से टटोल लेतीं। मजाल कि पाँच रुपइया भी उनकी जानकारी में अपनी महतारी को दान-पुन्न के लिए दे पाते मनराखन ओझा। बुचालो चाची लंगाझोरी लेने में उस्ताद थीं—''आपकी महतारी, बहिन मेला-ढेला घूमती हैं, उनको चीज-बतुस की कौन कमी है? मनीऑडर का पइसा आपके बपसीजी की टेंट में जाता है। हमारा कोई हिस्सा है या नहीं? इ करनफूल हम लेंगे और यह पाजेब भी, जिसको जो बूझना है, बूझता रहे।''

फूलमणि गंगेश्वरी को सिखलाती रहती थीं, ''बुचालो चाची बतियाना चाहे तो कुछ मत बोलना बचिया। घर-घर का भेद लेनेवाली तिरिया है, एकदम आग लगावन मति-बुद्धि।''

पाँच साल की थीं गंगेश्वरी, बड़े भाई ने ठुनका दिया था। माई के आँचर में मुँह पोंछती सुबक-सुबककर रो रही थीं वे। रामगहन ने जल्दी से गोदी में उठा लिया था—''अरे, हमारी गौरा पार्वती की आँखों में आँसू? ठहरो बचिया, बिंदेश्वर को बोर्डिंग स्कूल भिजवा देते हैं। ठीक रहेगा न। भाई-बहिन दोनों अलग-अलग रहेंगे। झगड़ा-झंझट की कोई चिंता नहीं।''

गंगेश्वरी की रुलाई सहसा तेज हो गई थी।

''अब क्या हुआ?''

हिचकियाँ ले-लेकर बेहाल हुई जा रही गंगेश्वरी किसी तरह समझा पाई थीं—''नहीं, भाईजी कहीं नहीं जाएँगे। उनके हाथ से मार खाना कबूल है, लेकिन भाईजी को बोर्डिंग ईस्कूल भेजना कबूल नहीं।''

रामगहन अच्छी तरह जानते थे—भोजपुरवाली खूबी की लाई, पटउरा, तिलवा,

बेसन की लकठो—गंगेश्वरी को मनपसंद मिठाइयाँ थीं और अपने जलखावे की रकम में से बचाकर बिंदेश्वर डुमराँव बाजार से कुछ-न-कुछ खरीदकर ले आते थे। दालान के सामनेवाले झरोखे से झाँकती गंगेश्वरी निहाल हो जाती थी—''भाईजी, अपना बस्ता हमें पकड़ाइए न, हमारे लिए जरूर कुछ-न-कुछ।''

खरहाटाँड़ छोड़कर फुलवारी शरीफ आने का एक प्रयोजन बन गया था।

श्याम सुंदर, विश्वकर्मा और दीनदयाल ठाकुर छावनी के बागी सिपाही घोषित किए गए थे। फिरंगी हवलदार वाटसन ने मुखबिर मँगनी साव के इशारे पर रातोरात छापामारी की थी। घर-घर में अफरा-तफरी मच गई थी। फूलमणि दोनों बच्चों के साथ भीतरवाली कोठरी में बंद हो गई थीं। उन्होंने कुट्टी काटनेवाला गँड़ासा हाथ में लेकर महाकाली का रूप धारण किया था—''गाँव भर के मरद-मानुख चूड़ी पहिन के बइठ गइल। कुकुर-विलार के एतना हिम्मत कि हमरा चउखट पर गोड़ धरी? एही गँड़ासा से मूड़ी काट के धर दे ब!''

मँगनी साव ने चुपके से समझाया था—''इसका आदमी सरकारी खिदमत में है, स्टेशन मास्टर है।''

फूलमणि गँड़ासे की धार चमकाती बाहर आ गई थीं—''तलासी लेने आइल बा? मँगनी, समझा द आपन साहेब बहादुर के हमरा लहास पर चढ़ि के भीतर जाए पइहें।''

वाटसन भयभीत हो उठा था—''दिस लेडी इज डेंजरस। लेट अस गो।''

वाटसन ने चले जाने के बाद उन्होंने पुआल घर से श्यामसुंदर और दीनदयाल को बाहर निकाला था। दोनों को कुछ रुपए थमाते हुए ताकीद की थी—''जल्दी गाँव छोड़ द लोग! दुसमन के कवन ठेकाना!''

दोनों ने उनके पाँव पकड़ लिये थे, ''भउजी, आज आपकी किरपा से हमारे परान बचे। जिंदा रहे तो मँगनिया से बदला जरूर लेंगे। हमारे पीछे हमारे परिवार का धेयान रखिएगा भउजी। आपके करजदार हो गए हम तो।''

रामगहन ने सुना था। वे भागे चले आए थे, ''क्या जरूरत थी, इतना बड़ा खतरा मोल लेने की? दोनों बच्चों का ध्यान नहीं आया।''

''हम आपन फरज निभा देनीं। बचवन के चिंता हमरा ना रहित त अकेले गँड़ासा ले के बाहर निकलतीं। स्याम सुंदर आ दीन दयाल निरदोस परानी बा लोग। उनकर जान बचावल हमार धरम रहे।''

रामगहन ने तय किया था, ''गाँव में कब छापामारी हो जाए, इसका कोई ठिकाना नहीं? इससे बेहतर होगा कि हम सब लोग फुलवारी शरीफवाले क्वार्टर में एक साथ रहें।''

फूलमणि ने आधे मन से गृहस्थी समेटी थी—घर के दीया-बाती की जिम्मेदारी सोनामती आजी की। लाली-उजली—दोनों गायों को बेच देने की राय हुई थी। गंगेश्वरी ने जिद ठान दी थी—लाली, उजली साथ जाएँगी।

मालगाड़ी में गिरहस्ती का कुल असबाब, दोनों गाएँ और शटल गाड़ी में रामगहन का पूरा परिवार। गंगेश्वरी पहली बार रेलगाड़ी में बैठी थीं।

बिंदेश्वर बातें बना-बनाकर उन्हें चिढ़ा रहे थे।

''कैसी टुकुर-टुकुर ताक रही है। रेल सीटी बजाती है, धुआँ छोड़ती है। हम हुकुम देते हैं, तब चलती है। कुछ समझ में आया? अच्छा, खिड़की से बाहर देखो, सब गाछ-बिरिछ दौड़ रहे हैं। कितना अच्छा लग रहा है न!''

''अरे देख न बुचिया, नीलकंठ बैठा है बिजली के तार पर। इसे प्रणाम करना चाहिए, क्योंकि यह शंकरजी का रूप है। वह देखो, आया सोन नद। माई, दुअन्नी दो न, हम दोनों पानी में डालेंगे, आ जा गंगेश्वरी हमारे पास।''

फुलवारी शरीफ का नया क्वार्टर। तीन छोटे-छोटे कमरे, दस फीट की अँगनाई। पीछे छोटा सा अहाता। फूलमणि को मन मसोसकर संतोष करना पड़ा था—''आम, महुआ, कटहल, बड़हर, नीम,पाकड़, बरगद, जामुन, सब पीछे छूट गइल। बँसवारी दुलभ हो गइल। बबुआ के पढ़ाई नीमन इस्कूल में होई, इहे संतोख बा।''

गंगेश्वरी की पढ़ाई के विषय में कभी किसी ने सोचा तक नहीं था। रामगहन के मन में यह बात आती जरूर—'चिट्ठी-पत्री लिखने भर पढ़ जाती। थोड़ा सा आखर-ज्ञान हो जाता।'

फूलमणि के नैहर के मुंशीजी तिलौथू महाराज के मुलाजिम थे। उन्होंने फूलमणि को डरा दिया था—तिलौथू के ताल्लुकेदार की बिटिया संस्कृत, अरबी, फारसी की पढ़ाई पढ़कर खूब आलिम-फाजिल हो गई थी। उसके लिए घर में ही पढ़ाई-लिखाई का प्रबंध था। फर्राटे से अंग्रेजी बोलती। ताल्लुकेदार गुमान से कहते—मेरी बेटी का पूरा जिला-जवार में कोई जोड़ नहीं है। लाम पर गए फौजियों की लुगाइयाँ आतीं—तारा दीदी, तनिक यह पाती पढ़ दो और जवाब भी लिखवाना है।

वही तारा सालभर बाद ही मुसम्मात होकर गाँव लौट आई। धिया जात को पढ़ाई

रास नहीं आई। फूलमणि ने सुनी-अनसुनी कर दी थी। उन्होंने बिंदेश्वर से निहोरा किया था—"बबुआ, गंगेसरा के घर में पढ़ाव-लिखाव, इनकर जिम्मेवारी उठाव।"

वसंत पंचमी के दिन गंगेश्वरी को खल्ली छुलाई गई थी—

"लिख बचिया

रामो···गति···देहु···सुमति···।"

फूलमणि बेटी की लगन देखकर चकित थीं। वे जानती थीं—खरहाटाँड़ के लोग जानेंगे तो जितने मुँह उतनी बातें बनाने में कोई कोर-कसर नहीं छोड़ेंगे। तिरिया जात, कागद-कलम धरी, त धरम के नास होई। सोनामती आजी ने यही डर दिखाकर उन्हें बार-बार धिराया था—"जुग-जमाना ठीक नइखे कनिया। ललमुँहवन के डर अलगा बा। गंगेसरा पर बिसेस धेयान दीह कठपुतरी अइसन झाँपी में लुका के धरे जोग बाड़ी तहार सिया-सुन्नर!"

फूलमणि जानती थीं—सिंघनपुरा के काली हजाम की जवान बेटी बलपूर्वक फिरंगियों की छावनी में ले आई गई थी। उसका धरम बिगाड़ दिया गया था। उसने कुएँ में कूदकर अपने प्राण त्याग दिए थे।

बिंदेश्वर माई को ढाढस बँधाते, "घबड़ाओ मत! गंगेश्वरी की देखभाल हम करेंगे।"

उन्हीं दिनों इंस्पेक्टर जगमोहन तिवारी ने गंगेश्वरी को देखा था—"यही लड़की मेरी पतोहू बनेगी। मेरे इकलौते बेटे लोकनाथ की पत्नी।"

रह-रहकर सुलग उठते कुम्हार के आँवे की तरह फूलमणि का कलेजा एक अजीब सी दहकन से भर उठता—"सात बरिस की धिया है हमारी। ऐसी कवन आफत पड़े रही थी कि आप मूड़ी डोला आए···। हम पूछती हैं—आप निसपिट्टर साहेब के बचवा को देख आए हैं ?

... ...

नहीं न ?

... ...

तब ? वे हुकूम फरमा गए और आपने सीस नवाकर कबूल कर लिया ?

... ...

"गंगेसरी के बाबूजी, हम आपसे कहे देती हैं, एतना हड़बड़ी में कवनो रिस्ता नहीं। बिना बर को देखे, आगे बढ़ने का सवाल ही पैदा नहीं होता।"

रामगहन ने धीरे से जबान खोली थी, ''कहावत है, गाछे कटहल, ओठे तेल! अभी गंगेश्वरी के लगन में बहुत समय बाकी है। जो कुछ होगा, आपकी मर्जी के मुताबिक होगा मलकिनी!''

× × ×

फूलमणि वीरांगना के रूप में रेलवे कॉलोनी में मशहूर हो चुकी थीं। अगल-बगल के क्वार्टरों की औरतें उनकी खूब इज्जत करती थीं—सुमित्रा उनकी पक्की सखी ने ढोल पीट-पीटकर वह समाचार सबको सुनाया था—''भादों की गहरी अँधियारी रात थी—धारासार बारिश। दस फीटवाली क्वार्टर की अँगनाई में छाती भर पानी का जमाव हो गया था। उजली गाय और उसकी नई ब्याई बाछी ओसारे में बँधी अचानक डकरती हुई खूँटा तुड़ाने लगी थीं।

एक अजीब सा चीत्कार—हमें बचा लो! हमारे प्राण संकट में हैं।

फूलमणि ने पंचलैट की रोशनी में देखा था—खूब बड़ा, बेतरह चमकीला नाग उजली के सामने फन काढ़े बैठा था। फूलमणि के दिमाग में बिजली की तेजी से कुछ कौंधा था। अनाज कूटने वाला लोहे का मूठदार मूसल लेकर फेंटा कसती वे ओसरे में निकल आई थीं। अंधाधुंध प्रहार करती, नाग का फन कुचलकर ही उन्होंने साँस ली थी।

ठीक महीने भर बाद एक और हादसा होते-होते बचा था। फुलवारी शरीफ के रेलवे क्वार्टरों में कल्ले खाँ की सेंधमारी का आतंक था। फूलमणि को दोनों बच्चों की विशेष चिंता रहती थी। निवार की बनी खटिया पर गंगेश्वरी को सुला देतीं, बिंदेश्वर अपना पाठ याद करने के बहाने माई से सटकर बैठे रहते और फूलमणि रात भर काली मइया का सुमिरन करती एकटक पहरेदारी करती रहतीं। आधी रात के बाद खुट-खुट की आवाज सुनाई दी थी—

''अरे, का बाजत बा बिंदेस्वर?''

बिंदेश्वर गहरी नींद में थे—''कुच्छो नहीं माई, सो जाओ।''

फिर से वही आवाज, इस बार और भी तेज—खुट, खुट, खुट, खुट।

गंगेश्वरी को चादर से ढकती वे झटपट उठ बैठी थीं। आँगन की बाहरी दीवार में सेंधमारी। भीतरी दीवार का एक हिस्सा उनकी खाट से सटा हुआ था। लालटेन की रोशनी में फूलमणि ने देखा था—ताँबे के कड़ोंवाले पाँव धीरे-धीरे दीवार की सुराख से भीतर की ओर खिसकते हुए। थोड़ी देर के लिए डर के मारे सुन्न हो गई

थीं फूलमणि। अजगैबी पहरेदार की चेतावनी याद आई थी—'होशियार रहिएगा मलकिनी। कल्ले खाँ है ही ऐसी सेंधमारी का उस्ताद। आपके सिरहाने से ईंट खिसका देगा, मालमत्ता लेकर भाग जाएगा और आपको पता भी नहीं चलेगा।'

फूलमणि ने पैताने सँभालकर रखी गँड़ासी का हत्था मजबूती से पकड़ लिया, ''हे काली माई, जान जाई त जाव, आज इ दाढ़ीजरवा के गोड़ ना काटब त हमार नाम फूलमनी ना।''

छपाक्!

गँड़ासी की वजनी चोट चोर के दाहिने पाँव पर पड़ी थी। उँगलियाँ कटकर देर तक छटपटाती रही थीं। लहू का फव्वारा देखकर वे गश खाकर गिर पड़ी थीं। भोर होते ही कॉलोनी के औरत-मर्द, बूढ़ों, बच्चों का मजमा लग गया था—''अद्भुत जीवटवाली औरत है भाई! ऐसा निशाना साधा कि चोर की टाँग का सफाया हो गया!''

रामगहन ने अकेले में अपना सिर पीट लिया था—''लोग कहते हैं तो क्या गलत कहते हैं? आपके माथे पर भवानी सवार हो जाती हैं, आगे-पीछे कुछ नहीं सोचतीं, बच्चों की फिकर भी नहीं आई मन में, मान लो, कोई चूक हो जाती और वह सेंध मारकर भीतर घुस जाता तो?''

फूलमणि तमककर खड़ी हो गई थीं—''तू रात भर ललमुँहवन के टहल बजाव आ हमरा के नसीहत देबे आव। सामने दुसमन खड़ा बा आ हम चुपचाप मुँह ताकत रहीं, ओकरा के नेवता दीहीं—आव ए चोरजी, मालमता समेट आ हँसी-खुसी आपन घरे जा?

... ...

''ओह माटी लगना के एतना हिम्मत? हमार बाल-बचवन के छूइत त कुट्टी अइसन काट के फेंक दिहतीं।''

अंग्रेज सुपरिंटेंडेंट वाटसन ने रामगहन से हाथ मिलाकर शाबाशी दी थी—''वेल डन! रामगन, रियली योर वाइफ इज अ वैरी ब्रेव लेडी! आय विश टु ऑनर हर!''

रेलवे स्टेडियम में एक समारोह का आयोजन हुआ था। लेडी वाटसन ने चाँदी की तश्तरी और फूलों का गुच्छा उपहारस्वरूप दिया था। लाज से दोहरी होती फूलमणि किसी तरह मंच पर चढ़ी थीं। गंगेश्वरी उस दिन की याद करके खिलखिला उठती थीं—''बाबूजी माई उस मेमिन के सामने कितनी डरी हुई थी न?''

रामगहन मूँछों के भीतर मुसकराते गर्व से फूले नहीं समाए थे—"गंगेसरा बचिया, तुम्हारी माई मेमिन से हाथ मिलाकर लौटी हैं। अब यह रसोई बनाकर थोड़े देगी। चलो हे मन, अब पेट भरने का कुछ जोगाड़ हमें खुद ही करना होगा।"

फूलमणि ने दाल, भात, तरकारी परोसते हुए ठसक के साथ जवाब दिया था—"इतर-फुलेल लगाकर कुरसी तोड़नेवाली मेमिन समझ रखा है क्या? हमारी लहठी चूड़ी और भखरा सेनुर देखकर उसकी बोलती बंद हो गई थी—उसिनाए आलू जैसी चमड़ी। छिह, पास जाओ, तो उबकाई आने लगे। कितना गँधाती हैं ये मेमिनें!"

फूलमणि के जमाने का फैशन अपने ढंग का निराला था—ढेर सारी महीन चुन्नटोंवाली फूली बाँह की लंबी कुरती, मोरछाप या सुआ पंखी पाढ़वाली रंगीन साड़ियाँ, केला रेशमी की छापेदार साड़ियाँ और घर से बाहर निकलते समय साड़ी के ऊपर जतन से ओढ़ी गई बनारसी चादर।

फूलमणि की झाँपी में नीम की सूखी पत्तियों की नरम भुरभुरी सतह पर सहेजकर रखी गई बनारसी ओढ़नी का अलगनी पर टँगना और घरभर का सचेत हो जाना।

"आज कहाँ की सवारी निकलनेवाली है?"

छोटी बच्चियों के लिए चारगज्जी साड़ी का चलन था। गंगेश्वरी को लाल रेशमी साड़ी पहिराती, अपनी आँखों के दर्पण में बेटी का रूप सहेजती फूलमणि सिहर उठतीं—"ना, माई की दीठ ही कुदीठ बन जाती है।"

वे थुकथुकातीं और गंगेश्वरी नन्ही गिलहरी-सी उचककर उनकी आँखों में आँखें डाल बिहँस उठती—"अरे माई, तुम थुकथुकाती क्यों हो? इससे क्या होता है भला?"

"इ एगो टोटका ह बचिया, अबहीं तहरा ना बुझाई। अच्छा, आवऽ, पुरुब दिसा में मुँह करिके बइठ। एगो आउर टोटरम बाकी बा।"

पाँच बड़ी-बड़ी सूखी लाल मिर्ची और सींक की डालिया में धरी छटाँक भर काली-पीली राई-सरसों के दाने। फूलमणि फुरती से सबकी नजर बचाती गंगेश्वरी की दीठ उतारती मन-ही-मन बुदबुदाती जाती थीं—

"नजर गुजर जरि जा,
चूल्हा में झोंकरि जाऽ।"

गंगेश्वरी को रोज नजर लगी—"आज अजगैबी की पतोह परसादी बाँटने आई

थी। कैसे घूरकर देख रही थी, तुम्हारा मन-मिजाज तो ठीक है न, बचिया?''

यों हर दिन टोटके करती, नजर उतारती फूलमणि के सामने जमदूत के औतार बनकर जगमोहन तिवारी सहसा आ खड़े हुए थे—''रामगहन भाई, हमारी पतोहू कैसी है? आपको अपना कौल-करार याद है न? अच्छा, यह तो बताइए, गंगेश्वरी को अक्षर-ज्ञान करा रहे हैं न? अरे भाई, हमारे लोकनाथ बबुआ पढ़ाई-लिखाई में हमेशा अव्वल आनेवाले होनहार विद्यार्थी हैं। उनकी पत्नी को अक्षर-ज्ञान तो होना ही चाहिए न। नहीं तो उन्हें कष्ट होगा कि उनके बाबूजी ने किस मूर्खा के पल्ले उन्हें बाँध दिया।''

रसियाव और दालपूड़ी बनाती, झनक-पटक करती फूलमणि कसमसाकर रह गई थीं—''मुँह में ताला लग गया? पूछते क्यों नहीं कि हम भी इनके लोकनाथ बबुआ को देखना चाहती हैं। देखें तो सही, पूरनमासी के चान जैसी हमारी गंगेसरा का होनेवाला दुलहा देखने-सुनने, मन-मिजाज में कैसा है?''

रामगहन दबी जबान में समझाते—''जगमोहन तिवारी के कान साँप की तरह तेज हैं। तुम भी मलकिनी, मेमिन से हाथ मिलाकर लौटी हो, तब से मेमिनों जैसी बातें करने लगी हो। लड़के को देखने जाना होगा तो गाँव के पाँच सवाँग मरद-मानुस जाएँगे। हमारे साथ कुरता, धोती, साफा बाँधकर चलना चाहो तो तुम भी⋯।''

फूलमणि को अपनी प्राणप्रिय गंगेश्वरी के विषय में कोई भी खतरा उठाना मंजूर नहीं था—''रक्षपाली और गुनवंती के लिए लड़का देखने गए थे न खरहाटाँड़ के पाँच सवाँग। खूब देख आए। बर के रूप गुन का ऐसा बखान कि पूछो मत—लड़का बिसुन भगवान् का औतार है। वाह रे औतार! करिया धूप छाँही चसमा पहिरकर दुलहा माड़ो में ठाढ़ हुआ। सोनामाती आजी कजरौटा लिये गीत गाती उसके पास पहुँची, तोर अँखिया निहारों ए दुलहा, काजर नाहीं। ए बबुआजी, तनी चसमा उतारीं, हम राउर अजिया सास हुईं। काजर लगावे के नेत्र करे दीहीं।''

बड़ी हुज्जत के बाद दूल्हे ने काला चश्मा उतारा था। सोनामती छाती पीटती चीत्कार कर उठी थीं, ''आहि हो दादा! दुलहवा कान बा ए बहिनी! एगो आँख में ढेंढ़र नइखे। लाल-पियर धुपछाँही चसमा के करामात देख लोग।''

विद्यावती रो-रोकर हलकान हुई जा रही थी। उसके पिता विद्यासागर ने ढिठाई के साथ हुकुम सुनाया था—''ब्याह इसी से होगा। उठो बिदावती, कोई ना-नुकुर नहीं। तुम्हारे भाग का लिखंत यही था।''

रक्षपाली का दूल्हा देखने में सुघर था। रूप-गुण में कोई कमी नहीं। वहाँ भी गहरी मात खा गए खरहाटाँड़ के सवाँग। बारात धूमधाम से गाँव के सिवान तक पहुँची थी। नेटुआ नाच, कठधोड़वा नाच, बिदेसिया नौटंकी, झरेली बाई का नाच। अचानक न जाने क्या हुआ था? मौर की लड़ी दोनों हाथों से नोंचता दूल्हा अंड-बंड बकने लगा था—''दौड़ो लोग, हमारा कपार लहकने लगा। कोई चुरइल सवार हो गई। खप्पर लेकर आ गईं, डाकिन, शाकिन, पिशाचिन, बचाइए पदारथ भइया। हमारा प्रान ले लेगीं ये!''

जब तक पूरी बात समझ में आए, बारात के बड़े-बुजुर्ग दूल्हे को तुरत उठाकर शामियाने में ले गए थे। मँझले टोले के एक लड़के ने अँगनाई में आकर खबर दी थी—वे लोग दूल्हे को चमरौंधा जूता सुँघा रहे थे। कह रहे थे, यह दौरा पाँचवीं बार पड़ा है।

कोई उपाय नहीं था। रोती-बिसूरती मोम की गुड़िया सी रक्षपाली की चूनर का गठजोड़ मिरगी के उस मरीज की चादर से कर दिया गया था। पंडितजी उलटे-सीधे मंत्र पढ़, पुरकस दान-दच्छिना लेकर अपने घर सिधारे थे।

फूलमणि की एक ही जिद थी—''लोकनाथ हो, चाहे चोखनाथ, लड़के को जब तक वे अपनी आँखों से नहीं देख लेतीं, ठीक से परख नहीं लेतीं, तब तक किसी भी तरह की बातचीत करना फिजूल होगा।''

बैठकखाने में आराम कुरसी पर लेटे जगमोहन तिवारी ने उनकी झनक-पटक को सुन लिया था—''रामगहन भाई, अपनी मलकिनी से कहें, धीरज रखें। हमारे बबुआ में कवनो ऐब नहीं है। इलायची, सौंफ तक नहीं छूते। उनकी माई योगेश्वरी मँझरिया के राज ज्योतिषी की बेटी हैं। मजाल है कि लोकनाथ से कोई चूक हो जाए। वे गाँव की मठिया पर सत्संग कराती हैं। बड़े-बड़े रामायनी लोग आते हैं। लोकनाथ बबुआ उनके साथ मानस-गायन करते हैं। फिर भी विश्वास नहीं हो तो हमारा खुला नेवता है। आप अपनी मलकिनी को लेकर हमारे गाँव के नवरात्र-यज्ञ में शामिल होइए। एक पंथ दो काज होगा। पूजन-आराधन भी और लोकनाथ बबुआ से बतकही भी।''

फूलमणि लजा गई थीं—''सचमुच इनके कान सरप के हैं?''

* * *

लोकनाथ ने तनिक सकुचाते हुए माई का मत जानना चाहा था—

''माई, 'रामायण' सिनेमा लगा है। सभी संघतिया जाना चाहते हैं। तुम कहोगी, तभी···।''

निखिलानंद काका ने समझाया था, ''योगेश्वरी बिटिया, भाग्यशाली हो तुम। लोकनाथ तुमसे पूछे बिना एक कदम आगे नहीं बढ़ाते।''

''लेकिन काकाजी, पटना जाना और रात भर वहाँ रहना! लोकनाथ पहली बार जाएँगे। इनके बाबूजी कलकतिया नौकरी पर हैं।''

लोकनाथ ने सिफारिश करवाई थी—''निखिल नानाजी, मैट्रिक का परीक्षा-फल आने के बाद तो पटना ही रहना होगा न। मेरे सहपाठी बलराम के बड़े भइया सुभाष पटना में पढ़ते हैं, वहीं छात्रावास में हम लोग ठहरेंगे और दूसरे दिन घर वापस।''

योगेश्वरी लक्षित कर रही थीं; आईने के सामने देर तक खड़े होकर लोकनाथ उनकी नजर बचाकर अपने आपको निहारते रहते थे। उन्होंने बड़ी साफगोई के साथ कबूल किया था, ''रामायण का टिकट नहीं मिला माई, तो हम चारों साथी दूसरी फिल्म देखकर आए।''

उभया आजी कौतुक भरी हँसी हँसती उनका दुलार करने लगी थीं—''कवनो परेम-बरेम के बाइसकोप देखल हा का बबुआ? दरपन में निहारत बाऽ, मने-मन मुसकात बाऽ, आ महीन सुर से गावत बाऽ।

एक बँगला बने न्यारा···।

''देख हो कनिया, मोंछ-दाढ़ी सुबहित जामल नइखे आ बबुआजी बँगला उठावे लगलन। दिने में सपनाए लगलन। इ लच्छन ठीक नइखे।''

योगेश्वरी ने सास के चेहरे पर चुहल देखी थी। लोकनाथ लजाकर अपनी कोठरी में घुस गए थे।

नंदकिशोर तिवारी गाँव आए थे। लोकनाथ की बोलाहट हुई थी—''कहो बरखुरदार, मन-मिजाज कैसे हैं?''

लोकनाथ को उन्होंने 'चाँद' पत्रिका का नया अंक पढ़ने के लिए दिया था—''इसे पढ़ो और इसके एक-एक लेख के विषय में अपनी टिप्पणी लिखो! कलम की मजूरी करनी हो तो दिमाग को खूब घिसना होगा बबुआ, दुनिया-जहान के छपे हुए शब्द-संसार से अपना संबंध जोड़ना होगा। लेखन ऐसे ही नहीं होता। एक जुनून पालना होता है। खूब पढ़ो और रात-दिन कलम की सेवकाई में लग जाओ।''

उन्होंने रत्नदेव बाबा का उदाहरण दिया था, ''आदि पुरखे थे वे हमारे। वैदिक

ऋचाओं के दिव्य परिज्ञान से अनुस्यूत, आत्मसत्ता और परमसत्ता के शाश्वत संबंधों के अनुशीलन में अहर्निश तत्पर रहनेवाले। उन्होंने अपने तीनों पुत्रों को केवल पुरोहिताई या यजमानवृत्ति का ज्ञान नहीं दिया, वैदिक मंत्रों के अभ्यास के साथ-साथ कृषि-कर्म की बोधगम्यता भी प्रदान की। तुम उनकी ग्यारहवीं पीढ़ी के जातक हो। सौभाग्य से तुम्हारी माई ज्योतिषाचार्य की कन्या है। अब समय आ गया है लोकनाथ, जब तुम्हें स्वाध्याय से जुड़ना होगा। अपने घर में एक स्वाध्याय मंदिर बनाओ। देश-विदेश की दुर्लभ पुस्तकों का संग्रह करो। याद रहे, विद्या-व्यसन के अतिरिक्त दूसरा कोई भी व्यसन नहीं। अच्छा बताओ! संस्कृत के कौन-कौन से ग्रंथ पढ़ना चाहोगे?''

लोकनाथ के पाठ्यक्रम में हितोपदेश और पंचतंत्र की कथाएँ थीं। वे उन कथाओं के नाम गिना गए थे।

''नहीं, यह सब काफी नहीं है। तुम कालिदास, माघ, भारवि और भवभूति को पढ़ो। वाल्मीकीय रामायण का ठीक से पारायण करो। भारतीय साहित्य की विलक्षण परंपरा है बबुआ। जीवन के लौकिक तथा आध्यात्मिक पथ को आलोकित करनेवाले हैं हमारे विशाल ग्रंथागार। इन्हीं प्रकाश धाराओं से हमारे ज्ञानमय मस्तिष्क का पोषण होता है। हमारी चेतना को विकसनशीलता का पाथेय मिलता है। तुम कर्म से ब्राह्मण बनो। विद्या वह पूँजी है, जिसे कोई भी तुमसे छीन नहीं सकता। आज गुलामी है, लेकिन कल की आजादी का सूरज देखने के लिए तुम लोग रहोगे। तुमसे मुझे बड़ी आशाएँ हैं लोकनाथ।''

जगमोहन तिवारी हरदम चिहुँके रहते थे—''लोकनाथ, कौन सी पट्टी पढ़ा रहे थे नंदकिशोर भाईसाहब? अपना घर तो सँभाल नहीं पाए। चाहते हैं कि उन्हीं की तरह समूचा गाँव फकीर हो जाए। हम चाहते हैं कि बबुआ साइंस लेकर पढ़ें। डॉक्टर, इंजीनियर बनें। गाँव-जवार में उनका रुतबा हो, लेकिन इनका मन कथा-कहानी में अधिक रमने लगा है। सहगल की नकल करते फिरते हैं। अगली बार पूरे पंद्रह दिन की छुट्टी लेकर आऊँगा, तब इनकी खोज-खबर ली जाएगी।''

उन्होंने योगेश्वरी को चेताया था—''बबुआ का सैर-सपाटा बिल्कुल बंद। संघतिया लोग घर में आएँ तो कान लगाए रखिए, क्या-क्या बतकही होती है, किस किसिम का हँसी-मजाक चलता है। देर रात तक जगना नहीं और पौ फटते के बाद बिछावन पर पड़े रहना नहीं। इससे आलस होता है, बुद्धि कुंद होती है।''

लोकनाथ ने माई से कहा था—''माई, हम दालान में सोएँगे।''

''काहे बबुआ? अकेले सुतबऽ, डर ना लागी?'' उभया आजी चिंताग्रस्त हो उठी थीं।

''नहीं, हम बड़े हो गए हैं। हमकी देर रात तक पढ़ने का मन करता है। माई तुरत लालटेन बुझा देती है।''

''लेकिन तुम्हारे बाबूजी···।''

''हाँ, तो सुबह उठ जाएँगे न।''

योगेश्वरी भीतर-ही-भीतर चौकस हो उठी थीं—अधिक दबाव देना ठीक नहीं होगा, लेकिन नजर रखना भी जरूरी है। नंदकिशोर जेठजी लाख नसीहत दें, लेकिन अपना घर ठीक से सँभाल नहीं पाए। बड़ा बेटा नशेड़ी-भँगेड़ी निकल गया। छोटा-उठाईगीर बन गया। मँझला कुपोषण के कारण तपेदिक का मरीज हो गया है। 'पर उपदेश कुशल बहुतेरे' वाली दशा है उनकी। सुमित्रा जिठानीजी की कसक उनके आँसुओं में फूटती है—आधी जिनगी दुसमन से कागजी लड़ाई लड़ते बीत गई। बाल-बचवन को लेकर हम जहाँ-तहाँ भटकती रहीं, जैसे-तैसे गुजर करती रहीं। तब भी हमको एक ही बात का मान है—तुम्हारे जेठजी ने कभी हिम्मत नहीं हारी। अँगरेजवन से कभी डरे नहीं, जम कर किरांतीकारी भाइयों का साथ दिया, उनका हौसला बढ़ाया।

लोकनाथ अपनी सभी प्रकार की शंकाओं का पिटारा निखिलानंद नानाजी के सामने खोलते थे, ''अच्छा नानाजी, गांधीबाबा का सत्याग्रह आंदोलन और गरम दल का उग्रभाव दोनों में से किसे बेहतर मानते हैं आप?''

निखिलानंदजी पेसोपेश में पड़ जाते थे, ''वैसे तो हमारा देश 'अहिंसा परमोधर्म:' के सिद्धांत को माननेवाला है बबुआऽ। फिर भी जब शत्रु सामने आकर ललकारने लगे, तब अहिंसा की डोर थामे चुप बैठा नहीं जा सकता। अंग्रेजों के अत्याचार की कितनी ही घटनाएँ तुम्हारे नंदकिशोर काकाजी तुम्हें बता चुके हैं। उनसे मुक्ति पाने के लिए ही संघर्ष की राह अपनाई गई है। तरीके बेशक अलग-अलग हों, लेकिन लक्ष्य एक ही है बबुआऽ।''

''लेकिन नानाजी, ये हमारे देश में आए क्यों, किसी ने इनका विरोध क्यों नहीं किया?''

''ये व्यापारी बनकर आए थे लोकनाथ। फिर धीरे-धीरे अपनी कूटनीति का सहारा लेकर इन्होंने अपना राज कायम करने की साजिश रची। हमारे देश की रियासतों में भी परस्पर वैमनस्य और भेदभाववाली स्थिति थी, बड़ी चालाकी के साथ इन्होंने हमारी दुर्बलता का लाभ उठाया।''

लोकनाथ को जानकारी हो चुकी थी। निखिलानंद नानाजी के पास क्रांतिकारियों का जत्था आया करता था। संन्यासियों के वेश में वे लोग रातोरात पहुँचते, मंत्रणा करते और मुँह अँधेरे ही किसी अन्य गंतव्य के लिए निकल पड़ते।

एक रात निखिलानंद नानाजी माई के पास आए थे, ''बुरी खबर है बचिया। हमारा एक साथी मारा गया। दो-तीन लोग गायब हैं, दुश्मनों के हाथ लग गए या फरार हैं, कुछ पता नहीं। मुझे तुमसे मदद चाहिए। अनाज, रुपए जो भी हों।''

योगेश्वरी ने अपनी कनपासे उतारकर दे दिए थे, ''काकाजी, जगतू को कह दिया है—कल सुबह दस बोरी अनाज आपकी मठिया पर पहुँच जाएगा। नगद रुपए नहीं हैं। अभी तो आप इन्हीं से काम चला लीजिए।''

वे लंबे डग भरते चले गए थे। जाते-जाते योगेश्वरी को चेतावनी देना नहीं भूले थे, ''लोकनाथ को कुछ भी मत बताना। अच्छा है, वे सो गए हैं।''

नहीं, लोकनाथ सोए नहीं थे। उन्होंने माई और नाना की एक-एक बात सुनी थी। एक गहरा अवसाद उनके मन को जड़ बना रहा था, ''मेरे बाबूजी ऐसे अंग्रेजों की गुलामी कर रहे हैं?''

अपनी मानसिक ऊहापोहवाली दशा माई के सामने रखते हुए उनकी आँखें भर आई थीं—''बाबूजी अंग्रेजों के मुलाजिम हैं माई? दिन-रात उन फिरंगियों की जी-हुजूरी में ही लगे रहते हैं। वे यह नौकरी छोड़ क्यों नहीं देते?''

योगेश्वरी की व्यवहार कुशलता ने लोकनाथ को प्रबोध दिया था—''तुम्हारे बाबूजी मैट्रिक पास हैं। संस्कृत, अंग्रेजी, हिंदी, बँगला, उर्दू कितनी भाषाएँ उन्हें आती हैं। वे शौक से यह नौकरी कर रहे हों, ऐसी बात नहीं बबुआ, फिरंगियों से वे भी उतनी ही घृणा करते हैं, जितना निखिलानंद काकाजी, जेठजी या कोई और। एक ही रट है उनकी! बबुआ पढ़-लिखकर अच्छी नौकरी पकड़ लें तो वे भी दिन-रात की गुलामी से मुक्ति पाएँ। तुम नहीं जानते बबुआ, तुम्हारे बाबूजी ने कम कष्ट नहीं सहा है? प्रयागजी में कुंभ स्नान के लिए गए तो इनके माई-बाबूजी वापस नहीं लौटे। उभया काकीजी ने माँ-बाप की तरह उनकी परवरिश की। गरीबी के दिन थे वे। दूसरों के घर कुटिया-पिसिया करके समय काटा दोनों ने। तुम्हारे बाबूजी तनिक कठोर स्वभाव के दिखते हैं, लेकिन वैसे हैं नहीं। तुम अपनी उभया आजी से पूछना!''

उभया आजी के अँकवार में बँधे फरही गुड़ का भोग लगाते लोकनाथ अकसर बाबूजी के विषय में अपना सामान्य ज्ञान बढ़ाते रहते, ''समूचा गाँव में सबसे जादा

पढ़ल-लिखल, सुन्नर कद-काठीवाला हमार जगमोहन बबुआ रहले। तहार नाना अइले, लगन के बात बतियावे खातिर गाँव के पंच बटुरइले त जगमोहन फरार। सगरे गाँव में खोजाहट मचल। रतनदेव बाबा के चउतरा पर बइठ के रोवत रहले-ढुर-ढुर लोर। पूछलीं, काहे बचवा, का भइल? त कहे लगले। बियाह ना करब। कवनो बाउर कनियवा आ जाई आ तहरा के दु:ख दीही त हमरा से बरदासत ना होई।''

लोकनाथ खिलखिलाकर हँस पड़ते, ''उनकी बात तो ठीक थी, आजी, अगर कोई लड़ाकिन झगड़ाहिन आ जाती और तुम्हारा जीना दुश्वार कर देती तो? बाबूजी के सामने दूसरा क्या उपाय था—संन्यासी ही बनते न!''

उभया उनके सुर में सुर मिलाकर पोपली हँसी हँसती—''काली मइया, बरमबाबा के बड़ी किरपा कि तहार माई अइसन साजल सँवारल सुधवा पतोह मिलल। कवनो जनम के पुन्न परताप रहे जगमोहन बचवा के।''

... ...

''अब तहार पारी बा बबुआ। बियाह जोग उमिर हो गइल बाऽ। तहार माई बाबूजी के इहे साध बाऽ।''

लोकनाथ झटपट उभया आजी के मुँह पर अपनी हथेली रख देते—''खबरदार आजी, दुबारा ऐसी बात बोलना भी मत। हमें इस जंजाल में नहीं पड़ना। हम लेखक बनेंगे, आजाद परिंदा बनकर कल्पना के आकाश में ऊँची उड़ान भरेंगे। गाँव घर का, देश माटी का दर्द अपनी कलम से उकेरेंगे।''

उभया आजी धीरे से मान-मनौवल में जुट जातीं, ''इहे बतिया जगमोहन बचवा बोलत रहले। बियाह भइल, बंस आगे बढ़ल। ऐ बबुआ लोकनाथ, तहरा खातिर सरग के अपसरा खोजि के ले आइब। आजाद परिंदा बनल भुला जइब।''

माई अपनी ओर से समझातीं—''जिनका ब्याह होता है, वे पढ़ाई-लिखाई नहीं करते क्या? अपने नंदकिशोर काकाजी को देख लो। वैसे एक जरूरी बात बताना तो हम भूल ही गए।''

उभया आजी ने आँखें नचाकर अनजान बनने का अभिनय किया था—''बोल-बहुरिया। कवनो बिसेस बात बाऽ।''

''हाँ काकीजी, आपके लाडले पूत अपनी पतोहू पसंद कर आए हैं। उनके संघतिया रामगहन ओझा की बिटिया है गंगेश्वरी। कुल बारह बरिस की हुई। पढ़ाई-लिखाई, रसोई के काम-काज में खूब होशियार।''

लोकनाथ ने आँखें तरेरी थीं, ''पगला गई हो क्या माई ? यह कौन सा फितूर सवार हुआ है। आजी, तुम दोनों की हँसी देखकर मेरा कलेजा जला जा रहा है। माई, तुमको मेरी कसम। ऐसी-वैसी बात की तो हम सचमुच घर छोड़कर भाग जाएँगे।''

उन्होंने दालान का दरवाजा भीतर से बंद कर लिया था और डायरी पर अपना गुस्सा उतारने लगे थे। ''विवाह का बंधन मेरे लिए ? हरगिज नहीं। आजी, माई और बाबूजी की इच्छा पूरी करने के लिए मैं अपने सपनों का वध होते नहीं देख सकता। अगर परिवारवालों ने ऐसी कोई भी कोशिश की तो मैं चुपके से घर छोड़कर भाग जाऊँगा, लेकिन जाऊँगा कहाँ ?

''नंदकिशोर काका के पास, इलाहाबाद ? नहीं-नहीं, वे आए दिन भूमिगत रहते हैं। क्या ठिकाना, मैं पहुँचूँ और वे नहीं मिलें या ऐसा भी हो सकता है कि वे मुझे अपने घर में रखने से इनकार कर दें। कहने लगें—तुम कायर हो। दो टूक मना करने की हिम्मत नहीं थी, जो भागकर यहाँ चले आए, फिर कहाँ जाया जा सकता है ?

''उभया आजी की नातिनी शिवदुलारी दीदी के यहाँ कलकत्ता। उनके पति वकील हैं। खूब दबंग। धड़ाधड़ अंग्रेजी बोलनेवाले। वे माई, बाबूजी और आजी को समझा सकते हैं, लड़की बारह बरस की ? यानी कि नाबालिग। अपनी इच्छा-अनिच्छा तक नहीं बता सकनेवाली। यह विवाह नहीं हो सकता।''

उन्होंने डायरी में लाल-नीली स्याही से बड़े-बड़े अक्षरों में टाँक दिया था— ''नहीं, कभी नहीं।''

जगमोहन तिवारी अपने इष्ट मित्रों से मशविरा करके गाँव लौटे थे—हमने तय किया है—लोकनाथ बबुआ साइंस पढ़ेंगे। पटना साइंस कॉलेज में इनके दाखिले की सभी तैयारी पूरी कर आए हैं हम। अगले मंगलवार को यहाँ से निकलना होगा।''

साइंस पढ़ने की बिल्कुल इच्छा नहीं थी लोकनाथ की। अधूरे मन से यात्रा की तैयारी की थी उन्होंने—''माई, गँधाती हुई प्रयोगशाला, कील ठुकी टाँगोंवाले, लिजलिजे मेढक, केचुए, छिपकलियाँ और इन्हें गींजनेवाली उचाट पढ़ाई। मुझसे यह सब नहीं होगा।''

योगेश्वरी जानती थीं—अपने बेटे के नर्म-नाजुक दिल की गहराई में छिपी हर बात का अनुमान उन्हें था। वे कहना चाहती थीं—जबरदस्ती थोपी गई विद्या कभी-कभी घोर अविद्या का कारण बन जाती है। लोकनाथ का मन-मिजाज जाने बिना।

जगमोहन उनकी एक भी बात सुनने के लिए तैयार नहीं थे—''कथा-कहानी

गढ़ने से तरक्की नहीं होने की। साइंस पढ़ेंगे, डॉक्टर, इंजीनियर बनेंगे तो लक्ष्मी की कृपा होगी। गाँव-जवार में जस फैलेगा और संपत्ति बढ़ेगी।''

अपने पिता की बात काट सकने की हिम्मत लोकनाथ में नहीं थी। योगेश्वरी किसी अनिष्ट की आशंका से उद्विग्नमना हो उठी थीं।

''काकाजी, लोकनाथ की वेदना को कोई समझ नहीं रहा है। उनकी असाधारण गंभीरता को देखकर मेरे मन में नाना शंकाएँ उत्पन्न हो रही हैं। जिस विषय में बबुआ का मन तनिक नहीं रमता, उसे ही पढ़ाने का इनका हठ मेरी समझ से परे है।

निखिलानंदजी गंभीर थे—''दो वर्षों तक राहु की अंतर्दशा देख रहा हूँ। योगेश्वरी बिटिया, इनके बृहस्पति भी निम्नभाव में हैं। असमंजस की, मानसिक दो चित्तेपन की दशा बनी रहेगी, लेकिन तुम घबड़ाओ मत, जो भी होगा, अच्छा होगा। बजरंग बली बिगड़ी बात सँभाल लेंगे।''

लोकनाथ को पटना साइंस कॉलेज में एक नए गुरु मिले थे—अंग्रेजी के प्रकांड विद्वान् कृपानाथ मिश्र। हिंदी साहित्य के प्रति उनके उत्कट अनुराग ने लोकनाथ को उनका मुरीद बना दिया था। कक्षा में शेक्सपियर, बर्नार्ड शा, इब्सन, स्पेंसर, कीट्स, वड्र्सवर्थ, शेली और कक्षा के बाहर अपने घर के अहाते में छात्र-मंडली से घिरे हुए प्रेमचंद, शरतचंद्र, रवींद्रनाथ, प्रसाद, निराला, पंत, महादेवी की रचनाओं पर चिंतन-मनन करते शिष्यों की साहित्यिक जिज्ञासा का शमन करते कृपानाथजी—''भारतीय संस्कृति को समझना हो तो निराला को पढ़ो, उनके समस्त भावों को अपने हृदय में स्थान दो। बंगाल रवींद्रनाथ की आराधना करता है, क्योंकि देशज संस्कृति की रागबद्धता का गुण बंगाल की माटी में समाहित है। हम हिंदी प्रदेशवालों का यही तो दुर्भाग्य है कि हम अपनी गरिमा के प्रति उदासीन हैं। मृत्यु के बाद किसी विराट् प्रतिभा का आकलन थोड़े में करके अपने कर्तव्य की इति-श्री मान लेना हमारी फितरत है। मैंने पंडित रामनेरश त्रिपाठी की कविताओं का संपादन किया है और अपने इस महत् कार्य के निष्पादन के दौरान एक ही अनुभूति मेरे भीतर गहराती चली गई। साहित्यिक प्रतिभा से संपन्न अपने युग के महापुरुषों का आकलन हम नहीं कर पाए तो इतिहास हमारे इस अपराध को कभी क्षमा नहीं कर पाएगा। मेरा आप लोगों से आग्रह है कि आप हिंदी के युगपुरुषों का समादर करें, उनकी रचनाओं के मर्म से अपनी चेतना का पोषण करें। चाँद, सरस्वती, विशाल भारत जैसी पत्रिकाएँ तेजोमय हिंदी संस्कृति का सच्चा प्रतिनिधित्व करनेवाली हैं। इनमें छपनेवाले क्रांतिकारी आलेखों से आप

अपनी भावनाओं को समृद्ध कर सकते हैं, अपनी भाषा का परिमार्जन कर सकते हैं। स्मरण रहे, मौलिक प्रतिभा का विकास हो, इसके लिए पारंपरिक-ज्ञान का अनुशीलन अनिवार्य है, तभी आपका भावी जीवन सकल विद्या से परिपूर्ण हो सकता है।''

देखते-ही-देखते लोकनाथ के मन में अपने इस गुरु के प्रति एक दुर्निवार श्रद्धा का उदय हुआ था—धवल धोती, रेशमी कुरता, सुरुचि संपन्नता और गरिमामयी हास्यप्रियता। नंदकिशोर काका के बाद लोकनाथ के जीवन में स्वाभिमान की लौ जगानेवाले कृपानाथजी दूसरे महापुरुष थे। लोकनाथ की दृष्टि में एक अद्वितीय शिक्षक। कक्षा में 'एलिस इन वंडरलैंड' पढ़ाते। आश्चर्य-लोक के जीवों की विविध आकृतियों को अपनी मुद्राओं में ढालते, नाना ध्वनियों के माध्यम से उन्हें चरितार्थ करते, वह दृश्य देखनेलायक होता। उनके पाठ्यक्रम में एक नाटक था—'शी स्टूप्स टु कंकर'। कृपानाथजी इस नाटक को मँजे हुए अभिनय के साथ पढ़ाते, टोनी लंपकिन नामक पात्र का ऐसा अभिनय करते कि पूरी कक्षा हँसते-हँसते बेहाल हो जाती। उन्होंने एक सुंदर नाटक रचा था—'मणि गोस्वामी'। उनकी वाणी अमृतधारा की तरह लोकनाथ की चेतना की आप्यायित करती और अपने इस परम प्रिय गुरु का सान्निध्य उनकी एक बड़ी उपलब्धि बन गया था।

पटना का वह प्रवास धीरे-धीरे लोकनाथ को रास आने लगा था। बीच-बीच में जगमोहन तिवारी आते, उनके शिक्षकों से मिलकर पढ़ाई-लिखाई की प्रगति के विषय में जानकारी लेते और संतुष्ट लौट जाते। लोकनाथ की कक्षा में मरियल-से दिखनेवाले एक जड़ बुद्धि छात्र ने नामांकन लिया था—नरोत्तम। वह पूरी कक्षा के दौरान अपनी बेंच पर ऐसे बैठा करता, जैसे कोई पाषाण-प्रतिमा हो, कोई सुगबुगाहट नहीं, कोई स्पंदन नहीं। आँखों में जिज्ञासा का भाव नहीं।

कृपानाथजी मीठी चुटकी लेते—''नरपुंगवजी, कहाँ ध्यान है आपका? मुझे आपको देखकर ऐसा प्रतीत हो रहा है, जैसे मैं किसी दीवाल को पढ़ा रहा हूँ।''

एक दिन नरोत्तम उनके आवास पर आए—''सर, आपसे कुछ कहना है!''

''हाँ-हाँ, कहो!''

''सर, मेरा पढ़ाई-लिखाई में एकदम मन नहीं लगता। दरअसल, बात यह है कि मेरे बाबूजी थानेदार हैं। मुझे मार-मारकर पढ़ाना चाहते हैं।''

कृपानाथजी उस रुआँसे चेहरे को देखकर गंभीर हो उठे थे—''तुम्हारी अपनी मंशा क्या है, नरोत्तम?''

"मैं गाँव में रहकर किसानी करना चाहता हूँ सर, हमारे गाँव सिंधनपुरा में धान की सबसे अच्छी पैदावार होती है और पिछले साल मेरे खेतों में जबरदस्त फसल हुई थी, लेकिन हमारे बपसीजी को कौन समुझावे। उन पर अँगरेजियत का भूत सवार है। कहते हैं—आई.ए. पास कर ले, फर्राटेदार अंग्रेजी बोलना सीख जावे तो इसे अपनी जगह थानेदार बनवा देंगे। एस.पी. हंटर साहब से बातचीत हो गई है।"

कृपानाथ की आँखों में एक अद्भुत चमक थी। "कृषि विज्ञान की पढ़ाई पढ़ोगे नरोत्तम ?"

"यह क्या होता है सर ?"

"तुम्हें खेती करने का शौक है न ? इस विद्या को हासिल करने के बाद तुम्हारा यह शौक और भी अच्छी तरह पूरा हो सकेगा। मेरे मित्र गगनबिहारी शर्मा कृषि महाविद्यालय के प्रिंसिपल हैं। तुम चाहो तो।"

"लेकिन हमारे बपसीजी बाप जी… ?"

"उन्हें मेरे पास ले आना, मैं समझाऊँगा।"

अपनी खाकी वरदी का रोब चेहरे से टपकाते, रूल घुमाते नंदराजजी उनके अहाते में दाखिल हुए थे—"क्यों प्रोफेसर साहेब, कवन पट्टी पढ़ा रहे हैं हमारे दुलरुवा नरोत्तम परसाद को ? केतनी मुसकिल से इसको साइंस पढ़ने के लिए राजी किया था। जुग-जमाना देखेगा, अक्किल खुलेगी। इसका अड़ियलपना दूर होगा, लेकिन यहाँ आकर दुबारा बउरा गया नरोत्तमवा। काहे भाई, उसकी मती तो पहिले से ही बिगड़ी हुई थी।"

दंगा-फसाद के लिए तैयार नंदराज थानेदार को बड़ी खूबसूरती से अपने वश में किया था—"लीजिए श्रीमान, आगरे का यह पेठा खाइए और अपना मिजाज नरम कीजिए।

… … …

"आप अपने बेटे की उन्नति चाहते हैं न। तो उसे उसकी मनपसंद आजीविका चुनने का एक अवसर दीजिए। मेरा विश्वास है कि कृषि-स्नातक बनकर नरोत्तम अपने सपनों को पूरा कर पाएगा। नंदराजजी हमारे यहाँ की मशहूर कहावत है—उत्तम खेती, माध्यम बान। आजकल के नवयुवकों का मन गाँव की ओर से उचाट हो रहा है। ऐसी फैशन-परस्त आबोहवा से दूर रहकर अगर नरोत्तम किसानी को अपनी जीविका का साधन बनाना चाह रहा है तो हमारे-आपके लिए फख्र की बात है न।"

थानेदार नंदराज का सोच दूसरा था—"अभी तो गाँव-जवार, गोतिया-दयाद को यही मालूम है कि सुपुत्तरजी अंग्रेजी पढ़ने पटना गए हैं। अब लोग-बाग यह जान जाएँगे कि खेती-बारी की पढ़ाई पढ़ रहे हैं तो कितनी जगहँसाई होगी, बताइए तो! कवनो बरतुहार हमारी चउखट पर आएगाजी?"

"खेती-बारी की पढ़ाई को इतना आसान मत समझिए। यह एक उम्दा किस्म का विज्ञान है। हो सकता है, नरोत्तम को अपनी योग्यता के बल पर कृषि-वैज्ञानिक का कोई बड़ा सरकारी ओहदा प्राप्त हो जाए। तब आप क्या, आपका पूरा गाँव-जवार इस युवक पर गर्व करेगा।"

लोकनाथ देख रहे थे—अपने गुरु कृपानाथजी के समझाने का ढंग। उनके मन में आ रहा था—मेरा भी मन विज्ञान में नहीं रमता। मैं कला लेकर पढ़ना चाहता था—हिंदी, संस्कृत और अंग्रेजी साहित्य··· । देश-विदेश के अनुपम कवियों के सान्निध्य में एक नई कल्पना का संसार मुझे अपनी ओर खींच रहा था।

नरोत्तम ने हिम्मत दिखाई, वह अपनी मनपसंद विद्या को प्राप्त करने की दिशा में आगे बढ़ गया। मैं चाहकर भी हिम्मत नहीं जुटा पाया।

उस रात कृपानाथजी ने अपने साथ भोजन के लिए उन्हें रोक लिया था—"तुम्हारी गुरुमाता ने मेवोंवाली खीर बनाई है, साथ में दालभरी पूड़ी और आलूदम।"

भोजन करने बैठे तो गुरुमाता आँचल से सिर ढककर रसबेनिया डुलाती सामने बैठ गईं। घर-परिवार, गाँव-जवार की अनेक अंतरंग बातें। हाथ धुलाते समय उन्होंने किसी बहाने से पूछ लिया था—"ब्याह की उमिर तो हो गई है, बबुआ। अभी तक कुँआरे हो?"

उन्होंने धीरे से सिर हिलाया था।

बेंत की ऊँची, सिंहासननुमा कुरसी पर विराजते अपने पिता की वृहद् काया का स्मरण करते सहमा संकोच से घिर आए थे—"मेरे बाबूजी ने किसी को वचन दिया है। इसके आगे मुझे कुछ भी नहीं पता।"

"तभी तो···। हमारी बिरादरी में इस उमिर तक लड़के अनब्याहे कहाँ रहते हैं?"

कृपानाथजी ने मीठा कटाक्ष किया था, "अन्यथा मत सोचना लोकनाथ! तुम्हारी गुरुमाता की बहन तीन बेटियों की माता हैं। उनके विवाहादि का दायित्व इन्होंने ही सँभाल रखा है। इसीलिए कोई सत्पात्र दिखा नहीं कि इनकी साध झट उमड़ आती

है। विनती, जाल डालने में कितनी दक्ष हो तुम, यह बात मेरे सभी शिष्य जान गए हैं। गंगाघाट की मछुवारिन थी तुम···अजी, पिछले जनम में?''

माई की हिदायत थी—नवरात्र में गाँव जरूर आना है। कालीजी को रोट प्रसाद, बजरंगबली को चना-गुड़ और रत्नदेव बाबा के चबूतरे पर धोती, जनेऊ, खड़ाऊँ का चढ़ावा!

जगमोहन तिवारी ने रामगहन ओझा को गोपनीय संदेश भेजा था—नवरात्र-पूजन के बाद रामरेखा घाट पर जुटान होगा। आप सपरिवार पधारें। ध्यान रहे, हमारे लोकनाथ बबुआ नए विचार के हैं। गंगेश्वरी को बहुत तोप-ढाँपकर लाने की जरूरत नहीं। हम चाहते हैं कि एक नजर वे भी आपकी बच्ची को देख लें।

लोकनाथ गाँव आए थे। कंधे से झूलता खादी का लंबा थैला, किताबों और पत्र-पत्रिकाओं से भरा हुआ। सोशलिस्ट कट खादी का कुरता, सफेद चुस्त पाजामा, पैरों में कोलहापुरी चप्पलें, माथे पर झूलती घनी काली केशराशि, आँखों में एक नई चमक।

उभया आजी ने छूटते ही फरमान सुनाया था—दुलहिन, जल्दी से कजरौटा ले आओ। बबुआ की कनपटी में, गोड़ के तलवा में काजर लगाओ। रामरेखाघाट पर डाइन, बिसाहिन, टोनहिन जुटेली सन···।

लोकनाथ ठठाकर हँस पड़े थे—''क्या आजी, तुम भी। दुनिया-जहान चाँद पर, मंगल-बुध पर जाने की योजना बना रही है और तुम हो कि अभी तक वही पुरानी चाल चल रही हो। नहीं लगवाना मुझे काला टीका। मेरा नया कुरता खराब हो जाएगा।''

योगेश्वरी हँसती हुई बेटे को ठाकुरघर की ओर ले गई थीं—''आजी का मन रखने के लिए खूब हल्का टीका लगा देती हूँ। नाभि में नहीं, सिर्फ ललाट के किनारे और तलवों में। अब ठीक है न।''

जगमोहन तिवारी ने पहली बार योगेश्वरी के साथ उछाह भरी मंत्रणा की थी—''आप देखेंगी तो देखती रह जाएँगी। साक्षात् लक्ष्मी रूपा है रामगहन ओझा की सुपुत्री। उसकी माई पूरे फुलवारी शरीफ में शेरनी के नाम से मशहूर है। अलबत्ता, रामगहन बहुत सीधे-सादे हैं। लड़की बिल्कुल अपने बाप पर गई है। रूप-रंग, सुभाव-सबकुछ।''

फूलमणि की उँगली थामे गंगेश्वरी इक्के से उतरी थी—''माई, यहाँ तो बहुत भीड़ है, तुम कहाँ ले आई हमको?''

''डरो मत बचियाऽ। घंटे भर की बात है। साँझ होने से पहिले हम लोग वापस निकल लेंगे।''

जगमोहन तिवारी ने आगे बढ़कर अगवानी की थी, ''आइए भाई, सब लोग घाट पर ही हैं। पूजन की तैयारी हो चुकी है। बस, आप लोगों का इंतजार था।''

उभया आजी की नातिनी शिवदुलारी अपने पूरे परिवार के साथ न्योती गई थी।

लोकनाथ से पूरे नौ साल बड़ी थीं वे। उन्होंने धीरे से लोकनाथ के कानों में बताया था—''ठीक से देख लो भाई। वह जो तुम्हारी माई की बगल में बैठी है न, गोल-मटोल कचकड़े की गुड़िया। अरे वही, लाल फ्रॉक में सजी हुई। जगमोहन मामाजी ने उसी के साथ तुम्हारा रिश्ता तय किया है। उसका नाम नहीं पूछोगे? गंगेश्वरी नाम है उसका।''

गहरी खीझ की रेखाएँ लोकनाथ के चेहरे पर उभर आई थीं—''बाबूजी के उतावलेपन का कारण अब समझ में आया। चिट्ठी-पर-चिट्ठी, तार-पर-तार। उससे भी मन नहीं माना तो छात्रावास में चले आए। अपने साथ लिवाने की जिद का कारण अब समझ में आया, लेकिन बहिनिया, तुम माई-बाबूजी से साफ-साफ कह दो, हमको फालतू के बंधन में नहीं बँधना। सालाना इम्तिहान सामने है।''

गंगाघाट का पूजन संपन्न होने पर था। लोकनाथ के हृदय-सरोवर में हलचल मचाती शिवदुलारी गवनिहारिनों की टोली में शामिल हो हुई थी—''श्रीजानकी के स्वाभिमान से जुड़ा, उस आदि पुरखिन की आन-बान में रचा-बसा। लव-कुश के जन्म की करुणा में पगा सोहर—

चैत्र मास की रामनवमी तिथि है। श्री रघुनंदन के जन्म की शुभ तिथि।

अयोध्या के राजा राम यज्ञ ठानते अश्वमेध यज्ञ!

शास्त्रसम्मत प्रस्ताव गुरु वसिष्ठ की ओर से आता है—धर्मपत्नी के बिना यज्ञ कैसा?

चइत के रामनवी त राम जगठाने ले हो,
आरे बिना रे सीता जग सून त सीता के बोलावहु ना।

अयोध्या के राजा राम में इतना साहस कहाँ कि वे वनवासिनी सीता को लव-कुश सहित अयोध्या बुला सकें। अंतत: यह कार्य माता कौशल्या को सौंपा जाता है।

''चिठिया जे लिखेली कोसिला रानी,
देबे के सीता हाथे हो,

ए सीता गुन अवगुनवा भुलावहु
अजोधिया पग ढारहू हो··· ।''

कौशल्या के अनुरोध पर उनकी पाती लेकर वसिष्ठ मुनि वन की ओर जाते हैं। अगले घोड़े पर गुरु, उनके पीछे लक्ष्मण और सबसे पीछे राम।

''एक बने गइले दोसर बने अवरु तिसर बने हो,
आहो, दुअरा पर चंदन गाछ, तहाँ सीता तप करे हो।''

चंदन वृक्ष के पीछे तपस्विनी सीता का तप। वे गुरु वसिष्ठ का सत्कार करती हैं—

''झाँपी में से काढ़ेली थरिया, गेड़ुवा जुड़ पानी नु हो,
सीता गुरुजी के चरण पखारेली, अँचरा पसारे ली हो।''

गुरु वसिष्ठ कौशल्या माता की पाती थमाते हुए कहते हैं—

''एतना ही गुन तहरा ए सीता, सब गुन आगर हो।
सीता हमरो कहल आजु करहु, अजोधिया पग ढारहू हो॥''

विनम्रता और अनुशासन भाव से भरी सीता का स्वाभिमान प्रकट होता है—

''मन पारीं ए गुरुजी ऊ दिन,
जाहि दिन बियाह भइले
गुरुजी लपकि धइले राम बहियाँ
त सेनुर डालेले।
नाहिं भूलबि ए गुरुजी ऊ दिनवाँ
जाहि दिन गरभ रहले,
ए गुरुजी अगिन परीक्षा राम लिहले
त घर से निकारि दिहले॥''

राम के निष्ठुर आदेश का पालन लक्ष्मण के द्वारा। सीता को ऐसे निर्जन वन में पहुँचा देना, जहाँ सींक नहीं डोलती, बाघ नहीं बोलता—

''जाहि वने सींकियों ना डोलेला,
बघवो ना बोलेला होऽ
गुरुजी ताहि बने राम भेजि दिहले
लखन तजि आवेले हो।''

अपनी पूजनीया सास कौशल्या के पत्र का मौखिक उत्तर देती हुई सीता कहती हैं—

''सासु, गुन अवगुन नाहिं भोर पड़े
अजोधिया ना लवटबि हो।''

अब राम की बारी है। वे संकोच के साथ निहोरा करते हैं—

''सीता, छोड़ि देहु जियरा कलेश
अजोधिया पग ढारहू हो!
क्या बोलतीं वीतरागिनी जनक तनया?''

सोहर के बोल आरोह पर थे। ढोलक थम गई। लरजते हुए करुणा भरे सुर में सीता की कथा पूरी हुई थी—

''अँखिया में भरेली बिरोग
त एक टक देखे ली हो,
सीता धरती में गइ ली समाइ
कुछो नाहिं बोलेली हो।''

फूलमणि ने गंगेश्वरी को अपनी गोद में समेट लिया था। सीता के दुःख से द्रवित स्त्रियों की आँखें डबडबाई हुई थीं। शिवदुलारी ने गंगेश्वरी को धीरे से अपने पास बुलाया था—

''इधर आओ, हमारे पास।''

योगेश्वरी और फूलमणि एक-दूसरी से बहनापा जोड़ बैठी थीं। योगेश्वरी ने लोकनाथ को पास बुलाया था—''इनके पाँव छुओ बबुआ।''

लोकनाथ ने दबी निगाह से देखा था—अच्छी कद-काठीवाली खूब गोरी, तनिक गुलथुल-सी महिला। नाक के निचले छोर पर ऊपरी ओठ को को छूती हुई लाल नगवाली सोने की नकबुल्ली। बाईं बाँह पर गोदना-रामगहन नाम खुदा हुआ। माथे पर बार-बार अपना आँचर सँभालती फूलमणि लाज से दुहरी हुई जा रही थीं। जगमोहन तिवारी ने दूर से ही ठिठोली की थी—''क्या हुआ? वहाँ तो बड़ी बातें कर रही थीं, अब शरमा क्यों रही हैं? भर आँख निहार लीजिए। देख-परख लीजिए और मलकिनी आप भी—गंगेश्वरी से बोल-बतिया लीजिए।''

शिवदुलारी ने खूब करीने से मध्यस्थता की थी, ''मामी, बार-बार मौका नहीं मिलेगा। मामाजी ने बहुत सोच-समझकर आज का दिन चुना है। गंगेश्वरी से जो कुछ पूछना हो, पूछ लीजिए। और चाचीजी, आप भी। वैसे तो हाथ में सुरुज, चाँद लेकर ढूँढ़ने निकलिएगा, तब भी हमारे भाई के जोड़ का दूसरा नहीं मिलेगा।''

फूलमणि ने अपने बटुए से पचास रुपए का नोट निकाला था—''योगेश्वरी बहिन, राउर आदेस होरवे त बबुआजी खातिर बर-छेंकाई के ई नेग।''

लोकनाथ ने माई को बरजना चाहा था—''इतनी जल्दी भी क्या है माई?''

जगमोहन तिवारी आगे आ गए थे—''हम कहते थे न। हमारे बबुआ में कानी उँगली भर भी ऐब कोई निकाल तो दे। देखा, रीझ गईं हमारी समधिन जी।

... ...

''योगेश्वरी, ये कनपासे लीजिए। हमारी होनेवाली पतोहू के लिए।''

लोकनाथ से कुछ भी कहते नहीं बना था। गंगेश्वरी उनका भाग्यलेख बनी सामने खड़ी थी।

फूलमणि ने बेटी को गले से लगा लिया था—''इनके पाँव छूकर आसीर्वाद लो बचिया, ये दोनों तुम्हारे सास-ससुर हुए।''

कृपानाथजी ने आपत्ति जताई थी—माँ-बाप, अभिभावक विवाह के बंधन में बाँधने के लिए इतने परेशान क्यों रहते हैं, मेरी समझ में नहीं आता। वैसे भी विज्ञान विषय में दाखिला दिलाकर तुम्हारे बाबूजी ने कोई बुद्धिमानी नहीं दिखाई है। जो विषय मनभावन नहीं हो, उसमें रमना तो दूर, उसे बरदाश्त करना कठिन हो जाता है। ऊपर से वह विवाह का तामझाम। तुम्हारी उन्नति की राह में एक और बड़ा व्यवधान। कम-से-कम बी.ए. की पढ़ाई पूरी हो गई रहती।

योगेश्वरी ने फूलमणि के कानों में धीरे से कहा था, ''गंगेश्वरी को पढ़ाइएगा बहिन, हिंदी, संस्कृत का ज्ञान जरूरी है।''

निखिलानंदजी ने योगेश्वरी को समझाया था—''जगमोहन दामादजी ने तनिक अधिक शीघ्रता से काम लिया। वैसे कन्या सुलक्षणा है। उसके भाग्य से लोकनाथ की उन्नति होगी। तुम लोग विवाह की तिथि तय करने में कोई हड़बड़ी मत दिखाना। मेरे लौटने तक प्रतीक्षा करना योगेश्वरी।''

''कहाँ जा रहे थे निखिलानंद काकाजी?'' योगेश्वरी सहसा उद्विग्नमना हो उठी थीं।

उन्होंने अपने शिष्य शशांक के माध्यम से संदेश भिजवाया था—''काया कष्ट के दलदल में निमग्न हो, तो रामायण, गीता के पाठ से शांति नहीं मिलती। सुमिरनी का जप व्यर्थ हो जाता है। देशमाता त्राहिमाम् का आर्त्तनाद कर रही है। आत्मिक शांति की खोज मृग-मरीचिका के समान है। ब्रह्मविद्या से पहले राष्ट्रविद्या को धारण

करना प्रत्येक देशवासी के लिए अनिवार्य है। देह स्वाधीन नहीं, तो देही का भी त्राण नहीं। इसीलिए मैं एक लंबे प्रवास पर निकल रहा हूँ। सैन्य-संगठन की अगुवाई के बिना दूसरी कोई दिशा मुझे सूझ नहीं रही है। तुम गृह-संन्यासिनी हो, तुम्हारे पास जप-तप का नैसर्गिक बल है। मेरे लिए प्रार्थना करना। इस क्रांति-यज्ञ में मेरी आहुति चढ़ जाए, तब भी चिंता की कोई बात नहीं।''

लोकनाथ को दिशा-बोध देना तुम्हारा दायित्व है। देह-बल और आत्मबल दोनों की अरणियाँ बनाई जाएँ। अकाल वृद्धत्व प्राप्त करती जा रही देश की युवा-पीढ़ी का स्वाधीनता के ब्राह्ममुहूर्त में पुनर्जागरण हो, इसलिए सच्चे ज्ञान से जुड़ना होगा मेरे दौहित्र को। वे लेखनी व्रती होना चाहते हैं तो यही सही। तुम हमेशा लोकनाथ का मनोबल बढ़ाती रहना।''

योगेश्वरी की आँखें नम हो आई थीं।

नव-द्वीप के लिए प्रस्थान करते समय उनके पिता ने इसी प्रकार निखिलानंद काकाजी के माध्यम से अंतिम संदेश भिजवाया था, ''मझरिया ग्राम से मेरा दाना-पानी उठ गया बचियाऽ। मंदिर की सेवायत से जो भू-खंड मिला, उसकी रजिस्ट्री लोकनाथ के नाम कर चुका हूँ। सारे कागजात निखिलानंदजी के जिम्मे हैं। क्या कहूँ, यहाँ से मेरा मन न जाने क्यों, एक बारगी उचाट हो गया है। मेरे गुरुभाई वेदांत नारायण का बुलावा है—एक बार नवद्वीप जाकर उनका सान्निध्य ग्रहण करना चाहता हूँ। अपना और लोकनाथ का ध्यान रखना।''

उभया आजी ने सूर्यानंदजी से लगन बँचवा लिया था—''जेठ मास की पूरनमासी तिथि—सबसे उत्तम लग्न योग। जगमोहन बबुआ, बारात की तैयारी करो।''

योगेश्वरी के मन में एक संशय था—''बारह बरिस की गंगेश्वरी और उन्नीस बरिस के लोकनाथ! कुछ दिन और ठहरा जा सकता था।''

उभया आजी को चैन नहीं था—''कनियवा आई त पोस-पाल के सेयान बना लेबू। तहरा, हमरा मन मुताबिक बनि जइहें गंगेसरा। बूढ़ सुग्गा पोस ना मानेला। आल्हर बहुरिया अइहें तबे नु कुल-खान-दान के रीत-नीत सिखावे पइबू। लोकनाथ बबुआ पटना में पढ़िहें त चार-पाँच बरिस घर-आँगन गुलजार रही नु। अब आगा-पीछा कुछुवो सोचे के समय नइखे।''

रामगहन ओझा और फूलमणि प्रस्तुत थे।

रत्नदेव बाबा के चैत्य पर अलबेले दूल्हे का परिछावन हुआ था—

"आजु मोरे राम जी के होखेला बियाह जी
चंदन तिलक सोभेला लिलार जी।
रेशम परिहन अंग के सिंगार जी।"

गाँव-घर की भौजाइयों ने बड़े उछाह से रस ले-लेकर परिछावन किया था—आँचल पर लोढ़े का एक सिरा छुलाती वर की नजर उतारती गोबर के छोटे-छोटे कंडों को वर के माथे से घुमाकर पालकी के ऊपर से दसों दिशाओं में फेंकती।

नंदकिशोर काका की बड़ी बहू करुणामयी ने लोकनाथ के गालों पर धीरे से चपत लगाते हुए मीठी चुहल की थी, "काहे बबुआजी, सरग की मेनका लाने जा रहे हो। कल तक तो अपनी इसी भौजाई के आगे-पीछे भौंरा बनकर मँडराते रहे। अब वह परीलोक की महारानी आएँगी तो इस पुरानी नातेदारिन को भूल तो नहीं जाओगे?"

शिवदुलारी ने लोकनाथ की ओर से जवाब दिया था—

"आरे भौजी, पुरानी बोतल का मधुरस ज्यादा पौष्टिक होता है। मेरा भाई तुम्हें कैसे भूलेगा? चलो, अब जल्दी से परिछावन का नेग पूरा करो।"

करुणामयी और गाँव की पाँच पतोहुओं ने राह छेंक ली थी—"देखो बबुआ, सुंदर बोल सुनाते जाओ। बाद में घरघुसरा बन जाओगे। हमारी आँखें तरस जाएँगी तुम्हारे दरसन के लिए। अच्छा, न हो तो एक फिल्मी गीत ही सुना डालिए देवरजी।"

लोकनाथ को हँसी आ गई थी। "चलिए भौजी, सुनाए देते हैं—
ए री मैं तो दरद-दीवानी मेरो
दरद न जाने कोय…।
इसका अगला बंद लौटकर सुनाऊँगा।"

योगेश्वरी ने आँचल की छाया की थी—बारात आगे बढ़ी थी।

खरहाटाँड़ का हवेलीनुमा घर, फूलों की लड़ियों से, आम्र पल्लवों के वंदनवार से सजा हुआ। बिंदेश्वर ने पूरी मुस्तैदी से बाहर-भीतर का सब काम सँभाल रखा था।

सोनामती आजी के कंठ में उछाह का अलबेला टाँसी राग था—

"आपन खोरिया बहार ए राम गहन बाबा
आव तारे दुलहा दामाद जी
झारि गलइचा बिछाव ए बिंदेश्वर भइया
आव तारे दुलहा दामाद जी।"

अपना घर-द्वार परिष्कार कीजिए। साज-सज्जा कीजिए, गलीचा बिछाइए और नए दूल्हे का स्वागत कीजिए।

पालकी में बैठे लोकनाथ कसमसा रहे थे।

कौन सा रीति-रिवाज है यह? पूरे गाँव की औरतें परिछावन करेंगी। लोढ़ा घुमाती, अच्छत छिटकती नई नवेली एक बहुरिया ने घूँघट के भीतर से एक आँख दबाई थी—"हमको पहिचान लीजिए वर राजा, हम गंगेश्वरी बबुनी की इकलौती भौजाई हैं। हमारा नाम पद्मा है।"

फूलमणि ने हाँक लगाई थी, "जल्दी-जल्दी परिछावन कर लोग। साइत ना बीते पावे, बबुआजी हलकान बाड़े।"

हल्दी रंग की साड़ी में लिपटी गठरी की तरह दुलारी नाइन की अँकवार में बँधी गंगेश्वरी गिरती-पड़ती मंडप तक पहुँची थीं। लोकनाथ का मन हुआ था, कहें, 'ऐसे तो बीमार पड़ जाएँगी ये। आप लोगों ने दोनों हाथों से इनका मुँह क्यों दबा रखा है?'

गहनों, कपड़ों से लदी जनाना भीड़ खुसफुस करती हँस पड़ी थी—"ऐ बबुआ, अबहीं से एतना मोह-छोह। मुँह तोप-ढाँक के ना रखिहें त तहार बाप, चाचा, फूफा, मउसा के सामने मुँह उघार दीहें, इत कुलच्छन कहाई ए दूलहा।"

लोकनाथ निरुत्तर थे—इन कूढ़मगज औरतों से कौन उलझने जाए?

उनके मन में बार-बार एक ही शंका जाग रही थी—उनकी अर्द्धांगिनी कहीं एकदम अनपढ़-गँवार न निकल जाए।

अपने आत्मविश्वास को जगाते हुए लोकनाथ स्वयं से उलझ पड़ते—मेरी माई पढ़ी-लिखी है। संस्कृत की पोथियाँ धड़ल्ले से बाँच लेती हैं। उभया आजी अपने जमाने की साक्षरा हैं। रामायण पढ़ती हैं। गुरुमुखी में खूब सुंदर लिखावट रचती हैं। तो क्या, ये श्रीमतीजी एकदम गँवार हो सकती हैं?

माई कहती थी—उसने पोथी बँचवाकर परख लिया है। और कहीं पढ़ी-लिखी उजड्ड निकली तो।

लोकनाथ की उधेड़बुन को शिवदुलारी के दूल्हे कमलकिशोर ने पलक झपकते भाँप लिया था।

"किस उलझन में फँसे हैं, दूल्हे राजा। अपनी सासजी को ठीक तरह से निरख-परख लीजिए। बिल्कुल इन्हीं की प्रतिमूर्ति हैं हमारी सलहज गंगेश्वरी देवी। लेकिन एक बात की कसर है—लोकनाथ। आप ठहरे साहित्यिक मन-मिजाजवाले रसिक शिरोमणि और आपकी भार्या का नाम इतना पुराना १८वीं शताब्दीवाला। ऐसा करना, घर आते ही पहले तो हम लोग इनके नाम को बदल डालेंगे। अच्छा सा कोई नाम तुम अभी से सोचकर रखो।"

कमलकिशोर पूरी तरह से चुहल के मूड में थे—''देखो भाई, एक बात तो तय है—तुम्हारी गंगेश्वरी सिया-सुकुमारी सी हैं। उस दिन रामरेखाघाट पर मैंने उन्हें पहली नजर में ही परख लिया था। तभी तो कहता हूँ—रह गए तुम पूरे-के-पूरे बौड़मदास। घंटे भर वे तुम्हारे सामने थीं और तुम पश्चिम दिशा में आकाश निहार रहे थे। तुम्हारी दार्शनिकता गलत समय पर जगी थी। अब भुगतो।''

लोकनाथ ने फिल्मों में देखा था—दुलहन का घूँघट आधा उठा हुआ और वर-वधू आमने-सामने बैठकर विवाह-संस्कार पूरा करते हुए। उन्होंने बहनोई के कान में धीरे से पूछा था—''मंडप में भी इनका मुँह इसी तरह ढँका रहेगा?''

''अरे वाह, बबुआ, अब निकली न मन की बात। यह सब सिनेमा के परदे पर देखा होगा आपने। हमारे गाँव-जवार में कन्या का खुला मुँह देखना तो दूर की बात, उसके पैरों के नाखून भी नहीं देखे जा सकते।''

लोकनाथ ने एक शरारत भरा अभिनय ठाना था—सिंदूरदान की रस्म पूरी होने जा रही थी। सोनामती आजी ने चार सुहागिनों को आदेश दिया था, ''दोनों ओर से बनारसी साड़ियों का परदा तान लो। देखना, कोई कुँवारी धिया हुलकने नहीं पाए। नाईन बहुरिया, बचिया का मुँह ढाँप दो, माथ पर से आँचर हटा दो।

आइए बबुआ जी,
ए दुलहा राजा,
आइए, सेनुर डालिए।''

योगेश्वरी ने पटनासिटी बाजार से खास सिंधोरा मँगवाया था। मखमल पट्टी पर चाँद-सितारे जड़े हुए लाल रंग का बड़ा सा सिंधोरा-पीले भखरा सिंदूर से भरा हुआ। भीतर चाँदी का सिक्का, सन की छोटी सी पोटली।

गीतवनियों का सुर बदल गया था—

''चारि पहर भइया जीति गइले,
साँझि बेरिया हारि गइले
अरे भइया, जीतले लोकनाथ अइसन दुलहा
बिंदेस्वर भइया हारि गइले।''

सबकी आँखें आँसुओं से सराबोर हैं। फूलमणि अपनी कोठरी में किवाड़ का पल्ला पकड़ सिसक रही हैं। रामगहन भीतर आने से मना कर चुके हैं।

''ना, हम अपनी प्राण-पुतली की विदाई नहीं सह पाएँगे।''

तभी एक छोटी सी लीला घटित होती है। लोकनाथ मुँह के बल अधबूढ़ी नाईन के ऊपर गिर पड़ते हैं। नाईन हड़बड़ाकर अपने को सँभालती है। दुलहिनिया का खुला हुआ चेहरा लोकनाथ के सामने है।

हँसता हुआ, पीत-कमल, भ्रमरों सी काली पुतलियाँ लजाकर पलकों के भीतर सिमट गईं। लोकनाथ के हृदय पर जैसे किसी ने श्रावण का मधुरस छलका दिया हो।

नाईन डगमगाई, गिरी और तुरत सँभलकर गंगेश्वरी का उघड़ा हुआ मुँह ढाँकने लगी। लोकनाथ की शरारत भरी हँसी ने उसकी बोलती बंद कर दी।

''काहे ए बबुआजी, एतना अकुताइल काहे बानी। तनि धीरज धरीं। धक्का-मुक्की सिखा के माई भेजली हा का?''

लोकनाथ ने धीरे से नाईन कान में कहा था, ''काकीजी, आप की एक छुवन ने स्वर्ग के दर्शन करा दिए। हमारा मन हो रहा है कि एक बार और।''

''हई देख ए बबुनी लोग। इ दुलहवा बूढ़-ठूढ़ से ठिठोली करत बाऽ। एकर महतारी रहती त पूछतीं—ए छिनरी, केकर जामल पूत हवे?''

गाँव की नई-नवेली बहुएँ मुँह पर पल्ला डालकर हँसने लगी थीं—

''ए मजनूँ दूल्हा। अभी से ऐसी लोट-पोट तो आगे जाकर क्या?''

लोकनाथ ने मुसकराते हुए तिरछी नजर से अपनी गौरा-पार्वती को देखा था—''आगे यह कि सूद के रूप में आप सब हमारे साथ तिवारीपुर चलेंगी। दो-चार दिन रखकर लौटा देंगे।''

''अरे वाह रे दुल्हे राजा, हम जाएँगी भी तो क्या दो-चार दिन के लिए? जिनगी भर की गुलामी लिखिए कृष्ण-कन्हैया। जभी बात बनेगी।''

सिंदूरदान की रस्म के साथ गीतों का उठान अपने चरम पर था—

''बाबा, बाबा पुकारिले, बाबा ना बोले ले
बाबा के बरजोरी सेनुर बर डाले ला जी
भइया-भइया पुकारिले, भइया ना बोलेले,
भइया के बरजोरी सेनुर बर डाले ला जी।''

लोकनाथ की दुविधा समाप्त नहीं हुई थी। उनके मन में एक नई आशंका ने सिर उठाया था—उनके एक सहपाठी धीरेंद्र मोहन का हाल-फिलहाल विवाह हुआ था।

पहले ही दिन धीरेंद्र का मन ऐसा उचाट हुआ। लड़की कर्कशा थी। बात करती तो जैसे खूब कड़वे काढ़े सा स्वाद कानों में उतरता, जिह्वा पर ठहर जाता। धीरेंद्र की

माँ ने लाख समझाया, पर कोई असर नहीं। संस्कृत प्रतिष्ठा का सर्वश्रेष्ठ विद्यार्थी धीरेंद्र अपना कपाल ठोंकता वापस लौट आया था। बहुत पूछने पर उसने एक श्लोक का अपभ्रंश सुना दिया था—

"विवाह काले संप्राप्ते काको काक: काकमती।"

अब इससे आगे कुछ मत पूछना भइया, लोग सच ही कहा करते हैं। यह ब्याह भी एक जुआ है। इस हारे हुए जुआरी ने तो अपने सारे सपने गँवा दिए।

लोकनाथ चाहते थे पास रखी उस गठरी को धीरे से हिलाएँ-डुलाएँ। उससे कुछ पूछें। कोहबर घर में मधुमक्खियों सी भन-भन करती नई-पुरानी औरतें और किंकर्तव्यविमूढ़ दूल्हे राजा। अभी थोड़ी देर पहले धकियाई हुई अधबूढ़ी नाईन गालियाँ देकर अपनी भड़ास निकाल चुकी थी। सास फूलमणि उनकी मोक्षदायिनी बनी थीं। उनके निकट आती वे मंद-मंद मुसकाती बोल उठी थीं—

"थकावट लागत बा पाहुनजी, पानी पियब? उन्होंने धीरे से सिर हिलाया। आ गंगेसरी, तू बचियाऽ, पानी पियबू?" वंशी पर पड़ी पहली फूँक से निकलता मिठास भरा खूब महीन स्वर—"माई, मुँह पर का कपड़ा हटा दें क्या? साँस लेने में दिक्कत आ रही है?"

सुर की नरमाहट, मन-मिजाज का आईना बनी उन्हें आश्वस्त कर गई थी—कैसी है यह गंगेश्वरी? पूरे पाँच घंटों से गठरी बनी बैठी है और आवाज में उकताहट का नामोनिशान नहीं। उन्हें अपनी योगेश्वरी माई का स्मरण हो आया था—मंदिर के दियरखे पर धरी दियरी-सी निष्कंप लौ बनी योगेश्वरी। जगमोहन कितना कुछ बोल जाते। उनके दान-पुण्य का मखौल उड़ाते। अच्छे-से-अच्छे व्यंजन में कोई-न-कोई नुक्स जरूर निकालते। योगेश्वरी हँसकर टाल देंती।

उन्होंने मन-ही-मन तय किया था—इस गंगेश्वरी के साथ कम-से-कम अपनी ओर से वे कोई अन्याय नहीं करेंगे। निखिलानंद बाबाजी ने क्या सटीक गणना की थी—

"लोकनाथ की अर्द्धांगिनी गौरा-पार्वती जैसी होगी। मंगलमयी, सौभाग्यशालिनी। उसके पाँव घर में पड़ेंगे तो लक्ष्मी प्रसन्न हो उठेंगी।"

जगमोहन तिवारी को पहली बार गाँव के लोगों ने खुली हँसी हँसते देखा था। कपिल मुनि ने टोक ही दिया था—"का हो भइया। जानकी ब्याह लाए। आज तो दशरथ सी सजधज देख रहे हैं हम!"

"हाँ, तो इसमें क्या संदेह है ? हमारे मित्र रामगहन ने अपने घर की जोत हमें दे दी। हम तो उनके शुक्रगुजार हैं भाई।"

रास्ते भर हम यही थाह लगाते आए। हमारी पतोहू इतनी कम उमिर में ऐसी धीर मतिवाली है कि क्या बताएँ ? जो थोड़ा-बहुत कमी बेशी हो भी तो हमारी मलकिनी सम्हार लेंगी। वैसे तो सबसे अधिक मनमोहिनी हमारी समधिनजी हैं। हँसती हैं तो हून बरसने लगता है। उन्होंने अपनी बिटिया को अच्छे संस्कार दिए होंगे, ऐसा मेरा विश्वास है।

× × ×

कुल बारह बरिस की थीं गंगेश्वरी। लाल बनारसी साड़ी के भार से दबी जा रही अत्यंत सुकुमार बालिका! विदाई की तैयारी होने लगी तो माई को अँकवार में बँधी बिलखकर रो उठी थीं वे—गीतगवनियों के कंठ आँसुओं से भींग गए थे—

"सुनु-सुनु लोकनी, सुनहू जेठ भाई
समधिन जी से कहिह ए लोकनी अरज हमार।"

कन्या के साथ जानेवाली परिचारिका और जेठे भाई से माँ अरज करती है। तुम दोनों समधिनजी से हमारी विनती कह सुनाना—

"बारी नींदिया धिया ना जगइहें
धिया सुकुमार
बासी भात धिया न खियइहें
धिया सुकुमार।"

उनसे कहना—कच्ची नींद से हमारी बिटिया को नहीं जगाएँगी और उसे बासी भात नहीं खिलाएँगी। अत्यंत सुकुमारी है हमारी नयन दुलारी।

फूलमणि के कलेजे में कंठभेदी चीत्कार उठी थी—"कैसे रहेगी गंगेश्वरी उन पराए लोगों के बीच।"

उन्होंने लोकनाथ के समक्ष आर्त्तगुहार लगाई थी, "बबुआजी, आल्हर उमिर की है हमारी बचिया, कोई भूल-चूक हो जाए तो···।"

जगमोहन तिवारी ने आश्वस्त किया था।

आप ज्यादा तनाव मत लें समधिनजी, चार दिनों की बात है। चौथारी होते ही आपकी बिटिया आपके पास। आप चाहें तो सालभर रखें। तब तक हमारे लोकनाथ बबुआ भी अपना अगला इम्तिहान पास कर लेंगे। हम जोगाड़ में हैं—हमारी बदली

पटना हो जाए तो पूरा परिवार एक साथ रहेगा।''

नंदकिशोर तिवारी गाँव आए थे। वधू के स्वागत भोज का निमंत्रण देने जगमोहन तिवारी बड़का टोला गए तो नंद किशोर तिवारी की खरी-खोटी सुनकर जले-भुने लौट आए थे—''पूरी तरह सनक गए हैं नंदकिशोर भाई। संपादकाचार्य क्या बन गए हैं, राजाराममोहन राय की आत्मा से प्रगाढ़ संपर्क हो गया है इनका। कह रहे थे—बारह साल की कन्या से विवाह, यानी वर-वधू दोनों का जीवन बरबाद। इनकी भतीजी पूरे बीस बरस की हो गई, चुप्पी साधे बैठे हैं, महाराज।''

जागेश्वरी ने धीरे से बरजा था—''किसी की बहू-बेटी के लिए कोई कड़वी बात नहीं। भगवान् ने हमारी आस पूरी कर दी है। सिया-सुंदरी हमारे घर आई हैं। कुछ सालों की बात है। हमारी धिया बनकर यह बहुरिया इस घर में पलेगी। हम जिठानीजी की मार्फत नंदकिशोर जेठजी को मना लेंगी।''

जागेश्वरी के मुँह से पूरी ऊँच-नीच सुनकर नंदकिशोर तिवारी एक बारगी नरम पड़ गए थे। परदे की आड़ में बैठी जागेश्वरी ने एक-एक बात बताकर चुपके से आँसू पोंछ लिये थे। फूलमणि समधिनजी ने अपनी विवशता उनके सामने रखी थी—''जूही, चमेली की बाड़ और धियाजात की बाढ़ एक समान होती हैं। अपनी गंगेश्वरी कहने को बारह बरिस की है, लेकिन इसकी काया कदंब सी ठहरी, कोई भी पहली बार देखकर इसकी उमिर का अंदाजा नहीं लगा सकता।''

दूध से भरा कटोरा थमाने आईं तो लोकनाथ ने एक उचटती हुई निगाह नई-नवेली गंगेश्वरी पर डाली थी—लहरिया गोटा टँकी चूनर, दप-दप करता सोने सा निखरता चेहरा, यदुनाथ बाबा के पोखरे में उछलकूद मचाती मछलियों सी चमक भरी आँखें—''जब देखो, तब कुछ-न-कुछ पढ़ते ही रहते हैं। क्या है, इन मोटी-मोटी कितबियन में?''

लोकनाथ खीझ उठे थे—''तुम्हें ठीक तरह से हिंदी बोलना नहीं आता? इन किताबों में दुनिया भर का ज्ञान भरा है। माई कहती थी कि तुम पढ़ सकती हो तो लो, इस किताब का पहला पन्ना पढ़कर सुनाओ।''

''अच्छाजी, तो आप हमारा इम्तिहान ले रहे हैं? लाइए तो जरा। जमीन पर बिछी शीतल पाटी पर थसककर बैठ गई थीं गंगेश्वरी—

ल···घु···सिद्धानत···कौमूदी···''

लोकनाथ ने सिर पीट लिया था—''हे भगवान्, लघु सिद्धांत कौमुदी के साथ

ऐसा अत्याचार। इससे तो बेहतर होगा कि आप माई और आजी के साथ बैठकर सूप फटकारना, चलनी हिलाना सीखिए।''

''हाँ, तो हमको भी कोई सवख नहीं लगा है आपके साथ बइठकर झूठमूठ मगजमारी करने का। आप कटोरा खाली कीजिए, हम जाती हैं।''

लोकनाथ चुहल की भंगिमा में थे—''अच्छा सुनिए, हमारे बाबूजी बता रहे थे कि आप बहुत बढ़िया पकवान बनाती हैं।

... ...

''क्या यह सच है? तो आपने अभी तक कुछ भी बनाकर नहीं खिलाया, क्यों?''

गंगेश्वरी, मुँह फुलाए खाली कटोरा लिये वापस जाने लगी थीं।

लोकनाथ ने लाल-पीली लहठियों से सजी गंगेश्वरी की कलाई पकड़कर बिठा लिया था—''आप यहाँ बैठिए। हमारे साथ इस चौकी पर।''

उन्होंने लजाकर अपना घूँघट दुरुस्त करना चाहा था—''हटिए भी, माई कहती हैं, मरद-मानुस के साथ एक आसन पर बैठना···।''

''हमारी माई ने आपको यह नहीं सिखाया कि अपने पति परमेश्वर की हर आज्ञा का पालन करना चाहिए।

... ...

''अच्छा तो सुनिए, कल ही बक्सर बाजार से आपके लिए सातवीं कक्षा की पुस्तकें ले आऊँगा। आप पढ़ेंगी। सुनयना दीदी आपको अगली परीक्षा की तैयारी करवाएँगी। इस बार पटना से लौटूँगा तो मैं भी आपकी सेवा में हाजिर रहूँगा।''

गंगेश्वरी की ठुनकती हुई आवाज में मनुहार थी—''आप पटना जाएँगे तो हम भी फुलवारी जाएँगे—अपने माई-बाबूजी के पास।''

''मेरी माई आपको जाने देगी तब न, देखा नहीं, उस दिन बाइस्कोप देखने जाना था तो उन्होंने साफ मना कर दिया था। उभयनिष्ठा आजी ने भी उन्हीं का पक्ष लिया था—सवा महीना नइखे बीतल, गोड़ के आलता, भखरा सेनुर से भरल माँग, अइसन सिया-सुन्नर के कवनो कुदीठ लागि जाई। ना बबुआ, तू अकेले सिनेमा देखे जा।''

लोकनाथ ने चिढ़ाया था—''ऐसी मुटल्ली कनिया को कोई आँख उठाकर भी नहीं देखेगा और आप कहती हैं आजी।''

उभयनिष्ठा ने हँस-हँसकर गंगेश्वरी की दीठ उतारी थी—''मन-मन भावे, मूँड़

हिलावे, वाली बतिया है बबुआ। जगिला बहू, देख रही हो अपने पूत की कारस्तानी। पटना जाने में बबुआ की आनाकानी। दू···दू बेर टिकस लवटा है। बहुरिया की झाँझर में मन बाँध लिया हमारे लोकनाथ ने।''

पटना जाने के एक दिन पहले लोकनाथ ने हठ ठान लिया था—''गंगेश्वरी को हमारे साथ सिद्धाश्रम जाना होगा। निखिलानंद नाना ने हमारे साथ इन्हें भी बुलाया है।''

उभयनिष्ठा निरुत्तर थीं—''इतने बड़े साधु-महात्मा की बात ठहरी, जगिला, फगुनी एक्कावान को कहाव भेजो। लाल रेशमी ओहार में नई कनिया बैठेगी और सुनो, तुम भी इ दूनो के साथ जाओगी।''

लोकनाथ ने चुपके से माई को मना लिया था—''दिन भर की बात है। साँझ ढले, इसके पहले दुखिया के इनार पर हमारे इक्के का ठहराव हो जाएगा। इत्मीनान रखो, तुम्हारी इस मैदे की बोरी को सही-सलामत घर तक पहुँचा दूँगा, अब तो खुश।''

रास्ते भर गंगेश्वरी उलाहना देती गई थीं—''अपनी माई के सामने आपने हमें मैदे की बोरी कहा, हम क्या इतनी मोटी हैं, लेकिन हमारी माई तो कहती है कि हमारी खुराक बहुत कम है।''

लोकनाथ ने ओहार के भीतर झाँककर आँखें मटकाते हुए परिहास किया था—''कल बाइस्कोप में देखा था—नौमन की धोबन। वह भी कहती थी—हम तो हवा पीकर रहती हैं।''

गंगेश्वरी रुआँसी हो उठी थीं—

''अच्छा, इस बार पटना से आइएगा न, तब देखिएगा।''

''क्या करेंगी आप? अनशन-वनशन तो नहीं न और सुनिए, माई को यह बात बिल्कुल नहीं बताएँगी।''

गंगेश्वरी सचमुच रो पड़ी थी—''हमारी माई ठीक कहती है—जबरा मारे, रोवे न दे। अब तो हम नहीं मानेंगी, सासू माई से एक का दस जड़ेंगी। कहे देती हैं हाँ, नहीं तो।''

''अरे नहीं, हमारी क्वीन विक्टोरिया। हमारी रिक्वेस्ट है, आप यह बात घर में किसी को नहीं बताएँगी। अच्छा, आपको रिश्वत देनी होगी। ऐसा कीजिए, ओहार हटाइए और हमारी बगल में आकर विराजमान होइए। आइए, आपको एक कौतुक दिखलाता हूँ।

... ...

''फगुनी काका, जरा इक्का रोकिए!'' लाल रेशमी परदे को तह करके एक किनारे रखते हुए लोकनाथ ने अपनी नववधू को सामने की ओर खींच लिया था।

''हम स्त्री-पुरुष के समानाधिकार का सोच रखते हैं। आप हमारी सहधर्मिणी हैं। आपको हमारे साथ बैठने का अधिकार है और हमारे नंदकिशोर काका कहते हैं, आजादी की लड़ाई में दोनों की समान भागीदारी होनी चाहिए। सुनयना दीदी यह बात आपको अच्छी तरह समझाएँगी।''

गंगेश्वरी ओहार हटते ही अपने दूधिया दाँतों की भरपूर झलक दिखाती लोकनाथ की संकेत भाषा में बातें करने लगी थीं—''अभी तो आप अपना कौतुक दिखानेवाले थे। बताइए तो, कौन सा कौतुक!''

लोकनाथ ने इक्केवान फगुनी महतो से कहा था—''तनिक इक्का मोड़िए तो काका, उस अमराई की ओर चलिए।''

उन्होंने अपनी हथेली बढ़ाई थी, ''धीरे से उतरिए श्रीमती गंगेश्वरी देवी, आइए।''

गंगेश्वरी आश्चर्यचकित थी—''इतने सारे टिकोरे? सभी पेड़ बड़े-बड़े कचनार आमों से लदे हुए।''

गंगेश्वरी ने लोकनाथ के कुरते की बाँह थाम ली थी—''हमें टिकोरे चाहिए। ढेर सारे।''

''अभी तोड़े देते हैं, लेकिन हमारी भी एक शर्त है—हम आपको चिढ़ाते रहते हैं, यह बात माई और आजी से हरगिज नहीं··।''

गंगेश्वरी ने चट हामी भर ली थी—''लीजिए, हमने भी सौगंध ली, कभी नहीं, किसी से भी नहीं, लेकिन आपको भी हमारी एक बात माननी होगी। हमें मुटल्ली कहना··।''

लोकनाथ ने अपने दोनों कान पकड़ लिये थे—''ना, कभी नहीं। अब आइए, आपको एक करतब दिखलाते हैं।''

लोकनाथ ने ढेला उठाकर आम की सबसे निचली डाल को अपना निशाना बनाया था। कई टिकोरे एक साथ गंगेश्वरी के आँचल में आ गिरे थे।

''और चाहिए देवीजी?''

उन्होंने लजाते हुए हामी भरी थी।

"क्या करेंगी इतने सारे टिकोरों का?"

"सासू माई को देंगे। वे अचार लगाएँगी, खूब मजा आएगा।"

लोकनाथ ने झूठमूठ डराया था—"यहाँ ढेर सारे हनुमान रहते हैं। आप इतना उछलेंगी तो वे सब झपटकर नीचे उतर आएँगे। फिर क्या करेंगी आप?"

गंगेश्वरी सचमुच डर गई थीं—"अरे बाप रे, नहीं चाहिए टिकोरे, चलिए भाग चलते हैं यहाँ से।"

उन्होंने लोकनाथ ही दाहिनी बाँह कसकर थाम ली थी—"अब चलिए भी।"

"हाँ, चलिए। फगुनी काका दो बार आवाज लगा चुके हैं।"

निखिलानंदजी नतिन पतोहू की प्रतीक्षा में आश्रम के बाहर खड़े थे। उनकी शिष्य मंडली मुदित भाव से नववधू के स्वागत की तैयारी में जुटी थी।

सावाँ की खीर, आँवले का मुरब्बा, सोंठ का हलवा, सिंघाड़े के आटे की पूड़ी और करौंदे का अचार।

इक्का रुकते ही लोकनाथ कूदकर नीचे उतर आए थे—"अपना हाथ दीजिए, नहीं तो गिर पड़ेंगी आप। साड़ी सँभालिए।"

चलते समय जगिला ने चेताया था—"माथे से आँचर नहीं ढलके। बड़े बुजुर्ग हैं, दोनों हाथों से उनके पाँव छूकर असीस लेना बहुरिया, आज मेरे बाबूजी जीवित होते तो...हमारे निखिल काका को उनके ही बराबर समझना।"

निखिलानंदजी की आँखों में परितोष का उजलापन था—"अल्पवय में इतने सघन संस्कार। पढ़ाई-लिखाई कहाँ तक हुई बच्ची?"

उन्होंने धीरे से लोकनाथ को बताया था, "आप बोलते क्यों नहीं, पाँचवीं तक।"

निखिलानंदजी के मुख पर सहज वत्सल भाव था—"लोकनाथ, गंगेश्वरी बिटिया की उत्तम शिक्षा-दीक्षा का दाय तुम पर, जगिला संस्कृत पढ़ाएँगी और तुम इन्हें हिंदी-अंग्रेजी भाषाओं का ज्ञान देना।"

लोकनाथ ने उन्मुक्त हास किया था—"माई इन्हें सीना-पिरोना सिखा रही हैं और उभया आजी पुआ, ठेकुआ पकाने की विधि बता रही हैं।"

निखिलानंदजी मुसकरा उठे थे—"इस बालिका को सर्वगुण संपन्न होना ही है। अच्छा, तुम दोनों आश्रम में घूमो-फिरो, तब तक मैं मध्याह्न भोजन की व्यवस्था देखता हूँ।"

लोकनाथ आगे बढ़ गए थे। गंगेश्वरी ने अपने आँचल में छिपे टिकोरे निकाल

कर जल्दी-जल्दी निखिलानंदजी की आसनी पर बिखरा दिए थे।

"अरे, अमिया कहाँ से लाईं?"

उन्होंने धीमे स्वर में इसरार किया था—"सिलबट्टा होगा नानाजी?"

"हाँ-हाँ, है तो।"

"हमें बताइए न, कहाँ पर है, हम इसकी चटनी पीसेंगी।"

निखिलानंदजी पुलकित हो उठे थे, "तो तूने तो मुझे अपना नाना स्वीकार लिया न, चल बिटिया, हमारे साथ पाकशाला में चल।"

आनंद और केशव को सख्त हिदायत थी, "बहूरानी कोई काम नहीं करेंगी, चटनी पीसने की जिम्मेदारी दोनों बटुकों की।"

गंगेश्वरी कहाँ माननेवाली थीं। निखिलानंदजी पाकशाला से बाहर गए नहीं कि उन्होंने अपना आँचल कमर में खोंसकर सारा कारोबार शुरू कर दिया था—कच्चे आमों की खटमीठी चटनी, नमकीन चटनी, सिलबट्टे पर खूब बारीक पिसी हुई।

आनंद-केशव घबड़ाकर द्वार अगोरने लगे थे, "बड़े गुरुजी औचक आ जाएँ और आपको काम करते देख लें तो हमें दंड भुगतना होगा। आप उस मोढ़े पर विराजें, हम बाकी सारा काम कर लेंगे।"

लोकनाथ आश्रम के पुस्तकालय में रमे हुए थे। भोजन के लिए हँकार लगाई गई। थोड़ी देर प्रतीक्षा करने के बांद निखिलानंद स्वयं बुलाने गए—"बचवा, रसोई तैयार है। रसोईघर में गंगेश्वरी बिटिया कब से हमारी प्रतीक्षा कर रही है। आओ चलें।"

लोकनाथ ने धीमे स्वर में कहा था—"वह भोजन भट्टिनी है। उसके खाने के लिए कोई बड़ा कटोरा तो होगा न नानाजी।"

निखिलानंद का अट्टहास पाकशाला तक सुनाई पड़ा था, "मैं भी भोजन भट्ट था लोकनाथ। बचपन का वह बड़ा कटोरा मेरी संदूकची में सुरक्षित धरा है। ठहरो, मैं उसे निकाल लाता हूँ।"

निखिलानंद के साथ लोकनाथ आसन पर बैठे। आनंद, केशव—दोनों भाइयों ने भोजन परसने का कार्य प्रारंभ किया—कोहड़े की सब्जी, आम की चटनी, आटे की छोटी-छोटी पूरियाँ, बेसन का हलवा।

निखिलानंद विस्मय-सुख से भरे गंगेश्वरी की ओर देखते रहे थे—"यह सब कब सीखा बिटिया··?"

उन्होंने पुए का पहला कौर मुख में डाला था—पलकों पर भीगापन देता सुदूर

अतीत उनके सामने आ खड़ा हुआ था, "हू-ब-हू वही स्वाद, मेरी माँ ऐसे ही पुए बनाती थीं। सदा सौभाग्यवती रहो बच्ची, तुमने मुझे बालपन की दहलीज पर पहुँचा दिया।"

लोकनाथ ने चुटकी ली थी—"हम-आप पत्तल पर खा रहे हैं। इनके लिए कटोरा? यह अच्छी बात नहीं नानाजी।"

गमछे के छोर से अपनी आँखें पोंछते निखिलानंदजी निहाल थे—"यह गृहस्थिन संन्यासिनी है, इसकी देह-मन में तनिक आलस्य नहीं। तुम्हारी माताजी धन्य हैं गंगेश्वरी, सारे गुणों का आगार बनाकर भेजा है उन्होंने।"

मन-ही-मन पुलकित लोकनाथ ने उपालंभ दिया था—"वह सब तो ठीक है, लेकिन इनका नाम बड़ा पुराना है नानाजी, रामायण युगवाला गंगेश्वरी। मुझे लगता है, कहीं मेरे मुँह से जल्दी-बाजी में मातेश्वरी नहीं निकल पड़े। इनका दूसरा नामकरण नहीं हो सकता?"

"क्यों नहीं, अगर बिटिया चाहे..."

गंगेश्वरी ने कोई उत्तर नहीं दिया था। उनकी बड़ी-बड़ी आँखों में हल्का सा प्रतिवाद अवश्य था—मेरी माई ने यह नाम रखा। इस नाम में ऐसी क्या खराबी है भला?

निखिलानंदजी ने वह प्रसंग वहीं समाप्त कर दिया था। "तुम्हारा नाम उत्तम है, पर सासरे में एक नया नाम भी दिया जाता है न, तो हम तुम्हारा एक पुकार नाम रखना चाहते हैं—तारा! क्यों यह छोटा सा नाम ठीक रहेगा न? भोर के पहले तारे सी दूधिया तुम्हारी मुसकान। सदा ऐसी ही बनी रहना मेरी बच्ची।"

आनंद केशव के साथ ममता की अद्भुत डोर से बँध गई थीं गंगेश्वरी।

"लोकनाथ भाई, साक्षात् अन्नपूर्णा हैं हमारी भावज। इनके परसे हुए भोजन में षट रस व्यंजन का स्वाद प्राप्त हुआ। आपसे विनती है—यदा-कदा हमारी इन भगिनी रूपा भावज को अपने साथ आश्रम लाया कीजिए।"

फगुनी इक्केवान ने हड़बड़ी मचाई थी—"जल्दी चले के चाहीं। अबेर हो जाई त काकीजी सोच में डूब जाइब। आव बहुरियाऽ"

गंगेश्वरी ने दोनों हाथों से निखिलानंदजी के चरण दबाए थे। रुँधे गले से निखिलानंदजी ने बारंबार असीस दी थी—"अखंड सौभाग्यवती भव। तुमने मुझे विदेह से गेही बना दिया। इस समय राजा जनक का वह कथन मुझे स्मरण आ रहा

है—पुत्रि पवित्र किए कुल दोऊ। जगिला बिटिया से कहना—उसके जन्म-जन्मांतर का पुण्य फलित हुआ है।"

रास्ते भर लोकनाथ आनंद भरी ठिठोली करते आए थे—"ताराजी, आपको आए महीना पूरा नहीं हुआ और सबके सब आपके प्रभाव से मंत्र कीलित से हो गए। सच बताएँ, आपकी जादुई हँसी का असर है या..."

गंगेश्वरी पूरी ठसक के साथ इक्के पर विराजमान थीं—"काम पियारा होता है, चाम नहीं। आपने देखा नहीं, साधु नानाजी ने हमारे पूए की कितनी बड़ाई की। हमें तो डर लग रहा था जी, क्या पता, कैसा स्वाद होगा।"

लोकनाथ ने विनोद किया था—"जरा आपकी दाहिनी हथेली देखूँ...!"

"क्यों, आप कोई ज्योतिषी हैं क्या?"

"हाँ, हम ज्योतिषी हैं, लाइए, हाथ इधर दीजिए। वाह, क्या फूली-फूली हथेली है—एकदम पूए की तरह।"

"घर चलिए, सासूमाई और आजी से कहेंगे, आप झूठ बोलते हैं।"

"घर जाते ही आप माई के साथ रसाई में घुस जाएँगी और मैं पटना जाने की तैयारी में लग जाऊँगा। बहुत हुई मौज-मस्ती। परीक्षा सामने है। मेरे सभी मित्र छात्रावास पहुँच गए।"

गंगेश्वरी एक बारगी उदास हो उठी थीं—"हमें अपनी माई के पास जाना है। आप सासूमाई से हमारी सिफारिश..."

"अच्छा ठीक है, घर चलकर आजी से बात करनी होगी। माई उनका हुकुम नहीं टाल सकती।"

निखिलानंदजी ने पोथी बाँचकर कहवा भिजवाया था—"चैत्र नवरात्र की अष्टमी तिथि को सुदिन बन रहा है। जगिला सूचना भिजवा दें और तारा बच्ची के पिताजी उन्हें अपने साथ लिवा ले जाएँ। पुनः सत्तू संक्रांति के बाद लोकनाथ बबुआ उनकी विदाई करा सकते हैं।"

"लेकिन मेरी परीक्षाएँ चलती रहेंगी। मैं किस प्रकार...?"

जगमोहन तिवरी ने तुरत समाधान दिया था—"इतना सोच-विचार किसलिए। नवरात्र पूजन के बाद काकी और लोकनाथ की माई हमारे साथ फुलवारी शरीफ चली चलें। वहाँ समधियाना ठहरा। स्टेशन के आरामघर में तीनों विराजेंगे, समधिनजी के हाथ का पकवान पाएँगे और दुलहिन को अपने साथ लेते आएँगे।"

उभया आजी मुँह पर आँचल धरती खिलखिलाकर हँस पड़ी थीं—"आइ हो दादा, सनक गइल बा का बबुआ, दू-दू गो मेहरारू समधियाना अगोरी लोग-बाग का कही।"

"हाँ तो आप दोनों जनी सास-बहू आपस में सलाह-मशविरा कर लीजिए। नहीं तो एक उपाय हो सकता है कि नयकी बहुरिया छह-सात महीने अपने नइहर में रह जाए। लोकनाथ बबुआ अपने इम्तिहान से फुर्सत पाकर आश्विन पूजा के सामय पटना से सीधे फुलवारी शरीफ चले जाएँगे और गंगेश्वरी दुलहिन को अपने साथ लेते आएँ।"

जगिला को यह मंजूर नहीं था, नौ महीने उनकी बहू उनसे दूर रहे, नहीं, यह नहीं हो सकता। उन्होंने उभया काकी को मनाया था—

"एक दिन जाने में, दूसरा दिन आने में। काकीजी, चैत मास में कनिया की विदाई कराना बेहद जरूरी है। आपको हमारे साथ फुलवारी चलना ही होगा।"

उभयानिष्ठा ने दो टूक मनाही कर दी थी, "हमार गंगा असनान छूट जाई। हाट-बाजार के अन्न हमारा न पची। हम घर-दुआर अगोरब, तू दूनो परानी चल जइल।"

× × ×

सूटकेस में कपड़े सहेजते, थैले में किताबें भरते पहली बार लोकनाथ अनमने हो उठे थे। गंगेश्वरी के खुले घुँघराले केशों को मोटे कंघे से सुलझाती जगिला मन-ही-मन मुसकरा उठी थीं—"कनिया, हो गई तुम्हारी चोटी-पाटी, अब जाओ, लोकनाथ बबुआ की तैयारी में उनकी मदद करो…।"

अदरख-गुड़ की कटोरी और दूध का गिलास थामे कोठरी में गईं तो लोकनाथ का बेढंगापन देखकर हँस पड़ी थीं वे—"हे गंगा मइया, इतने बड़े हो गए, आपको अपना सामान सहेजना भी नहीं आता। वहाँ रानीघाट में कैसे रहते होंगे आप।"

झुँझला उठे थे लोकनाथ—"अच्छा, तो आप बड़ी पुरखिन ठहरीं न। जाइए, माई के साथ गुलगुले पकाइए, हमें अपना काम स्वयं करना आता है।"

"सासू माई ठीक कहती हैं, आप बार-बार रूठते क्यों हैं जी? बिल्कुल छोटे बच्चों की तरह। कौन कहेगा कि आप पटनहिया पढ़निहार हैं।"

लोकनाथ ने चिढ़कर उत्तर दिया था, "कल माई ने जोर से टोक दिया था तो कैसे मोटे-मोटे आँसू गिराने लगी थीं, तारा रानी, आप क्या किसी छोटी बच्ची से कम हैं।"

"अच्छा ठीक है, आप दूध पीजिए, हम आपका सामान सहेजती हैं।"

"आपको हँसी किस बात पर आ रही है, हम छह महीने के लिए पटना जा रहे हैं और आपके ऊपर कोई असर नहीं? अरे हाँ, हम तो भूल ही गए थे, चार दिन बाद आप अपने भाईजी के साथ फुलवारी जानेवाली हैं न?"

चुपचाप मुसकराती हुई वे अपने काम में जुटी रही थीं—"जाइए, झटपट नहा-धोकर तैयार हो जाइए, माई ने आपके लिए पुआ बनाया है।"

गंगेश्वरी अपने घुँघराले बालों को कानों के पास सहेजती कमरे की एक-एक इंच सफाई में जुट गई थी।

लोकनाथ एक कोने में खड़े एकटक निहारते रहे थे—"भवरों की तरह काले बाल इस तिवारीपुर गाँव में किसी के नहीं। उनका मन हुआ था, अपनी सहधर्मिणी सखी के निकट जाएँ और पूछें, आपकी माई ने आपको किस चीज का उबटन लगाया था, केसर, मक्खन, हल्दी, घृत का? कौन सा टोटका किया था, आपकी गोरी रंगत का राज क्या है ताराजी?"

कितनी चतुराई से पति की नीयत ताड़ गई थीं गंगेश्वरी—"वहाँ खड़े-खड़े क्या निहार रहे हैं? कहीं आपकी कुदीठ लग गई तो।"

लोकनाथ झेंपकर कोठरी से बाहर चले गए थे।

× × ×

पटना कॉलेज का वही पुराना माहौल। तीन बजे भोर में शीर्षासन करता बलवंत देसाई, देर रात तक खर्राटे भरनेवाला भवेशानंद, छात्रावास की छत पर तेज-तेज टलहता, चीख-चीखकर अपना पाठ याद करता लंबोदर प्रसाद...

लोकनाथ को देखते ही सबके चेहरे खिल उठे थे—"आ गए बरखुरदार, हम दुखियारों के तारनहार... । अब फटाफट अपनी उत्तर-पुस्तिकाएँ निकालिए और अपने दिव्य ज्ञान से हम अपदार्थों को कृतार्थ कीजिए।"

साहित्य कोश, कविता कल्पद्रुम, कामायनी, चिदंबरा, हिंदी साहित्य का इतिहास, भाषा विज्ञान, पिंगल शास्त्र, नंदकिशोर काकाजी के द्वारा उपहार में प्रदत्त दुर्लभ ग्रंथ। 'चाँद', पाटल, कल्पना, सरस्वती के संग्रहणीय अंक।

बलवंत देसाई ने हुमकते हुए लोकनाथ को अपने अँकवार में बाँध लिया था—"वाह गुरु, इतना गहरा हाथ मारा। कहाँ से ले आए ज्ञान की इतनी बड़ी दौलत?"

लोकनाथ मुसकरा उठे थे—"देसाई, जानते हो, तुम्हारा सबसे बड़ा संकट क्या

है, शीर्षासन करने के बावजूद तुम्हारी विद्यारेखा कभी भी प्रशस्त नहीं हो सकती। मेरा परामर्श मानो, अश्वगंधा वटी का सेवन प्रारंभ कर दो। आचार्यवर को तुमसे बड़ी आशाएँ हैं।''

देसाई रुआँसे हो गए थे—''क्यों मिथ्या वचन बोलते हो, लोकनाथ। उस दिन भरी कक्षा में उन्होंने मुझे वैशाखनंदन कहा था। तुम उनके चहेते हो, रहोगे। मेरा क्या, जैसे-तैसे उत्तीर्ण हो जाऊँ, यही बहुत होगा।''

× × ×

जगमोहन तिवारी के पास उनके बाल संघतिया मधुसूदन का पत्र आया था—

प्रयाग में अंग्रेजी शासन का आतंक अपने चरम पर है। बालक, किशोर, युवा सब आजादी की लड़ाई के मतवाले हो उठे हैं। तुम्हारे बड़े भाई नंदकिशोर तिवारी की गिरफ्तारी का आदेश हुआ है। उन पर आरोप है कि उन्होंने क्रांतिकारियों को अपने रिसाले के कार्यालय में शरण दी। उनके पक्ष में भड़काऊ संपादकीय लिखा।

जगमोहन एकबारगी सशंकित हो उठे थे—''लोकनाथ को कोई भी यह समाचार नहीं देने पाए। पढ़ाई से मन विचलित हो जाएगा और परीक्षाफल पर इसका कुप्रभाव पड़ेगा।''

× × ×

शाम से ही अनमने थे लोकनाथ। पढ़ाई-लिखाई से एकबारगी मन उचाट हो गया था उनका। बलवंत कई बार द्वार खटखटाकर वापस लौट गए थे। उन्हें कुछ जरूरी सवाल हल करने थे और उनका चिंतन-प्रवाह पूरी तरह अवरुद्ध हो चुका था। इसके अतिरिक्त कुछ अतिशय गोपनीय सूचनाएँ भी थीं, जिन्हें अपने सहृदय बंधु तक पहुँचाना उन्हें आवश्यक प्रतीत होने लगा था।

लोकनाथ को अपनी धुन में खोया हुआ देखकर उन्होंने दरवाजे की फाँक से एक छोटा सा पुरजा भीतर सरका दिया था—''बंधुवर, क्या कारण है, किसी शापभ्रष्ट योगी की तरह यों समाधि लगाए आपको यह गुहावासी बनाना, कहीं ऐसा तो नहीं कि मुझसे पिंड छुड़ाने के लिए तुमने इस अभिनव तरीके का आविष्कार किया है?''

लोकनाथ की चेतना गंगेश्वरी की उदास आँखों से जुड़ गई थी—''ठीक तरह से जाँच-पड़ताल कर लो। तुम्हारी कोई जरूरी चीज-बतुस छूट तो नहीं गई?''

धीमे प्रकाश में गंगेश्वरी की बड़ी-बड़ी आँखों का हल्का उदास भाव—''मैं यहाँ अकेली रहूँगी क्या?''

"यहाँ आजी हैं, माई हैं, सुनयना दीदी, तुम्हें पढ़ाने के लिए बीच-बीच में आती रहेंगी। मकर संक्रांति के बाद तुम फुलवारी शरीफ चली जाओगी अपने नैहर।"

गंगाजी की लहरों के साथ घुली-मिली दूधिया उजास वाली वह मीठी हँसी उनके भीतर गूँज उठी थी—"सब लोग रहेंगे, लेकिन एक कमी तो रह जाएगी न।"

हठी अश्व की तरह बार-बार अनियंत्रित होते मन को उन्होंने जबरन साधना चाहा था। "मूर्तिमंत तपस्या बनकर हर क्षण अंतश्चेतना में विद्यमान माई की सीख सामने थी, "तुम्हारे नानाजी का एक ही सपना था—सकल विद्याओं में निष्णात, मनुष्यता की आभा से दीप्त जिजीविषा पुरुष बनेगा मेरा दौहित्र। उसकी ज्ञान-गरिमा ही मेरी जीवन-मुक्ति का साधन बनेगी। अपने नाम को सच्चा सार्थकत्व देगा हमारा लोकनाथ।"

धूमकेतु की तरह विश्वविद्यालय प्रांगण में विषयानंद बटुक का प्रवेश हुआ था। साहित्य शिरोमणि अध्यक्ष महोदय के इकलौते भागिनेय। वे शनिश्चर महाराज की तरह सदैव चलायमान। कब किस कक्षा में अनायास अवतरित हो जाएँ, किसे पता? उनके प्रथम कोपभाजन लोकनाथ हुए थे—"क्यों बरखुरदार, किस कुल के दीपक हैं आप?"

लोकनाथ ने बिना कोई उत्तर दिए किनारे से खिसक जाने में अपनी भलाई समझी थी।

बटुक ने आगे बढ़कर उनका रास्ता छेंक लिया था—"बंधु लोकनाथ, परीक्षा में सर्वोत्तम स्थान पाने का दिवास्वप्न सहेजे बैठे हैं। टॉप करना क्या इतना आसान है? बिना कोई चढ़ावा चढ़ाए ही...। हमारी मंडली का फरमान है। कल संध्या छह बजे रानीघाट में उत्तरवर्ती गुमटी के पासवाले उटज में हम लोग बेसब्री से आपकी प्रतीक्षा करेंगे। याद रहे, पान-फूल संग लाना मत भूलिएगा।"

लोकनाथ ने किसी से कुछ भी नहीं कहा था। छात्रावास के रसोइया बेनी दादा ने बहुत देर तक भोजन की थाली परसकर इंतजार किया था। लोकनाथ रात के साढ़े ग्यारह बजे लौटे थे।

"काहे लोकनाथ बाबू, एतना अबेरत कबहूँ नाहीं, सब कुशल मंगल...?"

"हाँ, हाँ बेनी दादा, सब कुशल-मंगल...। आज तनिक देर हो गई। आप जाइए, जाकर सो जाइए।"

सुबह विस्फोट हुआ था।

विषयानंद वटुकजी का चरसी गिरोह पकड़ा गया था। पुलिस की सघन छापेमारी के बाद वटुक ने स्वीकार किया था—उसका कारोबार कई देशों में फैला हुआ था। अध्यक्ष महोदय ने लोकनाथ को अलग से तलब किया था—"लोकनाथजी, आप एक मेधावी छात्र हैं। आपका भविष्य उज्ज्वल हो, यही मेरी और पूरे विभाग की कामना है।

... ...

"क्या सोच रहे हैं? ऐसा प्रतीत होता है कि आप परिणाम से बिल्कुल बेखबर हैं अन्यथा..."

अध्यक्ष के चहेते बीरबल प्रसाद ने धीरे से एक आँख दबाई थी—"महाशयजी, शायद आपको ज्ञात नहीं, हमारे परमप्रिय बंधु श्रीमान लोकनाथ बहुत पहुँची हुई वस्तु हैं। इनके पिताश्री रेलवे पुलिस में ऊँचे ओहदे पर हैं। इनके ताऊजी प्रयागराज में 'चंद्रमा' के प्रधान संपादक हैं। क्या कहते हैं—संपादकाचार्यजी।

... ...

"अब पूछिए कि इतना सूक्ष्म शोध कार्य हमने किस प्रकार संपन्न किया। बात ऐसी है कि श्रीमान लोकनाथजी का और मेरा श्वसुरालय एक ही स्थान पर है। अतएव दोनों युवराज्ञियों में सांध्यकालीन वार्त्ताएँ होती रहती हैं। भाई, उस रिश्ते से आप हमारे साढ़ू भाई हुए न?"

अध्यक्ष महोदय की आँखों में कुटिलाई स्पष्ट थी—"तभी तो एस.पी. वरदराजन के मन-मिजाज का तीखापन असह्य था। निर्दोष बटुक को कमर में रस्सा बाँधकर ले गए वे लोग और मैं कुछ भी नहीं कर सका। बेचारा मेरा भागिनेय। निश्छल बालक को दुरभिसंधि का शिकार बनना पड़ा।"

लोकनाथ मौन अपने कमरे में लौट आए थे। इच्छा हुई थी, पंख लगाकर अपने गाँव चले जाएँ। वहाँ योगेश्वरी माँ के आँचल तले छिपकर भौतिकता के इस कलुष को पूरी तरह बिसरा देना चाहते थे वे।

इस भयंकर ऊहापोह के भीतर से उम्मीद की एक नई पौध अँकुराई थी। हिंदी विभाग के वरीय प्राध्यापक आचार्य राजीवलोचन ने अपने आदेशपाल नवरंगी से संदेश भेजा था—"साहेब आपन क्वार्टर में बानीं। रउरा के बोलावत बानी। अबहिए..."

थोड़ा संशय, थोड़ी सी अन्यमनस्कता और भीति भी। आचार्यवर को किसी ने आज तक मुसकराते हुए भी नहीं देखा। कभी कोई विद्यार्थी उनके निकट जाने की

हिम्मत नहीं जुटा पाया। फिर अचानक उनका बुलावा…।

जुही के लतामंडप से तनिक दूर विशाल आरामकुरसी पर अधलेटे विराजमान गुरुदेव आचार्य राजीवलोकन…। लोकनाथ निराला-निकेतन के मुख्यद्वार पर तनिक हतप्रभ से खड़े रहे थे— फाटक खोलकर भीतर चले जाएँ या बाहर से ही आवाज दें। नवरंगी आचार्यजी की उपासना के लिए फूल लाने पिछवाड़े की ओर गया था। डलिया भर गुलाब, ओड़हुल, गेंदा और कनेर के पुष्प। आचार्यजी श्रीदेवी के आराधक थे। लाल रेशमी वस्त्र धारण कर आसन पर विराजमान होते तो कितना समय व्यतीत हो जाता, इसका भान उन्हें भी नहीं होता।

"या देवी सर्वभूतेषु श्रद्धारूपेण संस्थिता

नमस्तस्यै, नमस्तस्यै, नमस्तस्यै नमो नमः।"

लहरिया शंख ध्वनि और हवन की सुगंध से आसपास का संपूर्ण परिवेश उपासनामय हो उठता। विश्वविद्यालय में आचार्य प्रवर की दिव्यता का चतुर्दिक् प्रभाव था। कुलपति महोदय भी उनका समुचित समादर करते थे।

उन्होंने नवरंगी को संकेत दिया।

"आई लोकनाथ भइयाजी, भितरे आ जाईं।"

लोकनाथ ने झटपट चप्पलें बाहर खोलते हुए तेजी से आगे बढ़कर उनके पाँव छू लिये थे।

"कृपया बैठ जाएँ।"

कैसी मेघमंद्र ध्वनि और अतिशय गौरवर्ण मुख पर कैसी अलौकिक स्मित-रेखा। मैंने कहा, "आसन ग्रहण करो।"

… … …

उन्होंने सामने बिछी शीतलपाटी पर बैठने का उपक्रम किया था।

"नहीं, वहाँ नहीं। यहाँ, मेरे निकट।"

"क्या यह सत्य है कि आप भी अन्य विद्यार्थियों की तरह मेरे समक्ष असहजता का अनुभव करते हैं?"

"नहीं-नहीं, नहीं तो…!"

"अच्छा, एक बात बताएँ, आठ पत्रों की तैयारी कैसी है?"

लोकनाथ के मस्तिष्क में विभागाध्यक्ष का लाल भभूका चेहरा उभर आया था—"आपको परिणाम भुगतने के लिए तैयार रहना होगा।"

"क्या सोच रहे हैं बंधु, इधर आइए, हमारे पास।"

आचार्यवर के संस्पर्श में पारस-परस की अनुभूति थी। लोकनाथ की समस्त करुणाकातरता आँखों की राह बाहर निकलने के लिए विकल हो उठी थी—पितु मातु, सहायक, स्वामी सखा की भावभूमि पर टिके आचार्यवर का ऐसा शिष्य वत्सल स्वरूप उन्होंने पहली बार देखा था।

गुरुमाता की स्नेह भरी दृष्टि जागेश्वरी माई की याद दिला गई थी—"इनके मुँह से कई बार तुम्हारा नाम सुना है, बबुआजी, घबड़ाओ नहीं, कालीमाता सब शुभ करेंगी। आज नवरात्र का पहला दिन है। लो, यह साबूदाना की खीर है। इसे खा लो।"

आचार्य राजीवलोचन ने ध्यानस्थ भाव से कुछ निर्देश दिए थे—

"परीक्षा प्रारंभ होने के पहले आपको विभागाध्यक्ष से बिल्कुल नहीं मिलना है। वे बुलावा भेंजे, तब भी नहीं। आपको संपूर्ण एकाग्रता के साथ अपने स्वाध्याय में जुट जाना है। किसी भी पत्र में कोई आशंका हो तो सीधे मेरे पास…"

सिर नीचा किए मूर्तिवत् खड़े रहे थे लोकनाथ।

"ध्यान से सुन रहे हैं न आप मेरी बात?"

लोकनाथ की समस्त पीड़ा आँसुओं के रूप में फूट पड़ी थी। आचार्य ने उन्हें अपने हृदय से लगा लिया था—"आप तनिक भयभीत न हो। मेरे रहते ये लोग आपका कुछ भी नहीं बिगाड़ सकते। अब आप निःशंक भाव से जाएँ और अपनी तैयारी पूरी करें। स्मरण रहे, ज्ञान की पूर्णता निर्भयता की जननी होती है। तुम्हारा आत्मविश्वास बढ़ेगा और तुम्हारी रचनाधर्मिता को भी एक सशक्त आधार मिलेगा। विश्वविद्यालय की पत्रिका में मैंने तुम्हारे ललित निबंधों और लघुकथाओं को पढ़ा है।"

… … …

"लोकनाथ तुम्हारे भीतर असीम संभावनाएँ हैं पुत्र, यों आक-जवास में उलझकर रह जाओगे तो ज्ञान के श्वेत-पद्म का परिमल कहाँ से पाओगे? जाओ लोकनाथ, नव संग्राम के आयुध तैयार करो!"

आचार्यवर की संजीवनी स्मित लोकनाथ के भीतर अक्षय जिजीविषा का वरदान बनकर अमिट हो चुकी थी। महाप्राण निराला की पंक्ति गुनगुनाते हुए वे मन से छात्रावास लौटे थे।

बलवंत देसाई, लंबोदर और वीरभद्र को बरामदे में मलिन मुख बैठा देखकर वे तेजी से उनकी ओर बढ़ आए थे—"क्या बात है बंधुगण? आप तीनों इस प्रकार मौन धारण किए बैठे हैं?"

बलवंत देसाई ने आगे बढ़कर उन्हें अँकवार में बाँध लिया था—"उन लोगों ने अधिक पूछताछ तो नहीं की, तुम्हें चोट तो नहीं पहुँचाई?"

"किन लोगों ने, कैसी पूछताछ?"

"पूरे छात्रावास में बात फैल गई है—विभागाध्यक्ष के बुलावे पर पुलिस आई और तुम्हें पकड़कर थाने ले गई।"

"नहीं तो, किसने कहा ऐसा?"

"स्नातकोत्तर प्रथमवर्ष का विद्यार्थी अनुराग अपनी फीस जमा करने कार्यालय गया था, वहीं तुम्हारा नाम लेकर लोग-बाग...।"

लंबोदर ने आगे बढ़कर उनके दोनों हाथ कसकर पकड़ लिये थे—

"पूरे छात्रावास में खलबली मची है। विद्यार्थी उत्तेजित हैं। वे तुम्हारे पक्ष में कुलपतिजी से मिलना चाहते हैं। धरना, प्रदर्शन, जुलूस की तैयारियाँ हो चुकी हैं।"

लोकनाथ कुछ कहते, इससे पहले विद्यार्थियों की एक टोली ने छात्रावास के अहाते में प्रवेश किया था—"लोकनाथ तिवारी, जिंदाबाद!

हमारे नायक, जिंदाबाद!

विद्यार्थी एकता, अमर रहे।"

बलवंत ने आगे बढ़कर अपने सहपाठियों की अगवानी की थी। "भाई लोकनाथजी, हमारे ये बंधु कुलपति महोदय से मिलकर आ रहे हैं। उन्होंने आश्वस्त किया है—दोषियों को क्षमादान दिए जाने का प्रश्न ही नहीं है। आपने जो महती कार्य किया है, उससे कुलपति शेषरत्नम् बेहद प्रभावित हैं। शीघ्र ही वे आपसे मिलना भी चाहते हैं।"

लंबोदर और वीरभद्र के चेहरों पर मुसकान की गहरी रेखाएँ थीं—"बंधुवर, आप इतने बड़े क्रांतिवीर पुरुष हैं, इसका तो हमें अंदाजा तक नहीं था। काव्य दर्पण, कामायनी, प्रियप्रवास, रस दर्पण आदि को कंठस्थ करते-करते खुफियागिरी का शौक कब से पाल बैठे?"

ऑल इंडिया कुश्ती चैंपियनशिप के विजेता रह चुके माधवानंद ने आगे बढ़कर गेंदे के फूलों की माला लोकनाथ के गले में डाल दी थी—"आओ बंधु, गले लग जाओ। तुमने एक बड़ा काम किया है। तुम्हारे विभागाध्यक्ष का भागिनेय पिछले दस वर्षों से पूरे परिसर के लिए सिरदर्द बना हुआ था। उसकी गुंडई ने सबकी नाक में दम कर रखा था। तुमने उसे उसकी असली औकात दिखा दी। जियो मेरे राजकुँवर।"

लोकनाथ के अंतश्चेतन में आचार्य राजीवलोचन के शब्द पत्थर की लकीर बनकर बसे हुए थे—'तुम्हें अपनी अंतर्सत्ता का साक्षात्कार करना होगा। बहुतेरे व्यवधान आएँगे, कस्तूरी मृग की तरह दिग्भ्रमित करनेवाली परिस्थितियाँ भी उत्पन्न होंगी। तुम्हें मन, वचन, चित्त से एकाग्र होना होगा। अपने लक्ष्य की प्राप्ति के लिए आत्म-निर्वासन का तप धारण करना होगा।'

उन्होंने सबसे विदा ली थी।

अपने कक्ष में बंद होकर पाठ्यक्रम की जटिल प्रश्नोत्तरी सुलझाने में संलग्न हो गए थे। तीन महीनों का वह एकांतवास। परीक्षा पूरी होने के बाद आचार्य राजीवलोचन के घर की ओर अनायास ही पाँव मुड़ गए थे। गाँव जाने से पहले आचार्यजी का आभार पूरा करने की शिष्टाचार-धर्मिता अत्यावश्यक थी।

उनकी जेब में गंगेश्वरी का पत्र सुरक्षित था। महज चार पंक्तियों की वह पहली पाती, कितनी बेढब, कितनी मनमोहक! 'आप पटना जाकर हमको एकदम भूल गए! चार महीने बीत गए। फुलवारी कब आएँगे? हमें सासू माई की बहुत याद आ रही है और…'

उन नन्हे अक्षरों की बारीक छुअन के मोहपाश में बँधे कब यूथिका-मंडप के निकट आ गए, इसका आभास आचार्य की पुष्प वाटिका के मधुर संदर्शन से हुआ था। नवरंगी ने हाँक लगाई थी—"अरे लोकनाथ बबुआ, साहेबजी राउर आसरा देखत बानीं। दिमाग कवनो दाँव-पेंच में अटकल बा का? चलीं भीतर।"

आचार्य प्रफुल्लचित्त थे—"कहो अंतेवासी, अपना कार्य पूरा कर आए! परीक्षा अच्छी गई, इसका परितोष तो तुम्हारी मुख रेखाओं से स्पष्ट झलक रहा है। अब आगे की योजना भी तो बनानी होगी न। तुमने क्या सोचा है, लोकनाथ?"

क्या कहते वे, जगिला माई का पत्र आया था—"तुम्हारे निखिलानंद काकाजी अस्वस्थ हैं। वे तुम दोनों को एक बार देखना चाहते हैं। सो परीक्षा पूरी होते ही गाँव लौट जाना बबुआ! तुम्हारी आजी की आँखों में मोतियाबिंद उतर आया है। उन्हें लेकर बनारस जाना होगा। बहुरिया और तुम घर लौट आओ तो…"

आचार्यजी ने एक परामर्श दिया था—"तुम बिना समय गँवाए आरा जाओ। वहाँ मेरे बालबंधु माधवाचार्यजी भाषा और साहित्य विभाग के अध्यक्ष हैं। उनके समक्ष मेरा नामोल्लेख ही यथेष्ट होगा।"

लोकनाथ ने कृतज्ञभाव से प्रणिपात किया था और अपने गंतव्य की ओर चल

पड़े थे। गंगातट पर बसे गाँव तिवारीपुर की बलुआही माटी का भुरभुरापन उन्हें अपनी ओर खींच रहा था। बक्सर के रामरेखाघाट से शिवपुर तक डगमग डोलता नौका सेतु। गाँव के सिवान का स्मरण आते ही नाव के पुल सा थरथराता गंगा नदी के वेग सा आगे की ओर बढ़ता लोकनाथ तिवारी का मन।

उन्होंने चौसा के नवरंगी यादव से पहले ही कहाव भिजवा दिया था—''काकाजी, मुझे पहुँचने में थोड़ा समय लगेगा। आप हमारे गाँव जाकर सूचना दे देंगे न!''

''अरे काहे नाहीं बबुआजी, हम पहिले तिवारीपुर जाइब, रउरा महतारी से भेंट करब। रउआ निसा खातिर रहीं।''

आरा स्टेशन पर उतरते ही किसी चुंबकीय आकर्षण ने मन-प्राणों को सुखद शैथिल्य से भर दिया था। शाहाबाद का मुख्य नगर।

मुगल बादशाह बाबर की विश्रांति-स्थली। 1529 ए.डी. में अफगान शासकों पर विजय प्राप्त करने के बाद उसने अपना ठहराव यहीं सुनिश्चित किया था। स्टेशन से निकलकर रिक्शे पर बैठते हुए लोकनाथ शाहाबाद और आरण्यक नगरी के इतिहास की मधुर चर्वणा में मगन हो गए थे। आरा शहर से बक्सर तक उनकी प्रिया तारा की चटकीली माँग सी सीधी खिंची गंगाजी की तरल रेख, धारा के दोनों तटों पर चला, मकई, बाजरा, धान की लहलहाती चूनर पहने मोतियों से भरी तिरिया की माँग सी सदासुहागन गंगा। पाटलिपुत्र के पश्चिमी छोर पर स्थित यह आरण्यक नगर आराम नगर के नाम से अपनी पौराणिकता सिद्ध करता है। अनेक घुमावदार भूखंडों से घिरा आरा शहर उनकी नियति बनने जा रहा था, इसका उन्हें आभास तक नहीं था।

बचपन में जगिला माई से एक कथा सुनी थी उन्होंने। आरा रेलवे स्टेशन से कुछ किलोमीटर की दूरी पर स्थित बकरी गाँव की कथा। वहाँ एक दानव रहता था, जिसकी मुखाकृति बकरे के समान थी। वह प्रतिदिन एक मनुष्य को अपना आहार बनाता था, जिसका वध भीम के हाथों हुआ। महाभारत काल की वह एकचक्रनगरी ही आज आरा कही जाती है। उन्होंने जातक ग्रंथों में एकचक्र नगर का अस्तित्व पाया था।

रिक्शेवाले ने हाँक लगाई थी—''बइठले, बइठल सपनाए लगलीं का ए बबुआजी, उतरीं, राउर पता ठेकाना आ गइल, अब हमरो के छुट्टी दीं।''

''कैसी भविष्यवाणी की थी उस निरक्षर मतवाराम ने!''

आचार्य राजीवलोचन के बाल सुहृद माधवाचार्यजी खड़ाऊँ की खटर-पटर के

साथ दुलार भरी हँसी हँसते उनकी ओर बढ़ आए थे।

लोकनाथ आगे बढ़ते, झुककर उनकी पगधूलि लेते, इसके पहले ही उन्होंने माथे पर असीस भरी हथेली रख दी थी—"प्रसन्न रहें। मुझे अनुमान था मेरे बालबंधु का पट्टशिष्य ऐसा ही होगा। यथा नाम तथा गुण! लोकनाथजी, आपको अपने विभाग में व्याख्याता का पद सौंपकर मुझे अतीव प्रसन्नता होगी।"

क्षणभर के लिए विमूढ़ हो गए थे लोकनाथ।

"क्यों भाई, कहाँ खो गए? इस एकचक्र नगरी में आरण्यक माता आपको बसाने का उपक्रम किए बैठी हैं। मैं तो उनका एक सेवक मात्र हूँ। दो पंक्तियों का स्वीकृति पत्र लिखें और शेष व्यवस्था का भार मुझपर छोड़ें।"

"अरे हाँ, आपको नियुक्ति-पत्र देना तो भूल ही गया था मैं! यह लीजिए भाई।"

उनके हाथ में काँसे की नन्ही सी कटोरी थी—"मैं आपके गुरुदेव का ही पिछलग्गू ठहरा, मेरी आराध्या भी देवी माँ ही हैं, अतएव उनका प्रसाद ग्रहण करें बंधु और कृपा करके यह बताएँ कि आपके पदभार ग्रहण की तिथि क्या होगी?"

लोकनाथ ने साहस बटोरकर प्रतिप्रश्न किया था—"लेकिन मेरा परीक्षा-फल निकलने में विलंब है गुरुदेव, मैं किस प्रकार··· ?"

"अरे भाई, महामहोपाध्याय रामावतारजी के सुपुत्र आचार्य राजीवलोचन के अंतेवासी को परीक्षाफल की चिंता क्यों पड़ी है? बंधुवर, सच कहूँ तो आप इतिहास नियामक होने जा रहे हैं। आपका प्रमाणक प्रकांड पंडित है। मेरे मित्र का कहा मेरे लिए वेदवाक्य है भाई। अब आप प्रमुदित चित्त गाँव वापस जाएँ और अगली पूर्णिमा को लौटकर साहित्य की विरासत सँभालने की···"

बक्सर स्टेशन पर उतरे तो सिद्धाश्रम को शीश नवाते हुए एक नवीन अध्याय से जुड़ने के लिए स्वयं को बड़ी मजबूती से तैयार करने में संलग्न हो गए थे लोकनाथ! शिक्षाधर्म की अपनी आजीविका बनाने चले थे वे, फिर यह द्वंद्वग्रस्तता कैसी?

अपने गाँव के सिवान पर पहुँचे तो एक छायामूर्ति उनके आगे-आगे तेज-तेज डग भरती सी प्रतीत हुई। जगिला माई कहती थी—"तुम्हारे पुरखे रत्नदेव बाबा ने पुरोहिताई के साथ-साथ आचार्य वृत्ति का भी निर्वाह किया। जन्मजात गुरु थे वे। तुम्हें विश्वास करना होगा लोकनाथ, वे कहीं गए नहीं, गाँव के प्रतिपाल बनकर अपनी डीह पर विराजमान हैं। पीले रंग की धोती, पीला जनेऊ, सोने के से रंगवाले

देही हमारे कुल देवता हुए न! कभी कोई संकट आ पड़े या मन में कोई भी दुविधा उत्पन्न हो तो तुम अपने भीतर तलाशना, तुम्हें बाबा ही उबारेंगे और कोई नहीं।''

मन, बुद्धि और चेतना के स्तर पर रत्नदेव बाबा की स्वाभिमानी छवि से एकाकार हो जाना चाहते थे लोकनाथ—ब्रह्मबाबा के चबूतरे पर अश्वत्थ की शीतल छाँह तले सुस्ताने बैठे तो सारा उद्वेग प्रार्थना बनकर पसीजने लगा था—''बाबूजी का मन है कि मैं पुलिस सेवा में जाऊँ, उनकी तरह पदाधिकारी बनूँ। अयाचित वरदान की तरह मेरे सामने आचार्य पद को स्वीकारने का जो प्रस्ताव है, वही मुझे सर्वतोभावेन मंगलकारी प्रतीत हो रहा है। मैं क्या करूँ?''

जगिला माई ने धीरे से उनका मुख अपने दोनों हाथों में ले लिया था—''आज बृहस्पतिवार है न, बाबा के मंडप पर दीपदान का दिन, लेकिन तुम यहाँ इस तरह क्यों बैठे हो बबुआ, क्या बात है लोकनाथ? वहाँ शहर में क्या हुआ, हमें नहीं बताओगे!''

नन्हें बालक बन बैठे थे लोकनाथ—''माई, मुझे आरा के कॉलेज में पढ़ाने का काम मिला है, लेकिन…''

''लेकिन क्या बचवा?''

''बाबूजी सुनेंगे तो…''

''घर चलो बबुआ, तुम्हारे बाबूजी से रात में बातचीत होगी। रामजी ने तुम्हारी राह तय की है। तर्क-वितर्क किए बिना जो संयोग पहले सामने आया है, उसको पूरे मन से स्वीकारना ही श्रेयस्कर होगा बबुआऽ। मैं पंचशाखा की परिक्रमा करके आती हूँ, फिर इकट्ठे घर चलेंगे। तुम्हें बताना भूल गई लोकनाथ, दुलहिन की विदाई कराके हम लोग गाँव ले आए हैं। फिर पाँच-छह महीनों तक कोई भी सुदिन नहीं बनता न, इसलिए। अब चलो, घर चलें। काकीजी भी कब से तुम्हारी राह देख रही हैं।''

जगिला की आत्मा कौशल्या के मनोमय जगत् में प्रवेश कर चुकी थी। पूत-पतोहू एक साथ उनके सामने बैठे थे। उभयनिष्ठा काकी अपनी आँखों के धुँधलेपन को कोसती बार-बार दीये की लौ उकसा रही थीं—''बबुआ के देह मुँह कइसन सँवरा गइल बा ए जगिला बहू। आ, गंगेसरा कनिया अइसन दूबर पातर काहे लउकत बाड़ी? ए कनिया, तनिक हमरा नियरे आव तो।''

गोटेदार लाल चुनरी का आँचल सँभालती गंगेश्वरी दादी सास के निकट आ बैठी थीं। उभयनिष्ठा ने बड़ी नरमी से अपनी प्रिय पौत्रवधू को गोद में खींच लिया था—''तहार महतारी खाए-पिए के ना देत रही का ए कनिया, अइसन दूबर काहे

हो गइलू। केतना सुन्नर गोल-चिक्कन हाथ-गोड़ रहे। ए जगिला बहुरिया, गंगेसरा बचिया के दूनो टैम दूध पियाव।''

लोकनाथ की तिर्यक् दृष्टि अपनी भार्या पर टिकी थी। लालटेन की रोशनी पेट्रोमैक्स की रोशनी बनती जा रही थी। उन्होंने आजी से परिहास किया था, ''आजी, तुम्हारी आँखें जल्दी बनवानी होंगी। मुझे तो लगता है तुम्हारी कनिया का स्वास्थ्य पहले से कहीं अधिक...''

लोकनाथ ने टॉर्च की रोशनी में तारा रानी का मुख देखा था। बड़ी-बड़ी आँखों में रचकर डाला गया काजल, सिंदूर की मोटी रेख माँग में सजती हुई। चौड़े ललाट पर लाल टहकार बिंदी। अपने रेशमी आँचल को समेटती गंगेश्वरी पलंग के एक किनारे गठरी बनी बैठी रही थीं।

''ताराजी, हमारे साथ पढ़नेवाली लड़कियों को एक बार देखेंगी न तो आपको शहरी और गाँव की लड़कियों में अंतर मालूम पड़ जाएगा। चलिए, इस बार आपको पटना घुमा लाते हैं। आप कुछ बोलती क्यों नहीं ? अच्छा, एक बात बताइए, निखिलानंद नानाजी आपको देखना चाहते हैं, उनसे मिलने तो चलेंगी न।''

गठरी तेजी से हिली थी—''कब चलेंगे हम लोग ?''

''यह हुई न बात। अच्छा अब जरा नजदीक आइए, तब न...''

लालटेन पर चक्कर काटते ततैये ने मदद की थी। वे भयभीत होती हुई उनके पास खिसक आई थीं। दोनों पाँव ऊपर उठाए उनकी बाँह पकड़ चिरौरी करती जगिला माई की चान-सुरुज सी जोतवाली गंगेश्वरी कनिया।

उन्हें एक शरारत सूझी थी—काले, पीले रंगवाले उस ततैये को उन्होंने गमछे के छोर में सहेज लिया था—''देखिए इस कीड़े को, कितना सुंदर दिखाई पड़ रहा है न। इसे हाथ में पकड़िए तो सही।''

''अरे, यह क्या कर रहे हैं आप, पर ततैया खूब जहरीला है, इसे बाहर फेंकिए।''

''लीजिए ताराजी, हमने इसे गमछा सहित बाहर फेंक दिया। अब आप तनिक सहज होकर बैठें। इतना बड़ा घूँघट निकालने की भी कोई जरूरत नहीं है। अच्छा, आप अपने नैहर की बात बताएँ, वहाँ क्या-क्या हुआ ? आपको हमारी याद आई ?''

गंगेश्वरी की हँसी भोर की पहली किरण सी निष्पाप और कोमल थी—''वहाँ माई थी, बाबूजी थे, बिंदेश्वर भइया थे, हमको क्या पड़ी थी, जो आपको याद करते ?''

लोकनाथ ने उनके दूधिया पैरों को देखकर चुटकी ली थी—"तारा रानी, एक बात बताएँगी, आपके गोरेपन का राज क्या है, आपके परिवार में कोई भी तो इतना गोरा नहीं…।"

"अच्छा, आपने हमारी माई को ठीक से नहीं देखा न, उजले कमल फूल सी गोराई है उसकी।"

"और मेरे बाबूजी भी तो…"

"तभी, मेरी जगिला माई कहती हैं, उनकी बहू जैसी सुंदर पूरे तिवारीपुर में किसी की भी बहू नहीं है। अच्छा, अब हमको नींद आ रही है, हम सो जाएँ।"

"सोने से पहले एक खुशखबरी तो सुन लीजिए। दो-तीन दिनों के भीतर मुझे आरा जाना होगा। मेरी नौकरी की बात हो गई है।"

आँख मलती हुई उठ बैठी थीं गंगेश्वरी—"तो आप आरा जाकर रहिएगा।"

"हाँ!"

"और हम ?"

"आप यहीं रहेंगी, माई के साथ।"

"नहीं, हमको भी आपके साथ जाना है, शहर में रहना है।"

उनका संकोच धीरे-धीरे दूर होता गया था—"अभी इतने दिनों के बाद तो मिले हैं, आप चले जाएँगे तो हमारा मन कैसे लगेगा भला ?"

"क्यों, यहाँ आजी हैं, आपकी जगिला सासू माई हैं, पड़ोस की सुलोचना दीदी हैं। आप मेरी एक भी बात तो मानती नहीं, फिर यहाँ रहने का लाभ क्या ?"

"अच्छा, ठीक है तो बताइए, हमें क्या करना होगा ?"

"आप हमसे डरना छोड़ दीजिए और हमारे पास आइए।"

लालटेन की रोशनी लजाकर मंद पड़ गई थी। आकाश में विहँसता हुआ चंद्रमा कबका खिड़की की ओट में छिप गया था, प्रकृति और पुरुष के मधुर मिलन का वह मुहूर्त अनिर्वचनीय था।

उभयनिष्ठा आजी के वातजड़ित पैरों में मृदु भविष्य की कल्पना नई गति भरने लगी थी।

रामनवमी के दिन पुआ, ठेकुआ पकातीं, शीतलामाता को भोग लगाती, सोहर के बोल उठाने लगीं तो जगिला ने रहस्य भरी मुसकान के साथ गंगेश्वरी बहुरिया के अंग-प्रत्यंग पर गहरी दृष्टि डाली थी—"ऐसे क्या निहार रही हैं सासु माई, हमसे कुछ भूल-चूक हुई क्या ?"

"अरे नहीं कनिया, तुम्हारी आजी रामजी के जनम का बधावा गा रही हैं, इसका अरथ समझ रही हो न—

चइत के रामनौमी,
श्री राम जनम लेले हो,
ललना बाजे लागल अवध बधाव
महलिया उठे सोहर हो।"

"कमल फूल की तरह तुम्हारी कोख फुलाए, इस घर में एक नन्हें जीव का आगमन हो, तो हम भी गौरा-गणेश पूजकर अपनी आत्मा को शांति दें।"

पूजनगृह की दीवार पर हल्दी-आटे के घोल का लेपन, सिंदूर से उरेहे गए सातों बहिन शीतलामाता के चिह्न, चने की दाल भरी पूड़ी और गुड़ की खीर का विशेष भोग। पूजा संपन्न होने के बाद गंगेश्वरी को अपने पास बिठाकर उभयनिष्ठा आजी ने निर्देश दिया था। "अपनी कुलदेवी और बरमबाबा की असीस लो कनिया। वे मंगल करेंगे।"

आरा जाने की तैयारी शुरू हो गई थी। जगमोहन तिवारी ने मन मसोसकर मंजूरी दी थी—"आप तो खुश हैं न मलकिनी, आपका सपूत अपने नाना के चरण-चिह्नों पर चलने जा रहा है। शास्त्रीजी की आत्मा स्वर्ग में प्रफुल्लित होगी।"

जागेश्वरी का माथा दर्प से उन्नत था—"आपका पूत जगतारन बनेगा, आपका, गाँव-जवार का, सबका नाम ऊँचा करेगा। गुरु पद से बड़ा कोई पद आज तक नहीं हुआ है। नंदकिशोर भाईजी प्रयाग राज से गाँव पधारे हैं, उन्होंने बड़ी लगन से अपनी पत्रिका का क्रांतिवीर अंक निकालने की योजना बनाई है। वे चाहते हैं कि लोकनाथ की भी एक रचना उसमें छपे। आप मना नहीं करेंगे।"

जगमोहन तिवारी की हल्की सी गुर्राहट दालान में बेचारगी की साँस लेती पसरकर शांत हो गई थी—"अब लोकनाथ बबुआ सयाने हो चुके हैं, उनको अपना रास्ता चुनने का पूरा अधिकार है।"

अपनी छड़ी उठाकर बाहर जाने लगे थे, तभी गंगेश्वरी घूँघट निकाले सामने आ खड़ी हुई थीं—"क्या लाई हो कनिया? अरे वाह, गरमागरम काची हलवा, तुम कैसे समझ जाती हो बच्ची, कि मुझे कब किस चीज की तलब होती है? अच्छा, लाओ, यहाँ रख दो और सुनो, फुलहा लोटे में एक लोटा शीतल जल भी ले आओ।"

संपादकाचार्य नंदकिशोर तिवारी लोकनाथ की बाँह थामे गंगातट की ओर बढ़

चले थे—"मेरे तीनों सपूतों को लेखनी से सनातन वैर है। बड़े और मँझले, दोनों ठहरे चतुर चालाक, शहर की नौकरी के लिए हाथ-पैर मार रहे हैं। पटना के कलेक्ट्रेट में अर्जी देकर आए हैं। अब कहते हैं, सिफारिशी चिट्ठी लिख दूँ, ताकि उनका काम बन जाए। यह सब मुझसे नहीं होने का। छोटकू ठहरे शंकर भगवान् के गण, उदरपोषण और बेमतलब की हँसी-ठिठोली से उन्हें फुरसत नहीं। तुम्हारे भीतर वह प्रतिभा है, जो तुम्हें उत्तम कोटि का रचनाकार बना सकती है। तुमको शिक्षक पद की गरिमा प्राप्त होने जा रही है, इससे बड़ा परितोष मेरे लिए क्या होगा।"

अपने निरर्थक पितृत्व की पीड़ा से संतप्त नंदकिशोर काका छड़ी थामे उठ खड़े हुए थे। "आज ही इलाहाबाद निकलना है, 'मयंक' के पुनर्मुद्रण का कार्य है। वीरों के ढेर सारे विचारों का संकलन मेज पर पड़ा है। इस अंक का संपादन भार चतुरजी के जिम्मे है, फिर भी सामग्री तो सहेजनी होगी न।"

नव दुर्वासा के रूप में गाँव-जवार से लेकर प्रयागराज तक प्रसिद्ध नंदकिशोर तिवारी का हृदय अपने भ्रातृज लोकनाथ के लिए दूर्वादल की तरह कोमल था—"तुममें सबका मन जीतने की शक्ति है। तुम अजातशत्रु बनकर तन, मन, धन से सबकी सेवा करोगे। तुम्हारी वाग्मिता सबसे अलग होगी, विलक्षण। तुम अपनी शब्द-शक्ति को बढ़ाओ पुत्र, खूब लिखो, खूब पढ़ो। मेरा आशीर्वाद तुम्हारे साथ है।"

आरा जाने की तैयारी में जुट गए थे लोकनाथ! स्नातकोत्तर पाठ्यक्रम के अनुरूप पुस्तकों की पेटी, कपड़ों का सूटकेस, महीने-सवा महीने के लिए जलखावे का इंतजाम।

उस रात गंगेश्वरी की मुखाकृति मलिन थी—"क्या बात है तारा रानी, आपकी तबीयत तो ठीक है न।"

वे बिना कुछ बोले तैयारी करने में जुटी रही थीं।

"अरे, आपने नहीं बोलने की सौगंध खा ली है क्या?"

"कुछ नहीं जी, हम सोच रही थीं कि आपके जाने के बाद जगिला सासू माई कितनी उदास हो जाएँगी न। अभी-अभी तो आप आए हैं, कल उनको देखा, रसोईघर में छिपकर आँसू पोंछ रही थीं। कम-से-कम महीना भर तो रह जाते।"

"ताराजी, आप इधर देखिए, हमारी ओर! आपकी आँखें भी तो गंगा-जमुना बनी हुई हैं। भई, आरा से अपना यह गाँव तिवारीपुर कितनी दूरी पर है। सुबह पहुँचे, शाम को वापस।"

जगिला की धीमी आवाज ने दोनों का ध्यान बँटाया था—"दही-गुड़ की कटोरी ले जाओ कनिया, बबुआ का मुँह मीठा करा दो।"

जगमोहन तिवारी अपनी छोटी सी पेटी सहेज पहले से इक्के पर सवार हो चुके थे—"बबुआ की पहली नौकरी है। जाकर वहाँ की सारी व्यवस्था देख लेंगे, तभी चैन मिलेगा।"

उन्होंने समधीजी को भी नेवता भिजवा दिया था—"आपके इकलौते दामाद एक बड़े कॉलेज में प्रोफेसरी करने जा रहे हैं। आप रेलवे के हाकिम ठहरे, एक ट्रेन से आइए और इस सुख का लाभ उठाकर दूसरी ट्रेन से वापिस जाइए।"

आरा शटल का गंतव्य आ गया था। लोकनाथ अपना शांतिनिकेतनी थैला कंधे से लटकाए नीचे उतरे थे—सफेद लंबा कुरता, चुस्ता पाजामा और दाहिने कंधे से झूलता हल्के पीले रंग का उत्तरीय, चौड़े ललाट पर केश-गुच्छों का सधा हुआ बिखराव।

उनके पीछे-पीछे जगमोहन तिवारी और ससुर जी। कुली को बुलावाकर सामान उतरवाने की तैयारी में थे, तभी पीछे से मेघमंद्र स्वर सुनाई दिया था, "हिंदी विभाग के राजकुँवर, देखिए तो सही, हम सब आपका अभिनंदन करने के लिए यहाँ एकत्र हैं। आपकी यह शिष्यमंडली संपूर्ण समादर भाव लिये कब से जुटी हुई है।"

उन्होंने तुरत झुककर माधवाचार्यजी के पाँव छू लिये थे—"हृदय से लगो वत्स। अपने उत्तराधिकारी का स्वागत करने मैं आया हूँ।"

साहित्य के सभी शिक्षार्थियों ने पारी-पारी से उनके गले में बेला और गुलाब के हार पहनाकर पाँव छुए थे। सामान हाथोहाथ उठा लिया गया था।

जगमोहन तिवारी की भाव-विह्वलता देखनेलायक थी—"समधीजी, अपने दामाद की आवभगत देख रहे हैं न आप। चलिए, अब हम दोनों भी अपने-अपने मुकाम की ओर लौट चलें। गंगेश्वरी बच्ची को जगिला और पूरे टोले को यह शुभ समाचार देना है।"

शीतल टोला में तीन कमरों के मकान की व्यवस्था कर रखी थी गुरुदेव ने। छोटा सा अहाता, अच्छी खासी दालान, लंबी-चौड़ी अँगनाई और बीचोबीच कुआँ। घर के अंतिम दोनों छोरों पर रसोईघर और शौचालय। स्नातकोत्तर षष्ठवर्ष के विद्यार्थी फणिभूषण की अगुवाई में खाट, दरी, चादर, तकिया, खाने-पीने के आवश्यक बरतनों का प्रबंध घंटे भर के भीतर हो गया था।

"सर, सड़क पारवाली दुकान की बूढ़ी जानकी चाची गरम-गरम रोटियाँ सेंकती

हैं। उसके हाथ की बनी रसवाली तरकारी के स्वाद का कहना ही क्या?''

''आप कहें तो हम अभी जाकर उससे बातचीत कर लें।''

लोकनाथ ने हँसकर मना कर दिया था—''बंधुवर, कुछ कार्य मुझे भी तो कर लेने दीजिए। आप लोगों ने मेरी इस कुटिया को देखते-ही-देखते नंदनकानन बना दिया, इसके लिए मेरा विशेष आभार।''

''ऐसा कहकर आप हमें लज्जित न करें सर, अध्यक्षजी आपकी इतनी प्रशंसा कर रहे थे। सर, किसी भी चीज की आवश्यकता हो, तो आप तुरत मुझे बताइएगा। मैं फणिभूषण, हिंदी प्रतिष्ठा का विद्यार्थी हूँ। आपके घर से ठीक सटे हुए मेरी बड़ी बहन का घर है। मैं उन्हीं के यहाँ रहकर अपनी पढ़ाई पूरी कर रहा हूँ।''

महाविद्यालय का वह पहला दिन। दालान में टँगे आईने में अपना चेहरा निहारते घुँघराले बालों को सँवारकर तनिक आगे की ओर बिखराते हुए लोकनाथ ने मन-ही-मन अपने पुरखे रत्नदेव बाबा को नमन किया था—सच्चे शिक्षक की पूँजी होती है, ज्ञान और स्वाभिमान, विनम्रता और आत्मविश्वास, आस्था और औदार्य, स्वाध्याय और वाक् शक्ति। यही सिखाया था नंदकिशोर काका ने अपने लाडले भ्रातृज को।

रोगशय्या पर पड़े निखिलानंद नानाजी ने रामचरितमानस और श्रीमद्भागवत की पोथियाँ भेंट करते हुए अपनी आत्मा की करुणा उनके सामने उड़ेल दी थी—''स्वतंत्र राष्ट्र के उन्नत युवा-समाज को निर्मित करने का दायित्व तुम्हारे कंधों पर है, बबुआ! जगिला बचिया की तपःपूत काया का अंश हो तुम। मैंने शास्त्रीजी को वचन दिया था, मैं जगिला की संतान को संस्कारित करूँगा। उसे अध्यात्म की अनमोल धरोहर सौपूँगा। वह एक सच्चा राष्ट्रभक्त होगा। मुझे आश्वस्ति है लोकनाथ, तुम दोनों कुलों का नाम उजागर करोगे।''

अपने मुँहबोले नानाजी की चरणधूलि लेकर विदा लेने लगे थे तो उन्होंने टोक दिया था—''एक बात और, तुम्हारी सहधर्मिणी साक्षात् अन्नपूर्णा है। देखना, उसका कभी निरादर नहीं होने पाए। उसके शुभ लक्षणों का तुम्हारे उत्कर्ष में बड़ा योगदान होगा।''

दालान का ताला बंद करने लगे तो कानों के समीप माई के मंदिर की घंटियों सी महीन हँसी उभर आई थी—''देखो तो भला, यह कौन सा फैशन हुआ? बाल सँवारते हैं, फिर बिगाड़ देते हैं। जुल्फें लटकाकर हीरो बनने का शौक चढ़ा है क्याजी?''

उन्होंने मुसकराकर दोनों बाँहें हवा में फैला दी थीं—''हाँजी, श्रीमती तारा रानीजी, आप अपनी मोटी काली चोटी खोलती हैं तो किसी सिने-तारिका से कम लगती हैं क्या?''

''यह सिने-तारिका क्या होती है जी?''

''वही हीरोइन और हीरोइन का पति यानी कि मैं हीरो क्या समझीं?''

पहली कक्षा 'राग विराग' की थी। उनके आराध्य महाप्राण निराला की उदात्त रचना 'राम की शक्ति पूजा'।

उन्होंने वाग्देवी का स्मरण किया था और विद्यार्थियों से खचाखच भरी कक्षा को पहला संबोधन दिया था—

''प्रिय आत्मन,

वीर कुँवरसिंह की क्रांतिभूमि, संस्कृत के उद्‌भट विद्वान् बाणभट्‌ट की अवतरण भूमि, सदल मिश्र, लल्लू लाल, शिवनंदन सहाय की तपोभूमि पर ज्ञानचर्चा के लिए हम सब यहाँ एकत्र हैं। तो आइए, आज के दिन हिंदी के उदात्त कवि निराला को अपना श्रद्धाभाव समर्पित करते हुए हम 'राम की शक्ति पूजा' का अध्ययन प्रारंभ करें। शक्ति दूत थे निराला।

''महाकाव्यात्मक गुणोंवाली उनकी रचना 'राम की शक्ति पूजा' निराला के कवि व्यक्तित्व की उदात्त अभिव्यंजना है।

रवि हुआ अस्त, ज्योति के पत्र पर

लिखा अमर···

रह गया राम रावण का अपराजेय समर···

आँखें बंद कर राम की शक्ति पूजा का वह मेघमंद्र पारायण।''

हर्ष, विषाद, शृंगार, रौद्र, प्रत्येक भाव का स्वर के आरोह-अवरोह में देवनदी की सात्त्विक तरंगों सा आलोड़न। पूरी कक्षा मंत्रमुग्ध। फणिभूषण प्रसाद, तिलकेश्वर, केदार, कालेश्वर··· छात्रावास लौटते समय सबके मुँह पर नए आचार्य के लिए सुखद सम्मोहन का भाव था।

विभागीय कक्ष में अपना थैला सहेजने लगे थे, तभी अत्यंत गरिमामय भाव से किसी ने प्रश्न किया था—''किस कुल के दीपक हैं आप?''

लोकनाथ के पाँव जैसे कीलित हो गए हों। उन्होंने पीछे मुड़कर देखा था—लंबी, छरहरी औसत कायावाले प्रवर-पुरुष उनकी ओर अपलक देख रहे थे। सर्वथा अपरिचित उस व्यक्ति में ऐसा कुछ था, जिसने बरबस उन्हें अपनी ओर खींच लिया था।

झुककर उनके चरण छूते, इसके पूर्व आचार्य प्रवर ने उन्हें अपनी भुजाओं में

बाँध लिया था—''शतायुभव! मुझे जगदीश कहते हैं, जगद्धात्री माँ का अकिंचन सेवक। मैं यहाँ आंग्ल विद्या का अध्यापक हूँ।''

और उनका वह मनोरम हास, खुरदुरे चेहरे पर दिप-दिप करते दो नेत्रों का अनिर्वचनीय कौतुक भाव···।

''लोकनाथजी, आपके प्रोज्ज्वल ज्ञान की एक बानगी मुझे उसी समय मिल गई थी, जब निराला काव्य की विशदता के अनहद राग में तन्मय आप उनकी रचना का सस्वर पाठ कर रहे थे। ऐसा ऋग्वेदीय स्वर मैंने अन्यत्र नहीं सुना।''

लोकनाथ विनय भाव से सिर झुकाए खड़े रहे थे। ''अंग्रेजी भाषा और साहित्य के प्राध्यापक होते हुए भी हिंदी के प्रति ऐसा प्रबल अनुराग।''

आचार्यवर ने धीरे से उनके कंधे पर हाथ रखा था—''किस विभ्रम में उलझ गए लोकनाथजी? अंग्रेजी मेरी आजीविका की भाषा है। हिंदी, संस्कृत दोनों ही मेरी चेतना की समृद्धि हैं। बरखुरदार, आज तुम्हें वक्तृता देते हुए सुना तो ऐसा अनुभव हुआ, जैसे साक्षात् माँ शारदा तुम्हारी जिह्वा पर विराजमान हों। सच कहूँ तो ज्ञान-जनित इस वरेण्यता को देखते हुए आपको प्रणाम करने की इच्छा हो रही है।''

लोकनाथ संकोच की अतिशयता से भर उठे थे—''ऐसा न कहें गुरुवर। आपकी भक्तिशक्ति का, आपके प्रबल पांडित्य का यशोगान यहाँ के पूर्व विद्यार्थियों से मैंने सुन रखा है। मेरा सौभाग्य है कि आज प्रथम दिन ही आपके दर्शन हुए।''

दूसरे दिन फणिभूषण और कालेश्वर एक छोटी सी चिट लाए विभागीय कक्ष के बाहर खड़े उनकी प्रतीक्षा कर रहे थे—''सर, आचार्य जगदीशजी का एक संदेश है आपके लिए।''

कैसा अद्भुत संबोधन था—'वाणी सुत लोकनाथजी, इस एकचक्र नगर के मध्यभाग में साधु-संतों के समागम हेतु मढ़ी बनाई गई है। आज शाम वहाँ मानस की रागबद्धता पर मेरा छोटा सा व्याख्यान है। यदि इस दासानुदास पर तनिक भी ममता हो तो बंधु-बांधव सहित पधारने की कृपा करेंगे।

श्री राघवेंद्र का अनन्य

सेवक जगदीश'

उन्होंने उस पाती को धीरे से अपनी ऊपरी जेब में रख लिया था। दोनों विद्यार्थी उत्साहित थे—''सर, संध्या छह बजे से कार्यक्रम है। हम दोनों आपको लेने के लिए घर पर आ जाएँगे।''

आचार्य माधवेंद्र ने दूर से ही हाँक लगाई थी, "आयोजन स्थल पर पहुँच रहे हो न लोकनाथ। अच्छा भाई, संध्याकाल में मुलाकात होती है।"

मढ़ी को विशेष रूप से सजाया गया था। फूलों, आम्रपल्लवों से सजा तोरण-द्वार, व्यास पीठिका के चतुर्दिक् अगरु धूम की दिव्य सुगंधि, रेहल पर लाल रेशमी वस्त्र में लिपटी 'रामचरित मानस' की बड़ी सी सजिल्द प्रति।

उत्सुक श्रोतागण अनुशासित भाव से अपने-अपने स्थान पर विराजमान थे। आचार्य जगदीश के व्यासपीठिका पर विराजमान होते ही करतल ध्वनि से मढ़ी और उसके आसपास का परिवेश गुंजायमान हो उठा था। लोकनाथ के विस्मय सुख का पारावार नहीं था—पीले रेशम का कुरता, लालधोती और चंदनवर्ण उत्तरीय, ललाट पर गोल सिंदूरी तिलक और गले में झूलता हुआ स्फटिक का हार।

आचार्य ने थोड़ी देर के लिए ध्यान किया था। तत्पश्चात् श्रोता मंडली के लिए आकंठ रस में डूबा हुआ उनका वह संबोधन—"मानवीय संबंधों की उष्मा से युक्त, भक्ति गंगा में आकंठ निमज्जित सुधी श्रोतागण।" लोकनाथ की चेतना भक्तिराग का सूत्र थामती मानसमय हो चुकी थी।

"रामायण भारतीय संस्कृति का गरिमा-ग्रंथ है। रामकथा संपूर्ण विश्व के लिए कल्याणदायिनी भागीरथी है। 'राम कथा जग मंगल करनी'।"

आचार्य के ओजस्वी कंठ से बालकांड के प्रारंभिक श्लोकों का वह दृप्त उच्चार—

"वर्णानांर्थ संघानां रसानाम् छंद सामपि…"

लोकनाथ अपने निखिलानंद नानाजी की स्मृतियों में खो गए थे—वैसा ही रागबद्ध गायन, हूबहू वैसी ही तन्मयता! झूमकर साथ देते श्रोता वृंद और नेत्र बंद किए भाव-विभोर एक-एक पंक्ति का सस्वर पारायण करते आचार्य जगदीश।

लोकनाथ का स्वर सबसे अधिक दृप्त था।

"बंदउँ गुरुपद पदुम परागा।
सुरुचि सुबास सरस अनुरागा॥"

आचार्य जगदीश के रोम-रोम नेत्र बने हुए थे—निष्पलक, वात्सल्य भाव की तुरीयावस्था में मग्न। कंधे से झूलते उत्तरीय से उन्होंने अपने प्रेमाश्रु पोंछ लिए थे—"इधर आओ वत्स, मेरे निकट बैठो!"

उन्होंने श्रोता मंडली को संबोधन दिया था—"आप सबों ने सुना, हमारे युवा

आचार्य लोकनाथजी के कंठ में 'कोटि मनोज लजावन हारे' श्रीराम की विशेष अनुकंपा का वास है। आगामी चैत्र नवरात्र में मानस-पारायण का दायित्व-भार मैं इन्हें सौंपना चाहता हूँ, यदि आप सबों की स्वीकृति प्राप्त हो तो।''

सभा प्रफुल्ल थी। ''साधु, साधु, अवश्य हम इन्हें सुनना चाहेंगे।''

वापसी के समय महंत रामानंदजी ने रामचरितमानस की एक पोथी और पीत रेशमी वस्त्र भेंट में दिया था—''लोकनाथजी, आचार्य जगदीश के साथ आप आया करें, सभी आश्रमवासियों को आपका सत्संग प्रीतिकर लगा है, विशेषकर मुझे।''

यह कथा दूसरे दिन छात्र-मंडली बीच चंदनी वायु बनकर प्रसरित हो गई थी। कालेश्वर, अनुराग और फणि सहित स्नातकोत्तर के सभी विद्यार्थी विभागाध्यक्ष माधवेंद्रजी के समक्ष धरने पर बैठ गए थे—''आचार्यवर, आपसे करबद्ध अनुरोध है, आचार्य लोकनाथजी के सुमधुर गायन का कार्यक्रम यथाशीघ्र आयोजित करें। मानसगायन या भजनों की सभा, जो भी हो।''

आचार्यवर प्रमुदित थे—''निस्संदेह! आप लोगों ने मेरा अभिलषित ही मुझसे माँग लिया। तो यह तय रहा। कल संध्या आम्रकुंज में नव आचार्य का अभिनंदन होगा और उनके गायन का कार्यक्रम भी।''

छात्र-छात्राओं का उल्लास देखते ही बनता था। आस्तरण बिछाने से लेकर मेज-कुरसियाँ सजाने का सारा कार्य सुरुचिपूर्ण ढंग से पूरा करने के बाद उनकी टोली विभागीय कक्ष की ओर गई थी—''आचार्यश्री, सभी प्रबंध पूर्ण हैं। अंग्रेजी विभाग से आचार्य जगदीश को निमंत्रण दिया न?''

''जी, वे अवश्य आएँगे!''

लोकनाथ अतिशय संकोच से भरे हुए थे—''इस तामझाम की क्या आवश्यकता थी?''

माधवेंद्रजी पुलकित थे—''ऐसा नहीं कहते। यह तो इस गुरुकुल की परंपरा है। मेरे बंधु राजीवलोचन का कल रात संदेश मिला है—आप प्रथम श्रेणी में प्रथम आए हैं। बताइए, है न दोहरी प्रसन्नतावाली बात!''

लोकनाथ का मन उछाह के पंख लगाकर गाँव की ओर उड़ जाना चाहता था—जगिला माई के पास, आजी, बाबूजी के पास और अपनी प्राण-सखी गंगेश्वरी के पास!

कोयल की कूक सी उस महीन लजीली आवाज को सुने महीना भर से ऊपर हो

गया था। माधवेंद्रजी ने उनके मन को कितनी सूक्ष्मता से परख लिया था—''गाँव-घर की याद आ रही है न। स्वाभाविक है। बस दो दिन और, पहली साम्मानिक राशि मिल जाए तो तुम निश्‍िचत घर चले जाना।''

आचार्य जगदीश ने मुख्य अतिथि का पदभार सँभाला था। आचार्य माधवेंद्र सभा के अध्यक्ष बनाए थे। कालेश्‍वर की सधी हुई उद्घोषणा, जया जैन की मंगलस्तुति और फणिभूषण का सुमधुर गायन। आम्रकुंज गीत-संगीत की मधुरिमा से रससिक्त हो उठा था। आचार्य युगल के इंगित पर लोकनाथ ने आभार-प्रदर्शन का दायित्व भार सँभाला था। फणिभूषण और कालेश्‍वर दोनों ने एक साथ अनुरोध किया था—

''सर, तुलसीदासवाला वह भजन...

श्री रामचंद्र कृपालु भजु मन

हरण भव भय दारुणम्!''

लोकनाथ ने पूरी तन्मयता के साथ सधे हुए स्वर में भजन की पहली तान उठाई थी—

''कंदर्प अगनित अमिट छवि,

नव नील नीरद सुंदरम्

कोटि मनोज लजावनहारे श्रीराम का नवल मेघमालिका सा सुंदर स्वरूप।''

लोकनाथ के स्वर-प्रवाह में सब निमज्जित थे।

साधु-साधु कहते हुए आचार्य जगदीश ने नन्हे बालक की तरह उन्हें अपने हृदय से लगा लिया था—''भाई माधवेंद्रजी, इस बालक को यहाँ स्थान देकर आपने मेरे ऊपर बड़ा उपकार किया है। इस लोकनाथ की भक्ति-शक्ति ने मुझे अभिभूत कर दिया है। इसकी अमृत-वाणी में एक आध्यात्मिक उठान है बंधु।''

लोकनाथ ने जल्दी-जल्दी सबसे विदा ली थी—''ट्रेन का समय हो गया है, आचार्यजी।''

''जाओ बंधु, एक सप्ताह तो रुई के फाहे की तरह उड़ जाएगा। दो-चार दिन देर भी हो तो कोई बात नहीं, मैं सँभाल लूँगा।''

शीतलटोला से स्टेशन की ओर चलने लगे थे तो फणिभूषण ने स्मरण दिया था—''सर, आपने कहा था न, भाभीजी और घर के सभी सदस्यों के लिए आपको कुछ उपहार लेने थे।''

''अरे हाँ, बंधुवर, आपने ठीक समय पर चेताया, लेकिन एक घंटे में पूरी खरीदारी किस तरह?''

"आप उसकी चिंता न करें। यहाँ आरण्य देवी के मंदिर तक चलना होगा। हम लोग सामान सहित निकल चलें तो बेहतर। एक ही स्थान पर सारी खरीदारी हो जाएगी।"

अपने शिष्य फणिभूषण के क्रय-कौशल का लोहा मान गए थे वे। आधे घंटे में जगिला माई के लिए साड़ी, आजी के लिए चप्पलें, बाबूजी के लिए कुरता-धोती और गंगेश्वरी के लिए अफगान स्नो, सिंदूर, बिंदी, लहठी और मोहनी काजल।

निखिलानंद नाना के लिए आरण्य देवी का विशेष प्रसाद लेकर उन्होंने शिष्य को धन्यवाद कहा था। आरा-मुगलसराय पैसेंजर आधा घंटा विलंब से चल रही थी। उन्होंने बलपूर्वक फणिभूषण को विदा किया था—"आपकी परीक्षा सामने है। अब आप जाएँ, अपना अध्ययन पूरा करें।"

फणिभूषण शिष्य से अधिक मित्रवत् हो गए थे। उन्होंने विदा लेते समय इसरार किया था—"सर, कब तक जानकी चाची के हाथ की रोटियाँ खाएँगे? इस बार भाभी को साथ…"

उन्होंने मुसकराते हुए फणि के के कंधे पर हाथ रखा था—"एवमस्तु…।"

बक्सर स्टेशन से सीधे निखिलानंद नानाजी के आश्रम पहुँचे थे लोकनाथ। भवेश उन्हें नानाजी के कमरे में लिवा ले गए थे। रोग-जर्जर काया में नई-जीवनी शक्ति का संचार हो गया था। निखिलानंदजी की बुझी हुई आँखें एक नए तेज से चमक उठी थीं—"आ गए बबुआ?"

लोकनाथ कातर हो उठे थे—"आपकी तबीयत इतनी खराब है और आपने बताया नहीं, नानाजी? भवेश भाई, कम-से-कम आपको तो एक पोस्टकार्ड डालना था न?"

"तुम्हारी नई आजीविका बाधित हो जाती बचवा, और अब तो तुम आ गए हो न, देखना मैं पूर्ण स्वस्थ हो जाऊँगा।"

"मुझे नहीं तो माई को बुलवा लिया होता। उसे पता चलेगा तो…"

"तुमने ठीक कहा लोकनाथ, मैं जगिला को बुलवाना चाहता था, फिर लगा, उसकी गृहस्थी है, खेत-बधार, उभयनिष्ठाजी, उसकी जिम्मेदारी है, गंगेश्वरी कनिया को अकेली छोड़कर।"

"क्यों, उसे क्या हुआ?"

निखिलानंदजी के नेत्रों में एक नई चमक थी—"भवेश को तिवारीपुर भेजा

था—आश्रम का चूड़ा, गुड़ और कुछ सब्जियाँ पहुँचाने गए थे वे! जगिला बचिया ने सूचना भिजवाई है—कनिया की तबीयत ढीली है। तुम पिता बननेवाले हो बबुआ और मैं परनाना।''

उन्होंने हँसने की कोशिश की थी, पर वे अपने आँसू छिपा नहीं पाए थे—''बस, समझ लो, यह संतान मेरे लिए मुक्तिदूत बनकर आनेवाली है। मैं यह सुसंवाद अपने साथ लेकर तुम्हारे नाना और अपने बाल सुहृद शास्त्री के पास जाऊँगा।''

''आपको कुछ नहीं होगा नानाजी, मैं आपको आरा ले जाऊँगा। वहाँ अच्छे चिकित्सक हैं। उनसे आपका उपचार...''

''वह सब होगा लोकनाथ। अब तुम जल्दी से भोजन करो और गाँव जाओ। सब लोग तुम्हारी राह देखते होंगे।''

''मैंने किसी को सूचना नहीं दी है न नानाजी और आपको इस दशा में छोड़कर...''

''मुझे कुछ नहीं होगा। वयजनित दुर्बलता है और फिर यह भवेश, सत्य, शिव, सब तो मेरे साथ हैं न।''

लोकनाथ को इक्के पर बिठाने आए तो भवेश ने चुपके से बताया था—''दिन भर जप करते रहते हैं। कहते हैं—लोकनाथ की भावी संतान के मंगल हेतु उन्हें यह अनुष्ठान करना है। अपने स्वास्थ्य की तनिक चिंता नहीं करते। मोटी-मोटी पुस्तिकाओं में जाने क्या लिखते रहते हैं। एक दिन स्वास्थ्य अधिक बिगड़ने लगा था तो मुझे बुलाकर कहने लगे—मेरे बाद मेरी लिखी ये सभी दैनंदिनियाँ मेरे मुँहबोले नाती को देना। कभी-कभी तो भय लगता है कि लोकनाथ भइया, गुरुजी ठीक तो हो जाएँगे न।''

''आप घबड़ाएँ नहीं भवेश भाई, नानाजी को ठीक होना ही होगा। मेरे लिए, आप सब के लिए।''

तिवारीपुर पास आता जा रहा था। तिलकधारी बाबा का खेत, अलगू काका की बँसवारी, गुरुजी की पाठशाला और बड़का टोले के पूरबी छोर पर बना उनका पुश्तैनी घर। उन्होंने जानबूझकर अमराई के पहले ही इक्का रोक दिया था—''बस, भाईजी, यहाँ से थोड़ी दूर पैदल चला जाऊँगा।''

उन्होंने दालान के किवाड़ पर हल्की सी दस्तक दी थी। दोनों पट खोले, गंगेश्वरी सामने खड़ी थी।

कैसी अद्भुत चमक थी उन बड़ी-बड़ी आँखों में?

विद्यार्थियों के समक्ष राम की शक्तिपूजा का भाव स्पष्ट कर रहे थे, तब राम-जानकी के पुष्प वाटिका मिलन का संदर्भ आया था—'नयनों का नयनों से गोपन प्रिय संभाषण।'

उस क्षण श्री जानकी के नेत्र गंगेश्वरी के इन्हीं नेत्रों में परिणत हो गए थे।

कैसी पुनर्नवा होती है न यह प्रीति। दांपत्य सुख की यह अलौकिकता। बिना बोले ही बहुत कुछ बतिया गई गंगेश्वरी।

"तुम्हें पता है, मेरे लिए एक-एक क्षण पर्वत बन गया था।"

"हाँ, मुझे पता है, शीतलटोला के उस मकान का अकेलापन मेरे लिए भी दुस्सह था।"

"तुम दिन भर अपनी शिष्यमंडली के साथ मगन रहते होंगे।"

"यहाँ जगिला माई, आजी तो हैं न।"

"सासूमाई से क्या सब बातें कही जा सकती हैं?"

"अच्छा ठीक है, अब तो मैं आ गया न।"

"अरे, तुम्हारे माथे पर यह क्या लगा है, देखूँ जरा।"

उनकी दोनों बाँहें शून्य में खुली रह गई थीं—"अच्छाजी, चतुराईपूर्वक मुझे पकड़ने चले थे। मरद मानुस ठहरे, लाज-हया है या नहीं, अभी सासूमाई आ जातीं तो…"

जगिला माई ने रसोईघर से आवाज दी थी—"कौन है कनिया?"

लोकनाथ ने जल्दी से जूते उतारे थे और माई के साम्राज्य में दाखिल हो गए थे—"माई, मैं हूँ।"

"अरे बबुआ, तुम।"

एकटक देखती रही थीं वे। "किसी की कुदीठ लग गई। रंग कैसा साँवरा हो गया है। खाने-पीने का प्रबंध ठीक नहीं होगा।"

आवाज सुनकर उभयनिष्ठा आजी लाठी टेकती बाहर आ गई थीं—"लोकनाथ, आ गइल बचवा। गंगेश्वरी कनिया, मुँह निहारत रहबू कि पानी पीढ़ा पूछबू?"

गंगेश्वरी लजाती हुई दौड़कर रसोईघर की ओर जाने लगी थीं। जगिला ने आगे बढ़कर पतोहू की बाँह पकड़ ली थी—"ना कनिया, इतनी तेजी दिखाने की कोई जरूरत नहीं। बबुआ को लेकर अपनी कोठरी में जाओ। हम पानी और जलखावा लेकर वहीं आती हैं।"

लोकनाथ ने ध्यानपूर्वक देखा था—धान की हल्की पकी फसल जैसा पीलापन चेहरे पर, आँखें नीचे की ओर झुकी हुईं।

एक क्षण के लिए गंगेश्वरी ने लोकनाथ को देखा था—उस दृष्टि में एक मीठा सा उपालंभ था—"मेरी इस हालत के जिम्मेदार तुम्हीं तो हो।"

लोकनाथ का मन कुएँ के रहट-सा खूब तेज-तेज घूमने लगा था।

अपनी कोठरी में पहुँचते ही उन्होंने छोटी बलिका की तरह गंगेश्वरी को अपनी बाँहों में उठा लिया था—"मेरी तारा रानी, इच्छा हो रही है कि तुम्हें चकरघिन्नी की तरह घुमाता हुआ पूरे गाँव का एक चक्कर लगा आऊँ। इतनी बड़ी खुशी तुमने मुझे दी है।"

"अच्छाजी, कौन सी खुशी? और आपको किसने बताया कि···"

"क्या-क्या, बोलो न, अपना वाक्य पूरा करो।"

"यही कि हम···"

"हाँ, हाँ, क्या हम···? अरे श्रीमती गंगेश्वरीजी उर्फ तारा रानी तिवारीजी··· किसी भी वाक्य को अधूरा छोड़ना व्याकरण की दृष्टि से दोष माना जाता है।"

"अच्छा ठीक है, सामने नाश्ता धरा है, जल्दी से खा लीजिए, तब तक···"

"तब तक क्या?"

"सासू माई को बक्सर जाना है, आजी के लिए दवा लाने। हमें रसोई सँभालनी है। हम नीचे जा रही हैं।"

वे सात दिन इंद्रधनुष के सात रंगों की तरह मन में बस गए थे।

"ताराजी, मैं चाहता हूँ, फूलों की घाटी से उतरकर जो आए, वह एक नन्ही, सी परी हो, उसकी आँखें आपकी आँखों के समान, उसकी केशराशि बिल्कुल ऐसी ही खूब घुँघराली, भँवरों सी काली···।"

गंगेश्वरी का लाड़ भरा प्रतिवाद उनके भीतर निस्समीय अनुराग जगा जाता—

"लेकिन हम चाहती हैं कि लड़का हो, बिल्कुल आपकी तरह।"

"मेरी तरह···।" कौतुक मुद्रा धारण करते लोकनाथ।

"जरा अपने इस वाक्य का पल्लवन करेंगी आप?"

"कहा न, हूबहू आपकी तरह। बस, इससे अधिक खड़ी बोली हमें नहीं आती।"

"अच्छा, ठीक है। हम सिक्का उछालकर इसका निर्णय कर लेंगे। आइए, अब थोड़ा आराम कर लें।"

जगमोहन तिवारी पतोहू के स्वास्थ्य को लेकिर चिंतित रहा करते थे। हॉस्पिटल, फल और पौष्टिक भोजन का भरपूर इंतजाम। फूलमणि ने दो-दो बार कहाव भेजा था—''गंगेश्वरी बच्ची को कुछ दिनों के लिए फुलवारी शरीफ भेज देते। हमारे पास रहेगी तो थोड़ा मन बदलेगा। आप लोगों की आज्ञा हो तो बिंदेश्वर को गाड़ी लेकर भेजें।''

जगमोहनजी ने दो टूक मना कर दिया था—''यहाँ बक्सर अस्पताल की बड़ी डॉक्टरनी अच्छी तरह देखभाल कर रही हैं। बीच-बीच में उनको दिखलाने का जिम्मा आपकी समधिनजी का है। आप चिंता नहीं करें। बस, ढोल बजाने की तैयारी करें, बाकी सिद्धि विनायक गणेश सब शुभ करेंगे।''

लोकनाथ ने फणिभूषण को अपने मन की बात बताई थी—''आज गाँव की विशेष याद आ रही है। फणि, तुम्हारी भाभी का स्वास्थ्य थोड़ा ढीला चल रहा है। कहने को तो माई, आजी सब लोग वहाँ हैं। बाबूजी अगले महीने लंबी छुट्टी लेकर गाँव जानेवाले हैं। फिर भी⋯''

आचार्य माधवेंद्र ने परामर्श दिया था—''लोकनाथजी, अच्छा होता कि आप बहूजी को यहीं लिवा लाते⋯आरा की सबसे अच्छी डॉक्टरनी मेरी शिष्या हैं—इच्छा मेहरा। यहाँ हम सब हैं। आपको कोई भी परेशानी नहीं होगी।''

गंगेश्वरी ने उभयनिष्ठा आजी की बात को मान दिया था—''यहाँ माई है, अपनी ग्राम देवी हैं, डीह के राखनहारे बरमबाबा हैं और हमारी सासुमाई का कहना सही है, इसी घर में उनका भी जनम हुआ था।''

जगमोहन तिवारी महीने भर की छुट्टी लेकर गाँव आ गए थे। उभयनिष्ठा आजी का वात रोग छूमंतर हो गया था। जगिला नए अतिथि के स्वागत-सत्कार की तैयारी में मगन थीं। गाँव के सबसे पुराने बुजुर्ग मास्टर साहब की पुरानी धोती माँग लाई थीं आजी—''बूढ़, पुरनिया के पहिरन नया बालक के पहिल पहिरन होला। बिसवास के बात त इहे बा कि राउर उतरन बालक खातिर बिसेस रूप से सुभ होई।''

यदुनाथ बाबा की मोतियाबिंद भरी आँखों में गजब का तेज था—''उभया बहिन, यह लो हमारी धोती और यह ओढ़ना भी। हम प्रार्थना करेंगे, बबुआ लोकनाथ की संतान को दुर्गा मइया रूप दें, जय दें, यश दें और किसी भी कुदृष्टि से बचाएँ। बालक का जैसे ही आमगन हो, मुझे खबर देना बहिन, मैं पोथी-पतरा विचारकर उसकी जन्मकुंडली बनाऊँगा।''

१४ नवंबर का दिन।

गंगेश्वरी अजीबोगरीब शैथिल्य का अनुभव कर रही थीं। उभयनिष्ठा आजी कई बार पूछ गई थीं, "गरम गोरस पियबू कनिया?"

उन्होंने इनकार में सिर हिला दिया था। जगिला ने तुरत बक्सरवाली डॉक्टरनी को बुलवा भेजा था। उभयनिष्ठा गंगेश्वरी के सिरहाने बैठी उनकी लटें सुलझा रही थीं—"घबड़इह मत कनिया, दाँत-पर-दाँत चढ़ा के दरद बरदास्त करे के होई। तिरिया आ बालक दूनों के नया जनम होखेला।"

डॉक्टरनी पुष्पा मल्होत्रा ने आते ही हिदायत दी थी—"इस कदर भीड़ लगाने की कोई आवश्यकता नहीं है। गुड़िया नर्स हमारे साथ रहेगी। बाकी सब लोग…।"

आधे घंटे के भीतर नवजात शिशु के प्रथम क्रंदन की आवाज सुनाई पड़ी थी।

केहाँ-केहाँ…कहाँ आ गए हम?

गुड़िया नर्स ने बाहर आकर जगिला के कानों में शुभसंवाद दिया था—"परी जैसी बिटिया का जनम हुआ है। जच्चा-बच्चा दोनों स्वस्थ हैं।"

उभया आजी के पैरों में पंख लग गए थे। आटा-गुड़ की चँगेरी भरकर पीली धोती और जनेऊ की सौगात लिये वे यदुनाथ बाबा के दुआर की ओर बढ़ चली थीं—लालटेन की लौ खूब ऊँची करके काँपते कंठ से बाबा ने लगन उचारा था—"जातिका का जन्म कन्या लग्न के नवांश में हुआ है। इसकी राशि सिंह है। लग्नेश बुद्ध पंचम भाव में स्थित है, मकर राशि में, भाग्येश शुक्र के साथ राजयोग का नियमन करनेवाला—बुद्ध शक्रयुतौ जाता, नीतिज्ञा प्रियावादिनी…सिंहवाहिनी माता इसकी आराध्या होंगी। कुलधन्या होगी तुम्हारी यह प्रपौत्री।"

लोकनाथ व्याख्यान कक्ष में थे—सूर के पदों का मार्मिक प्रसंग था और शिष्य-मंडली सहित वे गूढ़ार्थ की रसमयता में विभोर थे। माधवेंद्रजी ने धीरे से द्वार खोला था—"अरे, सर आप?"

"क्षमा करना विद्यार्थियो, आपके और लोकनाथजी के बीच मूसलचंद बनने का मुझे कतई शौक नहीं, क्या करें, सूचना ही कुछ ऐसी है।"

लोकनाथ ने उनके अतिशय गंभीर चेहरे को देखा था और किंचित् सहम गए थे—क्या बात हो सकती है भला?

"गाँव में सबकुछ ठीक-ठाक तो है न?"

उनके हाथों से 'सूरसागर' छूटकर नीचे गिर जाता, इसके पहले माधवेंद्रजी ने

अपना चिरपरिचित हास बिखेरा था—"बधाई हो बंधु, आपके घर में साक्षात् लक्ष्मी पधारी हैं। अब आप ऐसा करें, तुरत दोपहरवाली शटल पकड़ लें और यह अपना तार सँभालें।"

पूरी कक्षा 'बधाई हो' के शोर से गूँज उठी थी—"सरजी, मिठाई चाहिए। सर, केवल मिठाई से काम नहीं चलेगा। हम लोगों को छप्पन भोग चाहिए।"

बंगाली दादा की दुकान से हाँड़ी भरकर रसगुल्ला मँगवाया गया था।

आचार्य जगदीश तांबुलरंजित होंठों पर रसगुल्लों के स्वाद की मिठास समेटते आशीर्वचनों की झड़ी लगा बैठे थे—"इस कन्या को पुत्ररत्न मानकर इसका पोषण करना लोकनाथ। माँ जगदंबा का अंश निहित है इसमें।"

उभया आजी ने बक्सर की गीत गवनिहारिनों को नेवता पठाया था। मँझले टोले की पुरोहिताइन काकी ने मुहल्ले भर में कानाफूसी प्रारंभ कर दी थी—"पूरी तरह से बउरा गई हैं उभयनिष्ठा। बेटी जात के जनम पर ऐसे कोई जलसा, तमाशा करता है भला।"

बात जगमोहन तिवारी के कानों तक पहुँची थी। उन्होंने अपना अगियावेताल रूप दिखाया था—"पुरोहिताइन अपना दिन भूल गईं? बेटी के दहेज की रकम कम पड़ रही थी। बारात वापस जाने की नौबत आ गई थी। हमने चुपचाप सारी भरपाई की और तब जाकर मामला शांत हुआ था। उनकी यह मजाल कि वे हमारी पोती के विषय में टीका-टिप्पणी करती फिर रही हैं। उभया काकी, आप उन्हें नेवता देने नहीं जाएँगी। हम नहीं चाहते कि कुभाखा कढ़ानेवाली कोई भी लुगाई हमारी बच्ची को दूर से भी देखे।"

जगिला ने बीच-बचाव किया था—"पुरोहिताइन मुँह की फूहड़ हैं, कुछ भी बोल देती हैं। उन्हें नेवता नहीं देने से वे दुःखी हो जाएँगी, यह भी तो ठीक नहीं होगा न।"

बच्ची के रोने की आवाज सुनते ही जगमोहन तिवारी का क्रोध कपूर बनकर उड़ गया था—"पंडिता योगेश्वरी, उर्फ जगिलाजी, आप से शास्त्रार्थ में कौन जीत सकता है भला! अब कृपा करके भीतर जाएँ और देखें बच्ची क्यों रही है? उसे भूख-प्यास तो नहीं लगी, कनिया सो गई क्या?"

गंगेश्वरी की आँखों से नींद विदा ले चुकी थी। वे बच्ची को बहलाती सासु माई से पूछना चाहती थीं—"उन्हें तार मिल तो गया होगा न, तीन दिन हो गए"

पतोहू के मन की भाषा पढ़ना सीख गई थी योगेश्वरी—''तार भी मिल गया होगा और लोकनाथ अब तक गाड़ी पकड़ चुके होंगे। तुम चिंता मत करो कनिया, बचिया का ध्यान करो।''

साँझ ढलने के पहले लोकनाथ गाँव पहुँच गए थे।

जगमोहन तिवारी ने ताकीद दी थी, ''बिना हाथ-पाँव धोए बच्ची के कमरे में मत जाना। सावधानीपूर्वक उसे गोद में लेना। अभी बहुत नाजुक है वह।''

लोकनाथ एकटक पिता की ओर देखते रहे थे—स्वर की कठोरता में इतना बड़ा बदलाव? ये वही बाबूजी हैं, जिनकी पुलिसिया कड़क से घर भर सहमा रहता था।

''अरे ऐसे क्या देख रहे हो। गंगेश्वरी कनिया ने मेरा रुतबा बढ़ा दिया। अब हम दादा बन गए हैं भाई।''

गंगेश्वरी के रोम-रोम में श्रवण उग आए थे—चापाकल के नीचे हाथ-पाँव धोते धीरे से कोठरी में प्रवेश करते लोकनाथ। यदुनाथ बाबा की धोती में लिपटी उस गुलाबी गुड़िया की जगिला माई ने बड़ी नरमी से उठाया था—''लो बबुआ, इसे अपनी गोद में लो!''

''अरे माई, यह तो बहुत छोटी है, इसे मैं नहीं ले सकता। तुम अपने पास ही रखो।''

बच्ची को गंगेश्वरी के पास लिटाकर जगिला माई बाहर चली गई थीं—''अपनी अमानत को अगोरते रहो, तब तक हम रसोई-पानी का इंतजाम करके आती हैं।''

लोकनाथ ने धीरे से गंगेश्वरी का माथा सहलाया था—''तारा, आप ठीक तो हैं न?''

''हम आपसे नहीं बोलते। आपने इतनी देर लगा दी।''

''विश्वास मानो, जैसे ही टेलीग्राम मिला, मैंने एक पल की भी देर नहीं लगाई। छुट्टी की अर्जी दी और ट्रेन पकड़कर सीधा यहाँ।''

नन्ही परी धीरे से कुलबुलाई थी—''धीरे बोलिए, अभी-अभी ही तो सोई है।''

उन्होंने लाडली बिटिया के पाँव सहलाते हुए उसे थपकी दी थी—''इसके हाथ-पाँव कितने मुलायम हैं न। और इसके बाल-बिल्कुल आपके जैसे।''

''और इसका चेहरा हूबहू आपके जैसा।'

''नहीं, मैं नहीं मानता। इसकी आँखें आप पर गई हैं।''

''आजी कह रही थीं कि आपकी तरह हैं।''

उभया आजी विहँसती हुई कोठरी में आई थीं—''हँ ए बबुआ, तहरे अइसन बाड़ी लछिमी धियाऽ!''

खूब धूमधाम से छठी मनाई गई थी। निखिलानंद नानाजी अपनी शिष्य मंडली के साथ पधारे थे—''योगेश्वरी, यह बालिका तो तुम्हारा ही प्रतिरूप है। वैदिक ऋचा सी पावन है मेरी यह दौहित्री। लोकनाथ, इसका नामकरण मैंने कर दिया। यह ऋचा है। अग्नि सा पावन इसका तेज, ऋषिकाओं सी इसकी वाणी और सूर्य की तरह आलोकित इसकी आभा, सुनो बचवा, यह तुम्हारी चेतना का अंश है, तुम्हारे समस्त अधूरे कार्यों को पूरा करनेवाली। गंगेश्वरी, कभी इसे कोई ताड़ना मत देना, बहूरानी!

''देखो तो सही, मेरी गोद में कैसे शांत लेटी हुई है। इसने मुझमें फिर से नई जीवनी-शक्ति भर दी। आश्रम जाकर इसके लिए लाहिड़ीजी की गीता का पारायण करूँगा।''

जगमोहन तिवारी सुंदर पालना बनवा लाए थे। दिनभर एकटक बच्ची का मुख निहारते, उसे धीरे-धीरे थपकी देकर सुलाते, पालना झुलाते रहते। मलकिनी, आपने देखा न, नींद में कैसे हँस रही थी। अरे, देखिए तो शायद इसे भूख लगी है। ले जाइए कनिया के पास।''

तिवारीपुर का घर-आँगन बालिका के हास-रुदन से मुखरित था। यदुनाथ बाबा हर संध्या आते और गायत्री मंत्र का जप करते बच्चे के माथे पर हाथ फेरते—''इस बचिया की हस्त-रेखाएँ बड़ी बलवती हैं, उभया बहिन, यह अपनी आजी की तरह धार्मिक वृत्ति की होगी और इसमें कुछ भी कर गुजरने का असीम साहस होगा। लक्ष्मी-सरस्वती दोनों की लाडली होगी तुम्हारी यह पोती।''

उभया आजी का उपचार होमियोपैथी दवाइयों से हो रहा था, उससे भी बड़ी औषधि उनके लिए ऋचा थी। जरा सी रुलाई सुनतीं तो भागकर उसे गोद में उठा लेतीं—''अरे कनिया, सँभार बबुनी के...भूख-पियास से बेहाल बाड़ी। ल, दूध पियाव...''

उन्हें सोहर गाते देख केदार बहू ने ताना कसा था, ''धिया के जनम पर सोहर?''

उभया आजी ने पलटकर जवाब दिया था, ''तू का बुझबू? धिया जनम अनमोल!''

एक अद्‌भुत उल्लास की अनुभूति लेकर आरा लौटे थे लोकनाथ! वात्सल्य का एक अनहद राग उनकी हृदयतंत्री का आधार बन चुका था।

कक्षा के सभी विद्यार्थियों ने पारी-पारी आकर उनका अभिवादन किया था और ढेर सारी बधाइयाँ दी थीं।

आचार्य राजीवलोचन का पत्र उनकी पुलक को और बढ़ा गया था—

''प्रिय अंतेवासी,

''तुम्हारा कुशल श्रीराम से मनाता हुआ मैं तुम्हें एक सुसंवाद देना चाहता हूँ। हमारे विभाग में महीयसी महादेवीजी का पदार्पण होनेवाला है। दो दिनों का कार्यक्रम है। मैंने आचार्य माधवेंद्र से कहा है, वे सारी व्यवस्था करेंगे। तुम्हें दो दिनों के लिए पाटलिपुत्र आकर मंच-संचालन का भार सँभालना होगा। तुम एक कुशल गद्य-शिल्पी हो। तुम्हारे ललित निबंधों की बानगी देखकर मैं आत्मा से प्रफुल्लित हूँ। आशीर्वाद देता हूँ कि तुम्हारे जीवन में जो जीवंत कविता आई है, वह तुम्हारी कारयित्री प्रतिभा की विरासत पाए, यशस्विनी हो! और एक बात, तुम्हारा महाविद्यालय चाहे तो महादेवीजी को अपने परिसर में आमंत्रित कर सकता है। यह एक स्वर्णिम अवसर है। उनके आने से तुम्हारे विभाग की साख बढ़ेगी और विद्यार्थियों को इतनी महान् रचनाकार के दर्शन का सुयोग प्राप्त होगा।''

पूरे महाविद्यालय में आनंद की हिलोर दौड़ गई थी। महीयसी मुख्य अतिथि बनने के लिए राजी हो गई थीं।

विद्यार्थीगण स्वागत की तैयारी में जुट गए थे।

''मैं नीर भरी दु:ख की बदली
क्या पूजन, क्या अर्चन रे?
मिलन का मत नाम लेना
मैं विरह में चिर हूँ।
बीन भी हूँ मैं तुम्हारी रागिनी भी हूँ।''

हिंदी छायावादी कविता की वृहत्तर इकाई महीयसी। अपनी उदात्तता में हिमगिरि के शिखरों सी उन्नत, अपनी गरिमा में गंगोत्री सी पावन नवयुग की मीरा!

महीयसी महादेवी मुख्य अतिथि के रूप में समक्ष थीं। लोकनाथ ने उद्घोषणा प्रारंभ की थी—''जिनकी रचनाओं को पढ़कर हमारे विद्यार्थी, हम सब कृतकृत्य होते हैं, जिनकी भावानुभूति हमारी अंतश्चेतना को निर्मल करती रहती है, वे शब्द-साधिका आज हमारे बीच विद्यमान हैं। मैं स्वागत-अभिभाषण के लिए आचार्य माधवेंद्रजी को सादर आमंत्रित करता हूँ।''

विभागाध्यक्ष महोदय ने सारगर्भित वक्तव्य देकर पुष्पगुच्छ प्रदान करने के लिए फणिभूषण को मंच पर बुलवाया था। महादेवीजी का अत्यंत लोकप्रिय गीत 'मधुर-

मधुर मेरे दीपक जल' गाकर उन्होंने उस साहित्य-सभा को मंत्रमुग्ध कर दिया था। मुख्य अतिथि की वाणी में वाग्देवी का आशीष उमड़ आया था—"इस नगर में कला और संस्कृति के प्रति ऐसा अप्रतिम अनुराग है, यह देखकर मुझे अतीव प्रसन्नता हुई है। मेरे समक्ष बैठी नवीन कोपलों को सिंचित करने का कार्य यहाँ के गुरुजन कर रहे हैं, यह एक शुभ संकेत है। मेरी विद्यापीठ के द्वार आप लोगों के लिए सदैव खुले हैं। आपका स्वागत है।"

स्टेशन जाते समय लोकनाथ ने संपादकाचार्य पंडित नंदकिशोर तिवारी के साथ अपने संबंध का खुलासा किया था। उन्होंने धीरे से उनके माथे पर आशीर्वाद का हाथ रखा था—"आपकी वाणी में ओज है। आपकी भाषा में कवित्व है और लालित्य भी। इस अग्निशिखा को उत्तरोत्तर दीप्त करते रहें।"

दिन पंख लगाकर उड़ते चले जा रहे थे। ऋचा छह महीने की हो गई थी। उन्होंने अपने कोडक कैमरे से उसकी ढेर सारी तस्वीरें उतारी थीं। जगमोहन तिवारी सप्ताह में एक पोस्टकार्ड अवश्य भेजते—"बच्ची बहुत शांत है। खूब खुलकर हँसना सीख गई है। उसका स्वास्थ्य भी ठीक है। तुम तनिक चिंता मत करना। नंदकिशोर भाई आए थे। बता रहे थे, तुम्हारी रचनाएँ देशभर की पत्रिकाओं में छपने लगी हैं। तुम 'नोक-झोंक' के संपादक मंडल में भी आ गए हो। यह एक अच्छी बात है। भोले बाबा जो करते हैं, अच्छे के लिए करते हैं।

"तुम्हारी जगिला माई ठीक ही कहा करती हैं, 'प्रत्येक मनुष्य को उसका प्रारब्ध अनुप्रेरित करता है। तुम्हारा वेतन कम है। गाँव पैसे भेजने की आवश्यकता नहीं है। बच्ची और कनिया के भरण-पोषण की चिंता मत करना। मैं हूँ न…।'"

लोकनाथ की भेंट हरवंश बाबू पेशकार से हुई थी। शीतल टोला में सब लोग उनको सुप्रसिद्ध होमियोपैथ के रूप में जानते थे। उन्होंने लोकनाथ को शिवगंजवाली अपनी डिस्पेंसरी में बुलाया था—"आपने अपनी दादी के वात रोग के विषय में बताया था न, उनके लिए मैंने दवाइयाँ बना दी हैं।"

लोकनाथ दवाओं का मूल्य चुकाने के लिए अपनी जेब टटोलने लगे थे। हरवंश बाबू ने मुसकराते हुए उन्हें रोक दिया था—"फणिभूषण मेरी पत्नी के भाई हैं। आप उनके पूज्य गुरुदेव हैं। आपसे कीमत लेकर मुझे पाप का भागी नहीं बनना। हाँ, एक परामर्श आपको देना चाहता हूँ। आप होमियोपैथी चिकित्साशास्त्र का अध्ययन अवश्य करें। इससे बेतहर और श्रेष्ठ उपचार दूसरा नहीं। मेरे पास मेटेरिया मेडिका

है। अवकाश के समय में आप पढ़ें, यथासाध्य मार्गदर्शन मैं किया करूँगा।''

उभया आजी ने महीने भर दवा का सेवन किया था। उन्हें चमत्कारी लाभ हुआ था। जगिला माई ने सूचना दी थी—उनके पैरों का दर्द भी बहुत कम हो गया था। लोकनाथ ने निश्चय किया था—वे होमियोपैथी चिकित्सा का ज्ञान हरवंश बाबू से प्राप्त करेंगे। हर शाम नया दवाखाना में बैठने का प्रयत्न करेंगे।

उसी समय एक विचित्र बात हुई थी। विभाग में नटेश्वर लाल का पदार्पण नए व्याख्याता के रूप में हुआ था। प्राचार्य महोदय के दूर-दराज के रिश्तेदार थे ये महोदय।

माधवेंद्रजी ने दुःखी होकर आचार्य जगदीश से परामर्श किया था—''बंधुवर, इस नवागंतुक को विषय का तनिक भी ज्ञान नहीं है। प्राचार्य भुवनेश्वर अनर्थ करने पर उतारू हैं। अब आप ही कोई रास्ता निकालें।''

आचार्य जगदीश के अनुज राजभवन में ऊँचे ओहदे पर थे। उन्होंने भी अपनी असमर्थता जताई थी, ''येन-केन प्रकारेण आपके प्राचार्य ने नटेश्वर के नाम की अनुशंसा करवा ली है। वे धुरंधर जातिवादी माने जाते हैं। साक्षात्कार समिति के सदस्यों के नाम सुनेंगे तो आप लोगों को पीड़ा होगी। देश भर के विश्वविद्यालयों से ठीकरे चुनकर लाए गए थे।''

आचार्य माधवेंद्र हतप्रभ थे, ''इस चयन प्रक्रिया को न्यायालय में चुनौती दी जाए तो…''

''वह एक लंबी प्रक्रिया होगी। आप जैसे अध्यवसायी लोगों के लिए जानबूझकर मोल लिया जानेवाला बवाल होगा।''

आचार्य जगदीश ने माधवेंद्रजी के कंधे पर हाथ रखा था—''चलें बंधु, काल का कटाक्ष है। इसे सहन करना ही होगा।''

लोकनाथ ने अनुभव किया था—आचार्य माधवेंद्र निस्तेज से रहने लगे थे, अनिच्छापूर्वक विभाग जाते और अधिकतर समय अपने आवास पर अध्ययन-मनन में व्यतीत करते।

'कृष्ण काव्य में महामानवत्व' विषय पर उनकी नई पुस्तक आ चुकी थी। अध्यात्म रामायण पर उनकी अभिनव योजना प्रारंभ हो चुकी थी। लोकनाथ के घर में साहित्यिक गोष्ठियाँ जमतीं। आचार्य जगदीश विषय-प्रर्वतन करते, माधवेंद्रजी और लोकनाथ विमर्श को आगे बढ़ाते, दस-बीस छात्र भी सम्मिलित होते।

आचार्य जगदीश प्राय: मधुर उपालंभ दिया करते, ''वत्स लोकनाथ, बिन घरनी घर भूत का डेरा। अब इस घर में भगवती के पैरों की पाजेब गूँजनी चाहिए। कितने दिनों तक जानकी माई के हाथ की बनी रोटियाँ खाओगे और कितने दिनों तक हम तस्वीरवाली नन्ही जगदंबा के दर्शन करते रहेंगे?''

एक सुंदर संयोग अकस्मात् बना था। योगेश्वरी हरिद्वार जाना चाहती थीं। जगमोहन ने गाँव के एक विद्यार्थी से कहलवा भेजा था—''कनिया घर में अकेली रह जाएँगी। इससे अच्छा होगा कि तुम आकर उभया काकी के साथ अपना परिवार कुछ दिनों के लिए आरा ले जाओ।''

फणिभूषण ने अकेले ही सारी तैयारी पूरी की थी—बच्ची के लिए गाय के दूध की व्यवस्था, रसोईघर के बरतन-बासन, अनाज, हरी-सब्जियाँ, मसाले सबकुछ।

ऋचा को गोद में लिये गंगेश्वरी रिक्शे से उतरने लगी थीं तो फणिभूषण ने आगे बढ़कर उनके पाँव छूने चाहे थे। वे सकुचाती हुई पीछे हटने लगी थीं, फणिभूषण ने मुसकराकर दोनों हाथ जोड़ दिए थे—''मैं आचार्यजी का शिष्य हूँ। मुझे रामभक्त हनुमानजी की तरह सेवा का अवसर दें भौजी। मैं यहीं आपके पड़ोस में रहता हूँ।''

ऋचा को गोद में लेते हुए लोकनाथ ने उभया आजी को बताया था—''फणि बाबू मेरे लिए सगे छोटे भाई की तरह हैं आजी। घर की एक चाबी उनके पास ही रहा करती है। आपको किसी चीज की जरूरत हो तो उन्हें बता देंगी।''

उभया आजी रेल और रिक्शे की सवारी से थक चुकी थीं। वे खटोले पर बैठकर बच्ची की तेल मालिश का सरंजाम जुटाने में लग गई थीं—

''ए बबुआ फनी,''

''जी आजी माँ,''

''आसपास कवनो दोकान बा? बचिया के तेल मालिश कइसे होई? तिल के तेल चाहीं।''

गंगेश्वरी ने रसोईघर का मुआयना करने के बाद आजी को बताया था—तरकारी कैसे कटेगी? हँसुआ नहीं है। लाना भूल गए शायद।

लोकनाथ ने झटपट जेब से पैसे निकाले थे—''लीजिए बंधुवर, आपकी सूची में एक चीज और, मेरी दवात में स्याही नहीं है। काली, नीली दोनों स्याही की दस-दस टिकिया...''

ऋचा ने कोहराम मचा दिया था। घर की दीवारें उसके लिए बिल्कुल अजनबी थीं। गंगेश्वरी की गोद में दुबकी वह सुबकती जा रही थी। लोकनाथ घबड़ा गए

थे—"इसे अचानक क्या हो गया? ताराजी, आप सब काम छोड़कर इसे ही सँभालिए, घर और रसाई का काम बाद में होता रहेगा।"

जानकी चाची लोकनाथ के परिवार से मिलने आई थीं। घर की अस्त-व्यस्तता और बच्ची की परेशानी देखकर वे उल्टे पाँव लौट गई थीं।

थोड़ी देर बाद वापस आईं तो उनके हाथ में पीतल की बड़ी सी कठौती थी—

"लो बहुरिया, पूरी, तरकारी और बूँदी के लड्डू हैं। खा-पीकर सो जाओ। कल से अपने चूल्हे की आग चेताना।"

दूध पीकर ऋचा सो गई, तब सब लोगों ने भोजन किया। गंगेश्वरी रुआँसी थी, "इसके पहले कभी इतना नहीं रोई थी। क्या हो गया अचानक?"

लोकनाथ ने जब भी गोद में लेने की कोशिश की, उसकी रुलाई और बढ़ जाती थी। उभया आजी देवता-पितर गोहराने लगी थीं—"कवनो के कुदीठ लागि गइल बबुनी के तनि नजर उतार ए कनिया।"

तीन-चार दिनों के बाद धीरे-धीरे सामान्य होने लगी थी बालिका! फणिभूषण की बाजीगरी ऋचा को रास आने लगी थी, कभी कंधों पर बिठाते, कभी बाँहों में लेकर झूला झुलाते, कभी चंदा मामावाली लोरी गाते—ऋचा के दुलारे मामाजी बन चुके थे।

लोकनाथ ने परिहास किया था—"बंधुवर, आपने तो खूब पाली बदली। आप ऋचा के मामा कब से हो गए?"

गोद में शांत पड़ी एकटक आसमान निहारती ऋचा के घने, काले रेशमी बालों को धीरे से सहलाते हुए फणिभूषण भाव-विह्वल हो उठे थे—"सर, मेरी कोई बहन नहीं है। तारा दीदी की ममता को देखकर लगा, मेरी सगी बड़ी बहन मुझे वापस मिल गई। इस रिश्ते का अधिकार तो देना ही पड़ेगा।" गंगेश्वरी ने लजाते हुए हलवे की तश्तरी सामने दख दी थी।

ऋचा तश्तरी की ओर लपक रही थी—उभया आजी उसे गोद में लिये लाड़ लड़ाती निहाल होती जा रही थीं—

"अबहिएँ खइबू···। ना बबुनी, दसवाँ दिन बीते द···। तहार मुँहजुट्ठी होखी। आजा, आजी तीरथ बरत से लवटिहें लोग···।"

शीतल टोला का वह घर महाविद्यालय के गुरुजनों, विभाग के विद्यार्थियों से गुंजायमान था। गंगेश्वरी की बनाई खीर की सबने सराहना की थी। आचार्य जगदीश

की आँखों में अद्‌भुत वत्सल भाव था—"चिरंजीवी हो युगल जोड़ी। लोकनाथ जी, 'जगदंबा जहँ अवतरी'''। बहू जी का शील-स्वभाव देखकर यह बालक जगदीश धन्य हुआ। अन्नपूर्णा हैं तुम्हारी भार्या।"

अब बच्ची को ले आएँ भाई। लाल रेशमी फ्रॉक, ललाट पर बाईं ओर काजल का नन्हा सा दिठौना, पैरों में घुँघरूओंवाली छोटी-छोटी पाजेब। आचार्यजी ने अपने हाथ पसारे थे—"आओ जगदंबा, इस अकिंचन सेवक की गोद में विराजो।"

ऋचा अत्यंत प्रफुल्ल भाव से किलकारियाँ भरती आचार्य की गोद में चली गई थी।

लोकनाथ विस्मित थे—"देखा फणि बाबू, आपकी भानजी ने इतने बड़े विद्वान् को कितनी सहजता से अपना लिया।"

ऋचा ने उनके हाथ से पार्कर कलम ले लिया था और उसे मुट्ठियों में जकड़कर चुपचाप उनका मुँह निहारने लगी थी।

आचार्य को एक कौतुक सूझा था—"लोकनाथ, बच्ची के सामने कोई खिलौना रखा जाए।"

ऋचा ने उस खिलौने की ओर देखा तक नहीं। दोनों हाथों में दो-दो पेन लेकर वह मगन थी।

आचार्य जगदीश ने बच्ची को अपना स्नेहाशीष दिया था—"इसे लेखनी प्रिय है। यह बालिका लोकनाथ की रचनात्मक शक्ति की अगली विरासत सँभालनेवाली होगी। इसकी सार-सँभाल यत्नपूर्वक करनी होगी।"

लोकनाथ की सृजन-यात्रा निर्बाध गति से आगे बढ़ रही थी। आचार्य माधवेंद्र ने उन्हें आदेश दिया था—"विभाग की पश्चिमी दीवार ध्वस्त हो रही है। प्राचार्य से जब तक बातचीत होती है, वे धनराशि के अभाव का रोना रोते हैं। लोकनाथ, तुम चाहो तो इस समस्या से त्राण पाया जा सकता है।"

"वह कैसे सर?"

"हम लोगों को कहीं से भी धनराशि एकत्र करनी होगी। मेरा विचार है कि कोई नाटक खेला जाए। सामान्य शुल्क देकर नाटक देखनेवाले दर्शकों की कमी नहीं होगी। बोलो, क्या कहते हो?"

बड़े जोर-शोर से तैयारी प्रारंभ हो गई थी। जयशंकर प्रसाद की नाट्य रचना 'ध्रुवस्वामिनी'।

पूर्वाभ्यास के लिए शीतल टोलावाले घर के दालान का चयन किया गया था। अर्थशास्त्र विभाग के राममोहन अस्थाना रामगुप्त की भूमिका में थे। उनकी छोटी बहन माधुरी अस्थाना ध्रुवस्वामिनी बनी थीं। माधवेंद्रजी सूत्रधार थे। चंद्रगुप्त की भूमिका लोकनाथ को सौंपी गई थी।

गंगेश्वरी सबके भोजन-चाय आदि का इंतजाम करतीं। नन्ही ऋचा को गोद में सँभालती उभया आजी धीरे-धीरे बड़बड़ाती जातीं—"इ कवन नाटक हो रहल बाऽ ? राम-सीता, किशुन-राधा के लीला होखित त आँखि जुड़ा जाइत''' । नयका जमाना के नयका तमाशा। कुँआर लइकी मुँह उधर ले का का बोलत बाड़ी।"

लोकनाथ ने उन्हें समझाने की कोशिश की थी—"यह नए जमाने का नाटक है आजी। इतिहास के पन्नों से उतारे गए चरित्र। गाँव में जो रामलीला होती थी, उससे बिल्कुल अलग। अब लड़कियाँ रंगमंच पर अपनी प्रतिभा दिखाना चाहती हैं। उनके भीतर छिपी कला को सामने लाने की आवश्यकता है।"

आजी ने गंगेश्वरी से गुपचुप मंत्रणा की थी—"तू निश्चिंत मत रहिह। एगो कुरसी लेके दालान में बइठल रहिह। रिचिया के हम सँभार लेब।"

माधुरी ने आजी से परिहास किया था—"दादी माँ, आपको पता है, जिस दिन रूपम की स्टेज पर यह ड्रामा खेला जाएगा, उस दिन बंबइया हीरोइन आएगी। उस दिन तारा भाभी को सज-सँवरकर वहीं प्रेक्षागृह में ही विराजमान रहना होगा। कहीं ऐसा न हो कि उस अभिनेत्री का जादू चल जाए और लोकनाथ भाई बंबई जाने का इरादा बना लें। क्यों भाभीजी ?"

गंगेश्वरी ने मुसकराकर उत्तर दिया था—"स्वर्ग की परी भी आ जाए, तब भी चिंता की कोई बात नहीं। हमारे भाई-बाबूजी ने खूब ठोक-बजाकर इन्हें अपने दामाद के रूप में चुना है।"

नाटक अद्भुत रूप से सफल हुआ था। चंद्रगुप्त की भूमिका में लोकनाथ ने अच्छी-खासी लोकप्रियता अर्जित की थी। आचार्य राजीवलोचन के विशेष आमंत्रण पर नाट्यदल पाटलिपुत्र गया था। विद्यार्थियों का उत्साह देखने योग्य था—"सर, हमारे पुस्तकालय में पुस्तकें कम हैं। प्राचार्य महोदय हमेशा धनाभाव का रोना रोते रहते हैं। क्यों न हम लोग इसी तरह के दो-तीन और नाटक मंचित करें।"

"हाँ, आप लोगों के सभी प्रस्ताव अध्यक्ष महोदय के समक्ष रखे जाएँगे, लेकिन अभी नहीं, वार्षिक परीक्षाएँ पूरी हो जाने के बाद।"

नंदकिशोर काकाजी का पत्र आया था, "मयंक पत्रिका का फाँसी अंक अपने

विभागीय पुस्तकालय में मँगवा लो। साहित्य के सभी विद्यार्थियों को यह अंक पढ़ना चाहिए, इसके लेखों से प्रेरणा प्राप्त करनी चाहिए।''

लोकनाथ के विशेष आग्रह पर 'मयंक' का विशेषांक रजिस्टर्ड डाक द्वारा अध्यक्ष के पते पर पहुँचा था। उन्होंने उसे पुस्तकालय में रखवाया था, देखते-ही-देखते तीस-पैंतीस प्रतियों के आदेश प्राप्त हो गए थे।

विद्यार्थीगण रोमांचित थे—''सर, इस अंक के सभी आलेख मन-प्राणों को झकझोरनेवाले हैं।''

परीक्षाएँ पूरी होने के बाद साहित्यिक परिभ्रमण का कार्यक्रम बना था। काशी-प्रवास को लेकर सभी विशेष रूप से उत्साहित थे। भारतेंदु भवन, जयशंकर प्रसाद का आवास, काशी हिंदू विश्वविद्यालय, बाबा विश्वनाथ का मंदिर, तुलसीघाट, असीघाट, सारनाथ···

लोकनाथ भारतीय संस्कृति का मर्म समझाते जा रहे थे। संध्या की सिंदूरी आभा में अस्सी के तट पर भाव-विभोर सुन रही विद्यार्थियों की टोली और धाराप्रवाह बोलते लोकनाथ।

महाकवि की कालजयी कृति 'कामायनी' का ऐतिहासिक नाट्य मंचन यहीं इसी तट पर हुआ था। पंडित ओंकार नाथ ठाकुर की मेघमंद्र स्वर-लहरी गंगा की लहरों पर तिरती हुई—

सुंदर 'कामायनी' की प्रथम पंक्तियों का सुंदर रागबद्ध आलोड़न—

''हिमगिरी के उत्तुंग शिखर पर
बैठ शिला की शीतल छाँह
एक पुरुष भीगे नयनों से
देख रहा था प्रलय प्रवाह।''

धारासार वृष्टि हुई थी उस दिन, प्रलयंकारी मेघगर्जन। पंडितजी के स्वर का सम्मोहन था या जयशंकर प्रसाद के शब्दों की अनहदता का प्रभाव, गंगा माता की लहरों का वेग अस्सी घाट के सोपानों को समेटता हुआ मंच के पास आकर ठिठक गया था।

'कामायनी' की वह संगीतमयी प्रस्तुति काशीवासियों के लिए अविस्मरणीय थी। अनुराग त्रिपाठी और विशाल कौशल ने जानबूझकर करेदा था—''सरजी, अपने विद्यार्थी जीवन में आपने 'स्वर्ग में कवि सभा' का आयोजन किया था न। हमारे बड़े भाई कमलेशजी आपके सहपाठी थे। उन्होंने बताया था—भारतेंदु हरिश्चंद्र की भूमिका

में मंच पर उतरे थे लोकनाथ! रेशमी मिरजई, अठारह बंदोंवाली, रेशमी चूड़ीदार पाजामा, दुपल्ली टोपी, घुँघराले बालों की लटें सयत्न सामने झुलाते हुए अपनी सुरीली आवाज में सवैये का गायन किया था उन्होंने—

"रोकहिं जो तो अमंगल होय औ प्रेम नसै जो कहें पिय जाइए
जो कहैं जाहु न तो प्रभुता, जो कुछ न कहैं तो सनेह नसाइए
जो हरिचंद कहैं तुम्हरे बिन जीहैं न तो यह क्यों पतिआइए
ताते पयान समै तुम्हरे हम का कहैं आपु हमे समुझाइए।"

विश्वविद्यालय का सभागार साधुवाद के साथ-साथ तालियों की गड़गड़ाहट से गूँज उठा था। विद्यापति, सूर, तुलसी, मीरा, बिहारी, भूषण, भारतेंदु का अभिनय करनेवाले साहित्य के विद्यार्थियों ने सबको मंत्रमुग्ध कर दिया था। लोकनाथ विस्मय सुख से भीतर तक भर आए थे—"तो आप लोगों ने शरलॉक होम्स बनकर अपने ही गुरुजनों की जासूसी का शौक पाल रखा है, क्यों भाई?"

"सरजी, क्षमा करेंगे। हमने धृष्टता और की है। हमें पता चला है कि आप कचौड़ी, जलेबी और बूँदी का अच्छा शौक रखते हैं। वह भी भाभीजी के हाथों की बनी।"

"मैं समझ गया। बतरस यहीं समाप्त हो, आइए चलें कचौड़ी गली की ओर, जहाँ जिह्वारस हमारी प्रतीक्षा कर रहा है।"

काशी में सब लोगों ने कुछ-न-कुछ खरीदारी की थी। लोकनाथ ने ऋचा के लिए छोटी सी मनकोंवाली स्लेट ली थी। घर की तीनों स्त्रियों के लिए साड़ियाँ, बाबूजी के लिए नक्काशीदार छड़ी और अपने लिए ऋग्वेद संहिता, उपनिषद्, देवी भागवत। फणिभूषण ने पुस्तकों से भरा थैला सहेज लिया था—"सर, आपको पढ़ने का समय कब मिलता है? जब भी कहीं जाते हैं, झोला भरकर नई किताबें ले जाते हैं।"

उभया आजी ने जगमोहन से बड़ी मीठी शिकायत की थी—"कलकत्ता के कमाई, कलकत्ता में गँवाई। लोकनाथ बबुआ के हाथ में विद्या के रेख बा, धन के नाहीं। ए जगमोहन, हमार बात मान बबुआ, एही आरा शहर में जमीन लेके छोटहन घर बनवा दे। सीतलटोला के किरायावाला डेरा में कब ले बसेरा करबजा।"

जगमोहन ठठाकर हँसे थे, "आरा से तुमको कब से परेम हो गया काकी?"

"जब से रिचिया हमरा गोदी में सरन लेले बाड़ी, तबे से ए बबुआ। असल से

सूद के मोह-माया बेसी होखेला नु। अब त इहे हमार परान-पुतरी भइल बाड़ी।''

ऋचा देखते-ही-देखते ढाई वर्ष की हो चुकी थी। काशी से लौटे तो हुमककर उनकी गोद में जा बैठी थी। जब उन्होंने नई स्लेट-पेंसिल दी, तब भी उसका ठुनकना बदस्तूर जारी था, गंगेश्वरी हँस पड़ी थीं—''अपनी जेब से नया वाला पारकर पेन दीजिए और नई कॉपी भी, तब मानेगी। आपने इस खूब बिगाड़ रखा है।''

उभयनिष्ठा और योगेश्वरी पारी-पारी गाँव और आरा, दोनों घरों की जिम्मेदारी सँभालतीं। जगमोहन तिवारी का स्थानांतरण पटना हो गया था। वे शीतल टोलावाले मकान से ही जाना-आना करते।

ऋचा के लिए फल, मिठाई, चॉकलेट, हॉर्लिक्स और कपड़े। वह गोद में बैठते ही जिद करती, ''बाबा, कलम'''।''

''अरे भाई, इतनी चीजें तो हैं न, मेरी कलम लेकर क्या करेगी तू। कौन सी नयी रामायण लिखनी है तुझे? स्याही गिरा लेगी, नई फ्रॉक का सत्यानाश कर डालेगी।''

लोकनाथ की लेखनी के साथ-साथ होमियोपैथी की उनकी प्रैक्टिस भी जोर पकड़ने लगी थी। बेला महरी के बेटे को बुखार हो या शिवबंश बहू के जापे का कष्ट, चार-छह मीठी गोलियों के सेवन मात्र से गली-मुहल्लेवालों की सभी व्याधियाँ छू-मंतर होने लगी थीं। ऋचा को होमियोपैथी की मीठी गोलियों का चस्का लग चुका था। उन्हीं दिनों जगमोहन तिवारी के साथ वह हादसा हुआ था।

पटना स्टेशन पर केले के छिलके पर पाँव पड़ा और वे अपने भारी-भरकम शरीर का संतुलन खो बैठे थे।

रेलवे लाइन पर बीचोबीच गिरे जगमोहन की मदद के लिए अनेक लोग जुट आए थे, लेकिन उसी समय दूसरी ओर से मालगाड़ी चली आ रही थी। ड्राइवर ने गाड़ी रोकने की बेतहाशा कोशिश की थी—इंजन का अगल चक्का जगमोहन के बाँए पैर पर दबाव बनाता हुआ रुक गया था। आनन-फानन में रेलवे सहायताकर्मी जुट आए थे। घुटने की हड्डी में भयंकर चोट थी और जगमोहन पूरी तरह अचेत थे। पटना रेलवे अस्पताल के चिकित्सकों ने कलकत्ता ले जाने का परामर्श दिया था। वहाँ के बड़े शल्य चिकित्सक डॉ. लॉरेंस ने ऑपरेशन प्रारंभ किया था।

लोकनाथ और उनकी शिष्यमंडली अस्पताल में ही जुटी रही थी। जगिला माई के लगभग सभी आभूषण बिक गए थे। गंगेश्वरी ने अपनी चूड़ियाँ उतारकर दी थीं, ''पैसे कम पड़ें, तो इन्हें बेच दीजिएगा। बाबूजी के इलाज में कोई कमी न रहने पाए।''

डॉ. लॉरेंस ने अफसोस दिखाते हुए कहा था, ''लुक प्रोफेसर, आपके फादर स्वस्थ तो हो जाएँगे, लेकिन उनका जख्मी पाँव छोटा ही रहेगा। उन्हें छड़ी के सहारे...''

जगमोहन का साहस देखनेलायक था, ''बच्चा, आप लोग घबड़ाते क्यों हैं। नया जीवन मिला है। कुछ दिनों की बात है, घाव भरा जाएगा। धीरे-धीरे छड़ी लेकर चलना सीख जाएँगे हम। इतनी जल्दी आप लोगों से विदा लेनेवाले हम नहीं। अभी तो बहुत कुछ करना है, आप लोगों के लिए, ऋचा के लिए।''

आचार्य माधवेंद्रजी ने सूचित किया था—''प्राचार्य ने अपने भाँजे को विभाग में ज्वॉइन करा दिया है। लोकनाथ, मैंने लंबी छुट्टी के लिए आवेदन दे दिया है। मेरे गुरुभाई राजीवलोचनजी और मैं, हम दोनों सपत्नीक चारों धाम की यात्रा पर जा रहे हैं। तुम्हें एक बात समझनी है, यह व्यक्ति आपराधिक चरित्र का है। इससे जितनी तटस्थता बनाए रखोगे, उतना ही तुम्हारे लिए श्रेयस्कर होगा।''

पिता का अस्वास्थ्य, माधवेंद्रजी की अनुपस्थिति और विभाग का अतिरिक्त कार्य-भार, लोकनाथ विचलित हो उठे थे। उन्होंने आचार्य जगदीश से परामर्श लिया था। आचार्य आपदमस्तक स्नेहसिक्त थे—''रोज पढ़ाते हो, 'चंदन विष व्यापत नहीं' ज्ञान गरिमा के अग्रदूत हो! माधवेंद्रजी के लौट जाने तक तुम्हें अत्यंत आह्लादपूर्वक इस शिरोव्यथा का उपचार करते रहना होगा।''

नटेश्वर प्रसाद को हिंदी प्रतिष्ठा की अंतिम कक्षा दी गई थी। मैथिलीशरण गुप्त की 'यशोधरा'।

विद्यार्थियों को पूर्ण संयम बरतने का परामर्श देकर लोकनाथ घर चले आए थे। फणिभूषण हँसते-हँसते बेहाल हुए जा रहे थे—''सर, आज की कक्षा का आँखों देखा हाल सुनाता हूँ।''

विद्यार्थियों के द्वारा परिचय पूछे जाने पर नटेश्वर प्रसाद ने दनादन गोली दागनी शुरू की थी—''मेरा नाम नटेसर, बाप का नाम बटेसर, दादा का नाम तिलेसर, परदादा का नाम चलेसर और कुछ जानना चाहते हैं आप लोग?''

भोलेनाथ ने निरीह भाव से टोका था—''सरजी, यह सब नहीं, हमें आपके पूर्वजों की महान् गाथा नहीं जाननी। हो सके तो अपनी साहित्यिक उपलब्धियों के विषय में कुछ बताएँ।''

''अच्छा, अइसी बात है, तब सुनिए। हमने पिराइबेट एमे किया है। सूर, तूलसी, कबीर सबको दिन-रात घोखते थे। मैथीलीसरन को तो रट्टा मार के सटका दिए

थे। आउर का कहें, हींदी साहित में कुछुवो रखा है? एके बार जोर लगाए आ दन से फस्ट किलास पा गए।''

''सर, अब 'यशोधरा' के विषय में कुछ बताया जाए।

नटेश्वर सिर खुजलाते हुए किताब को देर तक निहारते रहे थे।

''देखो भाई लोग, आज तो पहिला दिन है। हम बादा करते हैं कि अगली किलास में इस पुसतक का मरम आप लोगन को ठीक-ठाक समुझाने की कोसिस करेंगे।''

दो-तीन विद्यार्थी अतिशय कौतुक की भंगिमा में थे—''सर, शुभस्य शीघ्रम्… । कम-से-कम 'यशोधरा' का काव्य-मर्म तो समझा दें…।''

''देखो बंधु, कोई मरद अपनी बियाहता को छोड़कर सधुवा जाए, इसको हम अनरथकारी मानते हैं। इसलिए ई गउतम बुध की बिरदावली गाने का बखत हमारे पास नहीं है। का समुझे। सेस अगली किलास में… ।''

माधवेंद्रजी लौटें, इसके पहले वह अघटित घटित हो चुका था। विद्यार्थियों ने अपने ढंग से समाधान ढूँढ़ा था।

नटेश्वर प्रसाद कक्षा में आते ही आगबबूला हो उठे थे। प्राध्यापकवाली डेस्क के साथ सारंगी चपरासी की दोनों बकरियाँ बँधी हुई, ब्लैक बोर्ड पर रंगीन खल्ली से वैशाखनंदन की छवि उकेरी हुई।

कक्षा खाली थी। सभी विद्यार्थी आम्रकुंज में छिपकर नटेश्वर प्रसाद की गतिविधियों का निरीक्षण कर रहे थे। फटे हुए बाँस सा सुर निकालते नटेश्वर सारंगी को आवाज दिए जा रहे थे—

''सारंगी… अरे ओ सरंगिया!''

हाथ जोड़े, काँपता हुआ सारंगी सामने आ खड़ा हुआ था—''ई किसका काम है? तुम्हारा न ससुर, एक लात लगावेंगे, तो अबहिएँ बेहोसी छाने लगेगी। ई छेरी सभन को कवन बाँधा है हियाँ।''

सारंगी को दोहत्थड़ लगाने लगे थे नटेश्वर। दुबला-पतला सारंगी सचमुच गश खाकर गिर गया था। विद्यार्थियों ने नटेश्वर को चारों ओर से घेर लिया था—''सर, आप आदमी नहीं, जल्लाद हैं। आपने इस गरीब को बेतरह मारा है। हम लोग थाने जा रहे हैं। आपको हथकड़ी लगेगी।''

किसी आसन्न विपत्ति की आशंका ने लोकनाथ को अस्थिर कर दिया था—

''फणि बाबू, यह ठीक नहीं हुआ। अध्यक्षजी ने सबको संयम बरतने के लिए कहा था। बात बढ़ेगी तो अनर्थ हो जाएगा। हम लोगों को इसी समय छात्रावास चलना होगा।''

नवादा लॉज, कतिरा लॉज, दोनों ही बिल्कुल खाली थे। नटेश्वर ने एक-एक विद्यार्थी के नाम शिकायतनामा दर्ज कराया था। माथे पर पट्टी बाँधकर वह प्राचार्य के सामने अरण्यरोदन कर रहा था, ''जिज्जाजी, बड़े खुराफाती हैं यहाँ के विद्यार्थी, देखिए, मार-मारकर हमारे माथे पर कइसा गूमड़ निकाल दिया। हम भी दमड़ीलाल थानेदार को सबकुछ सिखा आए हैं। दो-तीन दिन हाजत में बंद करके सोंटा घुमाएगा तो अक्कल ठिकाने आ जाएगी सुसरों की।''

लोकनाथ सीधे थाने गए थे, ''ये छात्र हैं, निरपराध हैं। इन्हें छोड़ दिया जाए।''

''इन्होंने नटेसर गुरु पर हमला किया है, प्राणघातक हमला। एक-एक के नाम से प्राथमिकी दर्ज है। अब कुछ नहीं हो सकता। इन्हें अदालत में पेश किया जाएगा। इन पर मुकदमा चलेगा।''

जगमोहन ने एक युक्ति निकाली थी, ''लोकनाथ, दमड़ीलाल का बाप मेरा मुसाहिब था। उसे किसी तरह मेरे पास ले आइए बेटा।''

गंगेश्वरी भयभीत हो उठी थीं—''आजी, अब क्या होगा? पराई आग में अपने को झोंक देना इनकी पुरानी आदत है।''

उभया आजी हनुमान चालीसा, बजरंगबाण का पाठ करती जा रही थीं—''तू घबड़ा मत कनिया, लोकनाथ बबुआ निरदोस बचवन के बचाव करत बाड़न। दुर्गा माता सब ठीक करिहें।''

दमड़ीलाल थानेदार ने जगमोहन के पाँव छुए थे, ''जो होना था, वह तो हो चुका लोकनाथ भाई, चाचाजी, अब हमारी बुद्धि एक ही रास्ता देख रही है। इजाजत दीजिए। बचवन को भूख-प्यास लगी होगी। हमको तुरत हाजत पहुँचना होगा।''

विक्रम हलवाई की दुकान से टोकरी भर पूड़ी-सब्जी मँगवाई गई थी—''जल्दी से खा-पी लीजिए आप लोग और अपने-अपने गाँव-घर का रास्ता पकड़िए। कम-से-कम एक महीना टैम लगेगा। लोकनाथ भइया नहीं होते न, तो इन लड़कों का बचना मुश्किल था। खैर, लीपा-पोती करनी होगी। इ नटेसर भी कम खुराफाती नहीं है।''

दूसरे दिन पूरे महाविद्यालय में तालाबंदी की घोषणा की गई थी। छात्र-संघ के

नेताओं का रौद्र रूप देखकर प्राचार्य के हाथ-पाव ठंडे होने लगे थे।

नटेश्वर अपनी कुटिलता से बाज नहीं आ रहा था। उसने लोकनाथ के नाम से शिकायतवाद दायर किया था। उसका आरोप था कि लोकनाथ विद्यार्थियों को उकसाते हैं, उसके खिलाफ वातावरण तैयार करते हैं।

दमड़ीलाल ने नटेश्वर को खूब डाँटा था, ''तुम्हारी यह बिसात कि तुम लोकनाथजी जैसे सुसभ्य व्यक्ति के विषय में अनाप-शनाप बातें लिखकर लाओगे और हम सब मान जाएँगे? बेतहर होगा कि तुम गाँव में जाकर गाय-बकरी चराओ। यह प्रोफेसरी तुम्हारे बूते की नहीं है। प्रिंसिपल साहेब, अपने इस साले को समझा दीजिए, आगे से कोई भी शिकायत हमारे पास नहीं आनी चाहिए।''

महाविद्यालय का परिवेश सामान्य होने में कम-से-कम महीना भर लग गया था। राजभवन से प्राचार्य के तबादले का आदेश आ चुका था और नटेश्वर बोरिया-बिस्तर समेटकर अपने गाँव वापस जा चुके थे।

लोकनाथ के व्यक्तिगत निबंध अवंतिका, पाटल, विशाल भारत, ज्योत्स्ना आदि पत्रिकाओं में छपने लगे थे। आकाशवाणी से उनकी लघुकथाओं, व्यंग्य लेखों और संस्मरणों का प्रसारण होने लगा था। नंदकिशोर काकाजी के, शिवपूजनजी, राहुलजी के उत्साहवर्द्धक पत्र आते रहते और लोकनाथ उन सभी पत्रों की सुंदर संचिका बनाकर सयत्न सहेजते जाते।

गंगेश्वरी अकसर पूछतीं, ''इतनी सारी चिट्ठियाँ¨? यही हाल रहा तो यह छोटा-सा दालान किताबघर बनकर रह जाएगा। सिरहाने, पैताने सब ओर किताब ही किताब। यह कलम का रोग बड़ा छुतिहर होता है। ऐसा न हो कि आपकी यह लाडली धिया रिचा भी।''

लोकनाथ तुरत प्रतिवाद करते—''रिचा नहीं, ऋचा बोलिए तारा रानी। कलम तो इसे पकड़नी ही है। आप तो बस इसके स्वास्थ्य और खान-पान पर विशेष ध्यान दीजिए।''

जगमोहन छड़ी लेकर दालान से गलियारे तक चहल-कदमी करने लगे थे। दाहिने पाँव पर जोर देते और बाएँ पाँव को हल्के से घसीटते। उनका अधिक समय बरामदे में रखी बेंत की कुरसी पर बैठे-बैठे बीतता था। ऋचा उनकी बालसखी हर घड़ी सेवा में तैनात होती—''बाबाजी, दरद हो रहा है। हम सहला दें, आपके लिए अदरकवाली चाय बनवा दें?''

"हाँ बच्ची, माई से कह बड़ेवाले फुलहा गिलास में ले आएँगी और साथ में कटोरी भी।"

"कटोरी क्यों?"

"अरे, तुम भी तो पिओगी न?"

बड़ी-बूढ़ियों की तरह अपने दोनों कान पकड़कर वह तुरत बरज देती—"न बाबा, न···आजी कहती है, चाय पीने से रंग काला होता है।"

"तो हम काले हैं?"

"नहीं न। आप नहीं, यह तो लड़कियों की आपसवाली बात है न।"

जगमोहन हो-हो करके हँस पड़ते थे, "तेरी फूल नानी खूब चाय पीती हैं—सुड़क-सुड़ककर, वे तो कितनी गोरी-चिट्टी हैं न।"

ऋचा झूठ-मूठ आँखें तरेरती—"अच्छा बाबाजी, आप हमारी नानी को नजर लगा रहे हैं न। आने दीजिए उन्हें, हम आपकी शिकायत करेंगे।"

उभया आजी तरकारी काटती, गेहूँ, चावल चुनतीं दादा-पोती की रसभरी बातों का आनंद उठाया करतीं।

योगेश्वरी को मझरिया गाँव से नेवता आया था। उनके मौसेरे भाई सुदर्शन ने पत्र लिखा था—"देवालय की बंदोबस्ती जमीन मौसाजी आपके नाम पर कर गए थे। दो एकड़ जोत की जमीन का दाम कम नहीं है। दिदिया, आप आकर सही कर दीजिए, ताकि जमीन पर आपका मालिकाना हक साबित हो सके।"

पूरे तीस वर्षों के लंबे अंतराल के बाद योगेश्वरी का नैहर जाना हुआ था। पिता के निधन का समाचार सुनकर भी नहीं जा पाई थीं। उभयानिष्ठा मलेरियाग्रस्थ थीं, गंगेश्वरी का प्रसव आसन्न था।

अब मौसेरे भाई ने बालहठ पसार दिया था—"दिदिया को मालूम कि पूरा गाँव आपको एक बार देखना चाहता है। आपके गुरुभाई देवदत्त पंडित विशेष रूप से उत्कंठित हैं। आप दोनों के लिए ही सही, मँझरिया पधारें अवश्य!"

चौड़े लाल पाढ़ की पीली रेशमी साड़ी, माँग में शलाका से भरा हुआ लाल सिंदूर, ललाटा पर खूब बड़ी सिंदूरी बिंदी। गंगेश्वरी ने उनके हाथों में भरकर लहठी चूड़िया पहना दी थीं—"सासु माई, कितने दिनों के बाद तो अपने गाँव जा रही हैं। लाइए, आपके पैरों में भर-भरकर आलता लगा दें।"

सुदर्शन की पत्नी ने आशंकित मन से स्वागत किया था—"क्योंजी, ऐसा तो

नहीं कि जगिला दीदी यहाँ की सारी जमीन, मकान-खेत बधार बेच-बाचकर चल दें और हमारी जिंदगी साँसत में पड़ जाए। इतने दिनों से जोतते-बोते आए हैं, अब अचानक सबकुछ छिन जाएगा तो हम लोग कहीं के नहीं रह जाएँगे।''

योगेश्वरी ने अपने गुरुभाई और समस्त गाँववालों के समक्ष स्पष्ट शब्दों में निर्णय सुनाया था—''मेरे पुत्र लोकनाथ को यहाँ की संपत्ति में कोई भी रुचि नहीं। सच कहूँ तो उन्हें अपनी पुश्तैनी जमीन-जायदाद सँभालने की भी फुरसत नहीं। पुस्तकों में ही उनके प्राण बसते हैं। उनका भी यही विचार है कि मेरे भाई सुदर्शन पूर्ववत् यहाँ का बंदोबस्त देखते रहें। हाँ, वे और मेरे गुरुभाई दोनों मिलकर देवालय के पिछवाड़ेवाली जमीन पर गाँव के बालकों के लिए एक विद्यालय अवश्य खोलें। मँझरिया गाँव की अपनी पैतृक संपत्ति मैं सुदर्शन भाई और उनकी संतानों को सौंपती हूँ। मैंने आरा के धरणीधर वकील से पोख्ता दानपत्र बनवा दिया है। मँझरिया के पंचायत प्रमुख और ग्रामसेवक ने साक्षी के तौर पर हस्ताक्षर किए थे।''

वापसी से थोड़ी देर पहले योगेश्वरी देवालय की उस कोठरी में गई थीं, जिसमें उनके पंडित पिता ने अपना संपूर्ण जीवन व्यतीत किया था, देवानाथ ने आदरपूर्वक नया आसन बिछाया था, ''आप यहाँ बैठिए बहिन, हम आपके लिए शरबत-पानी का प्रबंध···''

''नहीं, मुझे किसी वस्तु की कोई आवश्यकता नहीं। भाई, मैं थोड़ी देर यहाँ एकांत में बैठना चाहती हूँ।''

पूर्व दिशा में खुलनेवाली खिड़की को काफी मशक्कत के बाद खोला था उन्होंने। उनके पिता आदेश दे रहे हों जैसे—''जगिला ईशान कोण का यह झरोखा बंद मत रखना बचिया, भुवन भास्कर की पहली किरण को रोकना अस्वास्थ्यकर होता है।''

उन्होंने पलंग पर पड़ी चादर को धीरे से सरकाया था—गोल आसंदी, स्थान-स्थान पर लाल, काले धागों की तुरपन भरी पैबंदोंवाली, पुरानी तोशक, शीतलपाटी, खड़ाऊँ, अलगनी से झूलती मिरजई, धोती, सबकुछ बिल्कुल पहले की तरह, उन्होंने आँखें मूँदकर उस सुनहले अतीत का आह्वान किया था—'आश्चर्य हो रहा है जगिला बच्ची, मैंने तुम्हें तो कभी संस्कृत पढ़ाई नहीं, फिर भी इतनी सुंदर संस्कृत भाषा बोलना कैसे सीख गई ?'

'आप अपने विद्यार्थियों को पढ़ाते रहते हैं न बाबूजी, आप ही से तो सीखा है हमने।'

अपनी आँखों में उमड़ आए अश्रु-ज्वार को समेटते हुए उत्फुल्लता का प्रदर्शन करते शास्त्री जी—'तू बिटिया बनकर जनमी, इसलिए ज्ञान की यह विरासत तुझे नहीं सौपूँ, ऐसा अन्याय मैं नहीं कर सकता। तू कल से मेरे विद्यार्थियों के साथ बैठकर विद्याध्ययन करेगी।'

वैदिक, औपनिषदिक साहित्य, वाल्मीकीय रामायण, श्रीमद्भागवत, संस्कृत वाङ्मय की दुर्लभता से एक-एक करके परिचित होती गई थीं योगश्वरी। साम की ऋचाओं का गायन हो अथवा बाल्मीकीय रामायण का रागबद्ध उच्चार, सांध्य दीप का आलोक पर्व मनाते देवालय का कोना-कोना स्वर्गिक आह्वान से आप्यायित हो उठता। घर-गृहस्थी की चक्की में पिसकर अपना सकल विद्या मर्म बिसरा बैठी थीं वे। उभयनिष्ठा काकी दाँतों तले उँगली दबातीं, "काहे रे कनियवा, बिना महतारी के धिया, सरब गुन के आगर कइसे हो गइलू। के सिखवले बाऽ घर कारज के अइसन सुधराई।"

देवालय, आँगन और चौबारा की ऐसी सुंदर सफाई और साज-सज्जा देखकर टोलेवाले अचरज में भर उठते—"कसीदाकारी, कपड़ों की सिलाई, बरतन-बासन पर पच्चीकारी का काम, गाँव-घर की अल्हड़ बालिकाओं को अक्षर-ज्ञान, रामायण के छंद, दोहे, चौपाई हों या भजन, निर्गुण और लोकगीतों की मीठी धुन, योगेश्वरी सबमें आगे होतीं।"

जगमोहन को योगेश्वरी के गुण अवगुण प्रतीत होते—"औरत जात का धर्म है, पति की आज्ञा का पालन करना। गाँवभर की बहू-बेटियाँ मुँह-माथ उघारे, काँखासूती साड़ी पहिनकर कागज काला करती फिरें और मरदमानुस अपनी गिरहस्ती को बरबाद होता देखता रहे। बहुत हो गया जगिला रानी, अब इस अँगनाई में आपकी सखियों की रात्रि पाठशाला नहीं लगेगी और हाँ, सिलाई, कढ़ाई यानी कि दरजीगिरी की दुकान भी कल से यहाँ नहीं लगनी चाहिए।"

योगेश्वरी का रोम-रोम प्रतिरोधी बना हुआ था, उभया काकी के इंगित पर उन्होंने गहरे मौन का रक्षा-कवच धारण किया था—"ठीक है, यह आपका घर है, इसलिए मुझे आपका दासत्व स्वीकारना होगा। मेरी प्रतीक्षा लोकनाथ के सयाने होने तक है। जिस दिन उनकी अपनी गृहस्थी सजेगी, मैं अपना ज्ञान-चीवर फिर धारण करूँगी।"

गंगेश्वरी खूब उत्साहित थीं—"तीन-तीन काठ के संदूकचों में इतनी सारी

किताबें? सासू माई, आप इतनी पढ़ी-लिखी हैं। आपके आगे हमारी क्या बिसात भला?''

''ऐसा मत कहो कनिया, हम तुम्हें पढ़ाएँगी।''

लोकनाथ बेहद आह्लादित थे—''मुझे बाहरी कामों से फुरसत नहीं मिलती। माई, आप ही इन्हें सँभालिए। मैं चाहता हूँ कि हमारी किताब-संस्कृति की धरोहर को तारा रानी ठीक तरह से सँभाल लें।''

योगेश्वरी ने पिता की स्मृतियों को अंतिम प्रणाम किया था—''आशीर्वाद दीजिए। लोकनाथ की विद्या-बुद्धि दिन-दिन विकसित हो। ज्ञान की यह धरोहर उनमें और उनकी संतानों में यशोदीप्ति बनकर फले-फूले।''

आरा का शिवगंज मुहल्ला। श्री बैजनाथ बाबू का अहाता। जगमोहन ने बैजनाथ बाबू के पोते से बातचीत की थी—''सुना, आप लोग जमीन बेच रहे हैं। मुझे थोड़ी जमीन चाहिए।''

शिवनाथ बाबू ने एक ही शर्त रखी थी—''मुझे पैसे नगद चाहिए। कोलकाता में अपना निजी कारोबार शुरू करना है।''

आनन-फानन में सबकुछ तय हुआ था। योगेश्वरी ने धीरे से कहा था—''एक बार मिट्टी की जाँच करवा लेते··· । इतना महँगी जमीन का सौदा करने के पूर्व··· ।''

जगमोहन तिनक उठे थे—''अब क्या बोल रही हैं? महीने भर नैहर कमाकर लौटी हैं। यह टोका-टोकी का बखत नहीं है।''

''हमने तो इसलिए कहा था कि थोड़ा वास्तुदोष परख लेना चाहिए था।''

जगमोहन का पारा सातवें आसमान पर था—''काकी, इनसे कहिए, ये अपना मुँह बंद रखें। हम वास्तु-फास्तु दोष में विश्वास नहीं करते। काकी, आपने ही कहा था न, लोकनाथ की गृहस्थी बड़ी हो रही है, उनका पुस्तकालय विशाल हो रहा है। जल्दी से एक घर बने तो सभी समस्याओं का स्थायी समाधान हो पाए। पंडित-पुरोहित के चक्कर में पड़ने की फुसरत हमें नहीं। बड़ी मुश्किल से जमीन के मालिक को राजी किया है।''

उभया काकी ने बीच-बचाव किया था—''जाए द, ए जगिला कनिया, सुभ-सुभ मनाव। बड़ी हुलास में बाड़न जगमोहन, उनकर बात मत काट।''

लोकनाथ ने एक युक्ति निकाली थी—''माई, ताराजी और उभया आजी, आप तीनों हमारे साथ चलें। वास्तुपूजन के पहले माई जमीन को परख लेंगी, उन्हें संतोष

हो जाएगा।''

योगेश्वरी ने हल्का सा प्रतिवाद किया था—''जाने दो बबुआ, तुम्हारे बबूजी का क्रोध बढ़ाने से कोई लाभ नहीं।''

''बाबूजी पटने से दो दिन बाद लौटेंगे। एक बार घूम लेने में कोई हर्ज नहीं।''

योगेश्वरी ने पूरे भू-खंड को नंगे पाँव नापा था। मंत्र पढ़ती, धीरे-धीरे आगे बढ़तीं, उत्तर-पूर्व कोण पर सहसा रुक गई थीं वे। पैरों के नीचे धरती का भारीपन, एक अव्यक्त सा खिंचाव, माटी के निष्पंद होने का आभास, नथुनों में चिरायँध सा अहसास, कुछ तो गड़बड़ है।

उभया काकी पीछे-पीछे हाँफती आ रही थीं—''का भइल जगिला कनिया, थथम काहे गइलू?''

उन्होंने मौन साध लिया था। कुछ भी कहने का अर्थ होता, घर भर में एक नए बवाल का उठना। ''कुछ नहीं काकीजी, चलिए, घर चलें।''

महाविद्यालयवालों ने एक नए नाटक के शुभारंभ की तैयार की थी—'वर्द्धमान महावीर'! विभागीय पुस्तकालय के लिए समुचित धनराशि एकत्र करने का लक्ष्य सोचकर विद्यार्थीगण विशेष उत्साहित थे। जगमोहन का प्रस्ताव था, 'लोकनाथ कुछ दिनों के लिए महाविद्यालय से अवकाश लें और नए घर का नक्शा आदि बनवाने की जिम्मेदारी उठाएँ।'

लोकनाथ ने उभया आजी के माध्यम से कहलवाया था—''एम.ए. के विद्यार्थियों की परीक्षाएँ समीप हैं। पाठ्यक्रम पूरा करवाना है। कुछ विद्यार्थी विशेष रूप से कमजोर हैं, उन्हें अलग से पढ़ाने की आवश्यकता है। प्रतिदिन संध्या समय हरवंश बाबू के होमियोपैथी दवाखाने में बैठना जरूरी है। आजी, मेरी तो हिम्मत नहीं है। आप बाबूजी से कहें, किसी ठेकेदार को यह काम सौंप दिया जाए तो...''

जगमोहन का रक्तचाप बढ़ गया था—काकी, आप एक कहावत कहती हैं न,

जइसन रहल को कुटुंब,

तइसन पइल हो कुटुंब।

''आपकी प्रिय पतोहू योगेश्वरी उर्फ जगिला देवी नइहर की सकल जायदाद दूर के रिश्तेदारों में बाँटकर झाँझ-मँजीरा बजाती खाली हाथ लौट आईं। हमारे पूछने पर तर्क क्या दिया कि वे लोग जोत-बो रहे हैं, इसलिए उनकी आह लगेगी। अब बताइए भला, आरा जैसे शहर में जमीन खरीदकर मकान बनवा लेना हँसी-खेल है

क्या? इधर हमारे बबुआ सुपुत्तर लोकनाथजी हैं। सबकुछ धर्मार्थ ही करेंगे। पड़ोस के प्रोफेसर लालमुनि बाबू को देखिए, धुआँधार ट्यूशन पढ़ाकर चार मंजिला बिल्डिंग ठोक चुके हैं। सब भाग्य का खेल है।''

लोकनाथ सबकुछ सुनते, मुसकराकर रह जाते। पिता के क्रोधानल के पीछे छिपे स्नेह की शीतलता को खूब पहचानते थे वे।

उभयाकाकी जब-तब जगमोहन को समझाया करतीं—''लोकनाथ बबुआ विद्यादानी बाड़न। उनकर इ पुन्य कतहीं ना जाई। हमार कनिया गंगेसरी छछात गउरी पारबती बाड़ी। तू बेसी फिकिर मत कर, काली माई सब सँभार लीहें।''

लोकनाथ के औदार्य की धूम पूरे महाविद्यालय में थी। अर्थशास्त्र के रमेश बाबू हों या मनोविज्ञान के राणाजी, अंग्रेजी के नवीनजी हों या वनस्पति विज्ञान के अस्थाना बाबू, संस्कृत के शास्त्रीजी हों या उर्दू कि रामलाल जी, प्रत्येक के साथ गहरा सुहृदयभाव था उनका।

नवीनजी वड्र्सवर्थ की रोमानियत के पोषक थे, शास्त्रीजी मध्यकालीन काव्य-परंपरा के हिमायती, सूर-तुलसी से लेकर, गालिब, मीर, चकबस्त तक पदों, सवैयों, छंदों और नजमों की झड़ी लगा देनेवाले शास्त्री को भारतीय ज्योतिष विद्या में महारत हासिल थी। गुरुओं की उस मंडली में आचार्य जगदीश बहुधा सम्मिलित होते और तांबूल-रंजित होंठों पर रहस्यमयी मुसकान लिये लोकनाथ को एकटक निहारा करते। इस रहस्य का भेद एक दिन उन्होंने स्वयं ही खोला था—''मेरी आत्मवत् प्रीति सकारण है। आपकी वय का मेरा भी एक ही पुत्र है, वह भी लोकनाथ ही है। वैभिन्न्य इतना है कि वह काला आखर भैंस बराबर है। उनकी माताश्री ने 'पढ़तं तब भी मरतं' वाला सिद्धांत अपनाया। पाँच एकड़ उपजाऊ जमीन के रहते बबुआ पढ़ि के का करिहें। घर के एकेगो पढ़निहार बहुत बाऽ। हमार बचवा पहलवानी करिहें। आप नवरात्र आराधन के पश्चात् क्षमा-प्रार्थना करते हैं न लोकनाथजी— कुपुत्रोजायेत क्वचिदपि कुमाता न भवति। सो, एक बात जान लें, मेरे लोकनाथ की माता ने क्या खूब अपना जननी-धर्म निभाया। प्रणम्य हैं आपकी माश्री, जिनके दिए संस्कारों ने आपको इतनी सकारात्मक ऊर्जा दी है। यही कारण है लोकनाथजी, मेरे अभाव की वेदना को आप में पूर्णता का परितोष मिलता है। आप मेरे लिए कार्तिक-गणेश की तरह दुलरुआ हैं।''

लोकनाथ वात्सल्य-विवश आचार्य को श्रद्धाभाव से देखते रहे थे। उनकी आँखें

भर आई थीं। उन्होंने झुककर आचार्य के चरण छुए थे—''आशीष दें, गुरुवर, आपकी महनीयता के योग्य स्वयं को प्रमाणित कर पाऊँ।''

''प्रणम्य हैं तुम्हारी मातेश्वरी, लोकनाथ, युग-युग जियो वत्स! अपने कीर्तिमय शरीर से साहित्य देवता की अहर्निश सेवा करते रहो। आज यह बालक जगदीश माँ की करुणा के समक्ष नतमस्तक हुआ। जगज्जन्नी ने तुम सा पुत्र मुझे सौंपा।''

जगमोहन-निकेतन की नींव डाली गई थी। शिलान्यास के समय कुछ अशुभ लक्षण प्रकट हुए थे। भोला श्रमिक कुदाल फेंकता हुआ बाहर कूद पड़ा था, ''लच्छन जबून बा ए बबुआऽ'', लोकनाथ पूजा के आसन से उठ खड़े हुए थे, ''क्या हुआ भोला भइया?''

''देखीं तनी, इमदी के गोड़ के साबुत हड्‌डी। इ जमिनिया भुतहा बिया ए मालिकजी।''

जगमोहन उसे डपटते हुए सामने आ गए थे—''बुढ़ापे में मति बौरा गई है, भोला। दिखाओ तो सही।''

वह साबुत नरकंकाल था। दोनों पैर ऊपर की ओर उठे हुए, मानो कह रहा हो, देखते क्या हो, मुझे यहाँ से बाहर निकालो!

लोकनाथ ने रहस्यमयी दृष्टि से योगेश्वरी को निहारा था—''माई, यहीं आपने अपने पैरों की जकड़न महसूस की थी न।''

योगेश्वरी ने सतेज स्वर पंडित छविनाथ को आदेश दिया था—''इस शरीर की मुक्ति का तुरत प्रयत्न करें। नींव-पूजन का कार्य अगली तिथि तक स्थगित करें।''

जगमोहन भीतर-ही-भीतर सहम गए थे—''यह जगिला कोई विद्याधरी माया जानती है क्या काकी, इसे कैसे पता चल गया था कि इस जमीन के भीतर कुछ गड़बड़ है और इसे अंदाजा था तो इसने मुझे पहले से क्यों नहीं बताया?''

उभया खीझ उठी थीं—''तहार जवन अगियावैताल मती-बुद्धि बा नु जगमोहन, केकर हिम्मत बा कि तहार बात काटी। रहल बात जगिला कनिया के गियान की। त ऊ कवनो इस्कूल में नइखी पढ़ल, बाकिर उनका पासे जोतिसीजी के ग्यान-धेयान आ सिंस्कार बा···ऽ। ऊ हमार घर के जोत हई।''

लोकनाथ अकसर गंगेश्वरी से कहा करते—''मेरी माई के पास आध्यात्मिक शक्ति है। वह अजपा जप में लगी रहती है। आपको भी अपना ज्ञान बढ़ाना चाहिए ताराजी, कुछ न हो, तो घर के पुस्तकालय से ही किताबें निकालकर पढ़ती रहें।''

गंगेश्वरी बीच-बीच में प्रतिवाद करतीं, "कब पढ़ाई करें! सुबह से आपकी लाडली के नखड़े उठाएँ, बाबूजी के लिए बिना चीनीवाली चाय, उबली हुई तरकारी, सासूमाई के लिए फलाहार, आपके लिए गुड़ भरी रोटी, कपड़ा-लत्ता समेटते, नहाते-धोते दोपहर ढल जाती है। आपकी शिष्य मंडली, मित्र मंडली, गुरु मंडली, घर में आनेवाले किसिम-किसिम के लोग, जैसी आमद, वैसी ही सेवा।"

आचार्य जगदीश गंगेश्वरी को अन्नपूर्णा का अवतार कहा करते थे। सुबह, शाम, आधीरात को कभी कोई अतिथि आ जाए, ताजा परसा हुआ भोजन उसके सामने हाजिर होता। गंगेश्वरी की भूख-प्यास, नींद, उनकी प्रत्येक गतिविधि लोकनाथ का अनुसरण करनेवाली थी।

तीन पुस्तकें पटने के प्रेस में छप रही थीं। लोकनाथ को प्रतिदिन दोपहरवाली ट्रेन से पटना जाना होता था और प्रेस का काम देखकर रात गए वापस आने का क्रम था। सब लोग सो जाते, गंगेश्वरी ऋचा को सुलाती, रोटी गरम करने का सरंजाम जुटातीं, तब तक जगी रहीं, तब तक फाटक की कुंडी नहीं बजती। लोकनाथ हाथ-मुँह धोकर तैयार होते और गंगेश्वरी गरमागरम रोटियाँ लिये मेज पर उनकी प्रतीक्षा करतीं।

लोकनाथ का एक और नियम था। सोने के पहले वे जगमोहन के कमरे में अवश्य जाते। हाथ में तेल की कटोरी लिये चुपके से उनके पैरों में मालिश करते और उन्हें चादर, कंबल ओढ़ाकर अपने कमरे में आते।

जगमोहन कुछ बोलते नहीं थे, पर उनका रोम-रोम श्रवण बना रहता था। इकलौते पुत्र की वह सेवा उनके स्वर्गिक सुख का आधार थी।

उन्हीं दिनों एक और नाटक के मंचन की योजना बनी थी। एम.ए. हिंदी के पाठ्यक्रम में पढ़ाया जानेवाला जयशंकर प्रसाद का सुप्रसिद्ध नाटक 'स्कंदगुप्त।'

आचार्य माधवेंद्र उल्लसित थे—"लोकनाथजी, कविता के बाद अब निबंध के आने की बारी है। फणि ने मुझे बताया कि आप दुबारा पिता बननेवाले हैं। बधाई हो।"

गंगेश्वरी अतिशय शैथिल्य की दशा से गुजर रही थीं। पीपल के पियराए पात-सी देह, मुरझाए हुए पीतकमल सा मुख, बड़ी-बड़ी आँखों में अहर्निश क्लांति की छाया, लोकनाथ ने हरवंश बाबू से परामर्श किया था—"भूख नहीं लगने और बराबर मितली महसूस करने के लक्षण हैं। कौन सी दवा ठीक रहेगी?"

उभया आजी ने हँसकर बरज दिया था, "अबकी लच्छन बिपरीत बाऽ! कवनो दबा-बीरो काम न करी। दू-तीन महीना बीत जाए द, कवनो उपचार के जरूरत

नइखे। सब ठीक हो जाई।''

जगिला माई की हिदायत अलग थी, ''हरिवंश पुराण पढ़ो कनिया, सबकुछ भगवान् ठीक करेगा।''

गंगेश्वरी ने सासू माई से चिरौरी की थी—''मेरी माँ को बुलवा दीजिए। वे रहेंगी तो रसोई-पानी ठीक से सँभल जाएगी।''

खरहाटाँड़ से बासमती चावल की बोरी, महीन गमकौआ अरवा-चूड़ा, नए गुड़ की चकरी, चावल, चीनी, तिल का बना पटउरा, तीसी के लड्डू की भारी-भरकम सौगात लेकर फूलमणि आरा पधारी थीं। बिंदेश्वर को तुरत वापस लौटने की हड़बड़ी थी। वे शरबत पीकर लौट गए थे।

लोकनाथ ने पाँव छूते हुए सादर परिहास किया था—''सासू माँ, आपकी नकबुल्ली की जोत से पूरा शीतल टोला उजागर हो गया है। ऐसी सुंदर नकबुल्ली मैंने कहीं नहीं देखी। आप हँसती हैं न तो दाँतों की चमक से इसके मोती और भी आबदार हो उठते हैं।''

फूलमणि ने धीरे-से घूँघट हटाया था—''काहे बबुआ जी, हमीं से ठिठोली? अच्छा, एक बात बताइए तो! आपकी योगेश्वरी माई हमसे उमिर में तनिक बड़ी हैं, लेकिन उनके साँवरे रूप के आगे सबकी छवि फीकी है। हमारी धिया गंगेश्वरी दूध सी गोराईवाली है, लेकिन आपकी सुंदरता उससे अधिक है न।''

''अरे, सासू माँ, हम तो आपका बखान करते नहीं थकते। आज महाविद्यालय जाना है, लाइए, आपकी एक सुंदर सी फोटो निकाल लें और विभाग में सबको दिखाएँ—''ऐसी हैं परमसुदंरी हमारी सासू माँ।''

फूलमणि ने हँसकर अपना चेहरा आँचल से छिपा लिया था—''हटिए भी बबुआजी, सास से ही ठिठोली।''

रामगहन ने गंगेश्वरी को उस नकबुल्ली का रहस्य बताया था—''गौने में आईं तो सबसे पहले इस नकबुल्ली के ही दर्शन हुए थे। नाक के दोनों छिद्रों के बीचवाले जोड़ में सोने के पतले तार से बेधन करके पहनाई गई खूबसूरत नग जड़ी, होंठों तक लटकती नकबुल्ली।

खरहाटाँड़वालियों ने खूब रस ले-लेकर इस नए डिजाइन के गहने की चर्चा की थी। रामगहन की मुँहबोली भौजाई केसर देई ने बड़ा महीन कटाक्ष किया था—''इस लाल नगीने को पहिले से ही ओंठ पर असवार करा लाई कनिया?''

फूलमणि के साथ आई लोकनी ने तमककर उत्तर दिया था—"हमारे गाँव सिंघनपुरा में मेहरारू का सिंगार है नकबुल्ली। नथनी से बेसी पावर इसका है भउजी, सोने में धुला पानी मुँह में जाता है। भीतर-बाहर लोक-परलोक सब पबित्तर करता है।"

फूलमणि की माँ ने हिदायत थी, "चाहे कुछ हो जाए, यह नकबुल्ली नहीं उतारनी है।"

आरा सदर अस्पताल की भादुड़ी नर्स गंगेश्वरी की प्रसवपूर्व जाँच करने आई तो फूलमणि के उस गहने को देखती रह गई थी। ऊपरी होंठ को छूती हुई उस नन्ही सी लालमणि का उन्होंने धीरे से स्पर्श किया था—

"एइटा कि?"

"क्या है यह?"

"यह मरकत है, इसमें हम अपना मुख निहारते हैं।"

"मा गो, कत सुंदर।"

ऋचा उनकी गोद में बैठकर मचलती, "नानी, दो न, हम भी पहनेंगे।"

और फूलमणि उसे ललमुँही मेम की कहानी सुनाने लगीं—

"उस मेमिन ने भी कहा था—खोलना इसे, अम देखना चाहते हैं।"

फूलमणि ने रामगहन से कहा था—"कह दीजिए इसको, यह नुमाइश की चीज नहीं, हमारे सिंगार की चीज है। इसे खोलना मना है।"

'स्कंदगुप्त' का मंचन रूपम के रंगमंच पर हुआ था। नाट्य सम्राट् पृथ्वीराज कपूर लोकनाथ के निमंत्रण पर आरा पधारे थे। दर्शक-दीर्घा में सबसे आगे बैठी फूलमणि के मुख पर चमकते नायाब आभूषण को उन्होंने गौर से देखा था—"लोकनाथ, आपके शहर में इस डिजाइन का गहना मैंने पहली बार देखा है। अपनी किसी फिल्म में मैं इसका उपयोग अवश्य करूँगा।"

कपूर परिवार का मुखिया बंबई की रूप नगरी से उठकर आरा जैसे छोटे शहर में थियेटर का साक्षी होगा, इसकी किसी ने कल्पना तक नहीं की थी। स्वयं पृथ्वीराज साहब ने कहा था, "मेरी व्यस्तताएँ अनंत थीं, लेकिन लोकनाथ ने जिस जादुई शैली में निमंत्रण-पत्र भेजा, मैं उसका कायल हुआ। उस बुलावे में ऐसी कशिश थी कि मैं इनकार नहीं कर पाया।"

नाट्य सम्राट् पृथ्वीराज जैसी महनीय अस्मिता के स्वागत की अभूतपूर्व तैयारी

की गई थी—गुलाबी मिर्जई, पीले रंग की धोती, हाथ में लंबी लाठी, घुँघरू बँधा हुआ, माथे पर गुलाबी साफा धारण किए विद्यार्थियों की टोली अभिनंदन का साज सजाए चुस्त-दुरुस्त खड़ी थी।

महाविद्यालय के आचार्य भाषण मंदिर में ऐसा दिव्य स्वागत!

वृहत्तर कायावाले अभिनय गुरु ने मुसकराते हुए लोकनाथ के कंधे पर हाथ रखा था—"एक बात बताएँ, ऐसा अभिनंदन कहीं नहीं देखा। यह लाठी-संस्कृति क्या है?"

लोकनाथ ने विनम्र भाव से उत्तर दिया था, "लाठी भोजपुर की शान है, आन-बान और स्वाभिमान है। यह लाठी हम भोजपुरिहों की पहचान है और जब कोई देवोपम अतिथि आता है, तो उसके स्वागत में गार्ड ऑफ ऑनर देना भी इसी लाठी का ही काम है। महानुभाव, इसी लाठी के बल पर आपकी सुरक्षा का सरंजाम है।"

समुद्र के फेनिल ज्वार सा वह अट्टहास! "लोकनाथ जी, आप यहाँ क्या कर रहे हैं? चलें, हमारे साथ बंबई चलें।"

लोकनाथ हँस पड़े थे—"मैं यहीं ठीक हूँ।"

मंच पर आसीन मुख्य अतिथि, आचार्यत्रयी और माइक पर उद्घोषणा करते, छात्रों की उमड़ती हुई भीड़ को संबोधित करते लोकनाथ—"हिंदी माँ की सेवा में मनसा, वाचा, कर्मणा समर्पित आचार्यत्रयी के श्री चरणों में लोकनाथ का सादर नमन। हिंदी के भविष्य, भारत-भाल के गौरव मेरे युवा साथियो! और आज के सर्वप्रमुख आकर्षण, हिंदी सिनेमा जगत् के नटराज श्री पृथ्वीराज कपूर! बाबू कुँवर सिंह की क्रांतिभूमि आरा आज एक अभिनव क्रांति की साक्षी बनी है। आप सबों की धमनियों में नव उत्साह की, शुभ कला, संस्कृति की प्रवाहमयता का प्रभाव अभी से दिखने लगा है, तो आइए, करतल ध्वनि से पृथ्वी थियेटर के चक्रवर्ती सम्राट् पृथ्वीराज कपूर महोदय का भव्य स्वागत करें।"

तालियों की गड़गड़ाहट से पूरा परिसर गूँज उठा था। पृथ्वीराज कपूर अपनी चिर-परिचित अदा के साथ उठे थे। मंच के बीचो-बीच आते हुए उन्होंने छात्रों का अभिवादन हाथ हिलाकर किया था और तनिक आगे बढ़कर लोकनाथ को अपनी विशाल भुजाओं में भर लिया था।

"माता-पिता के शुभकर्मों का ही प्रतिफल हुआ करती है ऐसी संतान। लोकनाथजी, आपकी यशस्विता दिन-दूनी, रात चौगुनी बढ़े। आप वाणी के बेताज

बादशाह बने रहें।''

आचार्य माधवेंद्र ने अपने उद्‌बोधन में एक महत्त्वपूर्ण वाक्य कहा था—''संवादधर्मिता के बेजोड़ जौहरी हैं, हमारे पृथ्वीराज साहब। स्वाधीनता प्राप्ति के बाद स्वदेशी की अभिरुचि लेकर हिंदी भाषा और साहित्य के प्रति युवाओं का जो अनुराग बढ़ा है, उसका एक बड़ा कारण हिंदी सिनेमा का आविर्भाव। और मेरा यह मानना है कि पृथ्वीराज साहब ने हिंदी, उर्दू दोनों भाषाओं की गंगा-जमनी तहजीब को आगे बढ़ाने में एक अग्रदूत की भूमिका निभाई है।''

पुलकित तन-मन, भीगे नयन लेकर नाट्‌य सम्राट् आरा से विदा हुए थे।

जगमोहन ने नंदकिशारे तिवारी को पत्र लिखा था—

''भाई, तुम्हारे चेले लोकनाथ ने जग जीत लिया है। अब लगता है, हिंदी पढ़कर हमारे सुपुत्तरजी ने गलत नहीं किया है।''

वे कभी-कभार ऋचा को दुलारते हुए कहते, ''तुझे टीचरी नहीं करनी है बचिया। हम तुझे आला अफसर बनाएँगे। अच्छा बता तो, बड़ी होकर तू क्या बनेगी?''

ऋचा अपने फूले हुए गालों को और फुलाकर बड़ी-बूढ़ियों सा अभिनय करती लोकनाथ की लिखनेवाली डेस्क के सामने जा विराजती। उनकी कलम खोल कागज पर आड़ी-तिरछी लकीरें खींचती शरारत भरी आँखों से उनकी ओर निहारती—''हम बाबूजी बनेंगे। सुना आपने बाबाजी, हमको बस बाबूजी बनना है और कुच्छ नहीं।''

उभयाआजी के पोपले मुख पर हँसी की महीन रेखाएँ थीं—''तहार पोती आपन बाप के असल बेटी बनिहें, ए जगमोहन, अब पोता जनम लीहें, उनका पर आसरा लगइह! उनके के अफसर बनइह।''

भादों की गहरी अँधेरी रात थी।

सबको भोजन करा बरतन समेटने लगीं तो वेदना की एक तेज लहर उठी थी।

गंगेश्वरी ने धीरे से कराहते हुए आवाज दी थी—''सासू माई, आ जाइए?''

जगिला दौड़ती हुई रसोईघर में आ पहुँची थीं—''क्या हुआ कनिया?''

उभया आजी ने खटिया से उठने की कोशिश की थी—''ऐ जगिला कनिया, जगमोहन के जगाव! भादुड़ी नरस के बोलाव लोग, टैम आ गइल बा।''

रात के तीसरे पहर में लोकनाथ की दूसरी संतान—क्षीणकाय बालक ने जन्म लिया था। शिशु के उस प्रथम क्रंदन के साथ उभया आजी के हाथ काँसे की थाली

बजाने के लिए उद्यत हो उठे थे।

"बहुत भाग्यशाली है यह जातक, चक्रवर्ती सम्राट् के सारे लक्षण प्रकट हैं। परम ज्ञानी, उद्भट विद्वान् होगा यह बालक!"

जगिला ने पाँचों पोशाक के साथ सीधा और नगदी देकर महाराजजी की विदाई की थी।

आचार्य माधवेंद्र ने नामकरण किया था, "स्कंद! इस बालक को एक दिन उच्च प्रशासकीय पद प्राप्त होना है। इतिहास बदलकर रख देगा तुम्हारा यह पुत्र।"

लोकनाथ का पितृत्व परितुष्ट था। उभया आजी के कंठ से फूटते सोहर के मधुर बोल से पूरा शीतलटोला गुलजार हो उठा था।

राम का जन्म हुआ है, पूरी अयोध्या में बधावा बज रहा है। दशरथ ब्रह्मानंद की पुलक में डूबे दोनों हाथों से संपदा उलीच रहे हैं। भोजपुरिहा परिवार में पुत्र-जन्म का उत्सव श्रीराम के अवतरण प्रसंग को भोजपुरी गीतों के उछाह में पिरोकर गाया जाता है। प्रत्येक पिता की आत्मा में दशरथ की संवदेना उतर आती है। प्रत्येक पुत्र, माता-पिता, परिजन के आशीर्वाद की अमोघ शक्ति लेकर वंश-बेलि का गौरव स्तंभ बनता है। जगमोहन ने नवजात शिशु के ललाट पर धीरे से अपना ममत्व भरा हाथ फिराया था—"काकी, विजयानंदजी को कहाव भिजवा दिया है। वे कल ही तिवारीपुर से आ जाएँगे। बबुआ की जन्मपत्री बनवा लेनी होगी।"

आचार्य जगदीश ने नामकरण किया था—'कीर्तिवर्द्धन।'

"रामेश्वर, यह बालक तुम्हारे कुल-परिवार की कीर्ति बढ़ानेवाला होगा। मेरा आशीर्वाद इसके साथ है।"

सातवें दिन बालक हठात् ज्वरग्रस्त हो गया था। नया दवाखाना के हरिवंश बाबू ने होमियोपैथी दवाओं का उपचार प्रारंभ किया था। "अभी तो बेलाडोना-३० चलाइए, अधिक रोए तो कैमोमिला दें।"

उभया आजी के पास उनका अपना उपचार था—"जायफल घिसवा ल दुलहिन! बबुआ के छाती, हाथ, गोड़ में मालिश कर! ठीक हो जइहें।"

फूलमणि नानी ऋचा को सँभालने में जुटी थीं—"हम अपनी माई के पास क्यों नहीं जा सकते, अपने छोटे भाई को क्यों नहीं देख सकते? बताओ न ननिया!"

फूलमणि फुलहा कटोरा में दूध-भात सानती एक-एक कौर खिलाती नातिनी को बहलाती जातीं—"भाई ठीक हो जाएगा, तुम्हारी माई तुम्हें अपने पास बुला लेगी।

ठीक है न बचिया, अब तुम अपनी गंगेश्वरी आजी के पास जाओ, उनसे अपने गाँव की कथा सुनो, तब तक हम तुम्हारी माई की तेल मालिश कर देवें।''

ऋचा ठुनकती, ''नहीं ननिया, हमको तुम्हारे गाँव की कहानी सुननी है। आम डाल पर बैठे बंदर राजा की, हरियल तोते और साँवली मैना की, नीले फूलोंवाली तीसी की, मटर की मीठी फलियों की। सुनाओ न!''

लोकनाथ गृहस्थी के बढ़ते हुए दायित्व के प्रति अतिरिक्त रूप से सचेष्ट दिखने लगे थे। संयुक्त परिवार की जिम्मेदारी, कुल दस प्राणियों का परिवार और वेतन मात्र चार सौ रुपल्ली।

नंदकिशोर तिवारी ने प्रोत्साहित किया था—''तुम्हारे पास भाषा की अद्‌भुत सामर्थ्य है लोकनाथ, तुम मन, वचन, कर्म से सृजन धर्म अपनाओ! तुम्हारा लेखन ही तुम्हारी मुक्ति का साधन बनेगा।''

और उनके जीवन का एक नया रुपांतरण। रोज नई रचना, शब्द-चित्र, संस्मरण, ललित निबंध, देश भर की सुविख्यात हिंदी पत्र-पत्रिकाओं में नियमित रूप से प्रकाशित होनेवाली रचनाओं का अविकल दौर। आकाशवाणी से रचनाओं का प्रसारण। ख्याति के नित्य नए शिखर छूने की सहज उमंग से भरे लोकनाथ! उनकी नई पुस्तक 'भारतीय शिक्षा और संस्कृति के नए आयाम' की योजना तैयार थी।

'भारतीय चेतना और वैश्विकता' विषय पर व्याख्यान देते समय आचार्यश्री ने इंगित किया था—''लोकनाथ, भारत के सांस्कृतिक स्पंदन को पहचाने की शक्ति तुम्हारी कारयित्री प्रतिभा में है। तुम इस विषय पर चिंतन करो। मेरा विश्वास है कि तुम यह ग्रंथ पूरा करोगे।''

आचार्यश्री के नेत्रों में वात्सल्य की तरल आभा थी। लोकनाथ के मनोजगत् में निखिलानंद नानाजी के बोल सूर्य की पहली उजास बनकर उग आए थे—''लोक मंगल की शुभाकांक्षा से भरी भारतीय शिक्षा पद्धति आक्रांताओं के द्वारा दलित हो चुकी है, बबुआ! राष्ट्र की अखंडता के लिए पहली शर्त हुआ करती है वैचारिक गरिमा और शुभ संस्कार प्रदान करनेवाली शिक्षा-प्रणाली। भारवाही भृत्य बनानेवाली यह आंग्ल विद्या हमारे किसी काम की नहीं। तुम एक शिक्षक बनना चाहते हो। शिक्षा-धर्म अपनाना और उसका संतुलित निर्वाह करना बड़ा कठिन होता है। तुम योगेश्वरी बचिया के पुत्र हो, इसीलिए तुमसे मेरी अपेक्षाएँ हैं।''

माई के कंठ से कढ़े सोहर के अनमोल बोल लोकनाथ की ऊर्जा का स्रोत बने

थे—

"पूतवा जनमले कवन फल ए मोरे सामी जी,
भारत माता के बनिहें सेवकवा, अमर होई जइहेंनुजी।"

मनुष्य विरोधी व्यवस्था के विरोध में लोकनाथ की लेखनी युद्धरत थी—

"इस निसर्ग प्रकृति के निर्मम भोक्ता बनकर रह गए हैं हम सब।

सर्वत्र सुविधाभोगियों की जयकार हो रही है। गणतंत्रीय शासन की सर्वाधिक प्रभविष्णु प्रणाली है संविधान।

दुर्भाग्य की बात है कि मूल्यहीन राजनीति का विष भार संविधान को दंशित, उपेक्षित करता जा रहा है। परस्पर आस्था पर आधृत ग्रामीण और नगरीय स्वराज की परिकल्पना शून्य हो चुकी है।

सत्ता पक्ष की प्रबलता के साथ लोकपक्ष का संतुलन देनेवाली विद्या ही हमारे लिए सर्वग्राह्य हो सकती है। भोगवादी मानसिकता इस देश को रसातल की ओर ले जाए, इसके पहले हमें सचेत होना होगा। राजनैतिक दुरभिसंधियों के हाथ बिकी हुइ शिक्षा नीति।"

आचार्यश्री ने आहत करनेवाला दु:संवाद सुनाया था—"लोकनाथ यह देखो, अग्निशर-सा दाहक यह पत्र।"

प्राचार्य डी. सरकार के हस्ताक्षर और मुहरवाला खाकी लिफाफा उनके समक्ष था—"प्रशासनिक कारणों से आपका स्थानांतरण सम्राट् महाविद्यालय में किया जा रहा है, साथ ही सुनिश्‍चित किया जाता है कि आप पत्र-प्राप्ति के एक सप्ताह के भीतर नए स्थान पर अपना कार्यभार ग्रहण कर लें।"

आचार्यश्री मौन अपने कक्ष में चले गए थे। सबको पता था, प्राचार्य एक लंबे समय से अवसर की तलाश में लगे हुए थे। उनके निकटस्थ कृपापात्र को आचार्यजी ने कक्षाएँ लेने से दो टूक मना कर दिया था, "इस कपटी विद्याधर को कक्षाएँ लेने की अनुमति मेरी ओर से कदापि नहीं मिल सकती। पता है, आप लोगों को⋯। विभागीय पुस्तकालय की आधी से अधिक पुस्तकें गायब हैं। जो बची हैं, उनकी केवल जिल्द साबुत है, भीतर से पृष्ठ निदर्यतापूर्वक फाड़ डाले गए हैं। इस नटेश्‍वर को साहित्य संस्कृति का दूर-दूर तक कोई परिज्ञान नहीं! अतएव मैंने यह तय किया है कि पाठ तालिका में इसका नाम कम-से-कम मेरे रहते हुए कदापि नहीं जुड़ेगा। उपस्थिति पंजिका में इसके हस्ताक्षर भी नहीं होंगे।"

लोकनाथ अनुभव कर रहे थे—मूल्यों का क्षरण इतनी त्वरित गति से होगा, उन्होंने कभी कल्पना तक नहीं की थी।

आचायश्री की विदाई विभाग में उपस्थिति सभी प्राध्यापकों के लिए असह्य थी। प्रतिष्ठा के छात्रों ने मन बनाया था—''इस अन्याय का पुरजोर विरोध करना होगा। गुरुदेव, हम आपको कहीं नहीं जाने देंगे। छात्रसंघ का प्रतिनिधिमंडल शिक्षा मंत्री, मुख्यमंत्री से मिलेगा।''

आचार्यश्री ने सबको शांत किया—''लोकनाथ, समझाओ इन बालकों को। मेरा यह मानना है कि हर अमंगल के पीछे कोई-न-कोई मंगल अवश्य सन्निहित होता है और आप लोगों से किसने कह दिया कि मैं कोई अन्य पद स्वीकार करूँगा?

''भगवती का आदेश है, मैं काशी के असी तट का सेवन करूँगा। मेरा स्वाध्याय, मेरा चिंतन-मनन, बाबा विश्वनाथ के चरणों में मेरा शेष जीवन अर्पण होगा।''

लोकनाथ गहरी उदासी में डूब गए थे। उनका रक्षाकवच थे आचार्यश्री। वे ही नहीं, पूरा विभाग उनके रहते निर्भय, निरापद था। उन्होंने अवरुद्ध कंठ से कहा था—''आपका जाना इस विभाग के लिए अमंगलकारी है, गुरुदेव। आपके साथ इस परिसरन की सकारात्मक ऊर्जा भी विदा ले रही है।''

ऋचा दसवीं कक्षा में पहुँच गई थी। तीन भाई, तीन बहनों की सार-सँभाल, अम्माँ की रसोई में हाथ बँटाना, जगिला आजी के साथ बैठकर रामचरित मानस का लयबद्ध गायन सीखना, लोकनाथ की प्रत्येक छोटी-बड़ी आवश्यकता के प्रति अतिशय सचेष्टता बरतना। तारारानी गृहस्थी की खींच-तान में उलझी रहती थीं—''दस प्राणी आश्रित, एक कमासुत। चादर छोटी, पाँव बाहर, कहाँ से काट-छाँट करें, समझ में नहीं आता। खेती-बारी का आसरा भी तो नहीं।''

उभया आजी के निधन के पश्चात् खेत, खलिहान की खोज-खबर लेनेवाला, उपज का हिसाब-किताब रखनेवाला कोई नहीं बचा था। साल भर खरचने लायक गेहूँ, चना, ज्वार, मकई ले आती थीं उभयनिष्ठा।

''गंगेश्वरी कनियाऽ। जीयत-जिनगी तहार भंडार भरे में कवनो कोताही ना करबऽ। कनिया, लोकनाथ बबुआ के मनाव, हमरा साथे जइहें, आपन खेत-बधार के सुध लीहें, तबे आगे कवनो दिक्कत न होखी।''

लोकनाथ अपने ढंग से आय का साधन बढ़ाने में जुटे हुए थे। उनकी लिखी रचनाओं की साम्मानिक राशि गंगेश्वरी अलग सँभालकर रख देतीं—''हमारी रिचा

पढ़ेगी–लिखेगी। उसके लिए किताब, कॉपी, कपड़े–लत्ते की जरूरत होगी। यह पैसा उसी के लिए जोगा कर…''

लोकनाथ परिहास करते—''आपको अन्य बालक–बालिकाओं का सोच नहीं है ताराजी, उनकी पढ़ाई–लिखाई के बारे में… ?''

''सोच है, लेकिन यह मेरी पहलौंठी की संतान ठहरी। इसको उत्तम विद्या मिले, यह गुनवंती हो, तभी तो इसके भाई–बहन भी…''

लोकनाथ से पत्नी की उदासी छिपी नहीं रहती थी—''आप कुछ कहें या नहीं, आप के मन की बात पढ़ना हमें बखूबी आ गया है। आप पढ़–लिख नहीं पाईं, इसका मलाल आपको है। इसलिए आप चाहती हैं कि आपकी ऋचा…''

ऋचा हिंदी स्नातक प्रतिष्ठा में प्रथम श्रेणी में विशिष्टता सहित प्रथम आई थी। विश्वविद्यालय के सभी प्रतिमान ध्वस्त हुए थे। उसे स्वर्ण–पदक प्रदान किया गया था। पटने से विश्वनाथ चाचा ने पत्र लिखकर बधाई दी थी—''ऋचा की भाषा–शैली में सामर्थ्य है। तुम्हारी यह संतान साहित्य के क्षेत्र में आगे बढ़ेगी।''

तारा रानी योगेश्वरी माई आरण्य देवी के मंदिर गई थीं—''हे जगतारण मइया, हमारी बच्ची का तेज चान–सुरुज बनकर दिन–रात फैलता चला जाए। यह बचिया हमारा ही प्रतिरूप है। इसकी नयनजोत में हमारे ही सपनों की झिलमिलाहट है। हम पढ़ नहीं पाईं तो क्या हुआ? अपनी बचिया की पढ़ाई–लिखाई में कोई भी चूक अपनी ओर से नहीं होने देंगी।''

योगेश्वरी ने मुसकराते हुए पुत्रवधू के कंधे पर हथेली रखी थी, ''तुम्हारा सपना सच होगा कनिया। निखिलानंद काका की भविष्यवाणी कभी झूठ नहीं हो सकती—''सिंह राशि, कन्या लग्न, क्षत्रिय वर्ण, मनुष्य गण, भाग्येश शुक्र, कर्मेश बुध पंचम भाव में स्थित, भाग्यशालिनी होगी हमारी ऋचा, खूब आगे बढ़ेगी, विद्या प्राप्त करेगी।''

लोकनाथ के जीवन में विपत्ति के मेघ उमड़ने लगे थे। जगिला माँ का देह–त्याग, बाबूजी की रुग्णता और सुनयना बहिन का अकाल वैधव्य। अपनी पीड़ा अच्छी तरह छिपाना जानती थीं योगेश्वरी। मृत्यु के कुछ घंटे पूर्व उन्होंने गंगेश्वरी को आवाज दी थी—''सुन रही हो कनिया, तनिक पास आओ। हमारी बात ध्यान से सुनो, हमने उभया काकीजी को सिरहाने बैठे देखा है। उनके पीछे रत्नदेव बाबा खड़े थे। दोनों ने हाथ बढ़ाकर पीछे आने का संकेत किया था।''

गंगेश्वरी दु:खकातर हो उठी थीं—"नहीं माई, आप ऐसा मत कहें। आपको कुछ नहीं होगा। हम अभी सदर अस्पताल के बड़े डॉक्टर को…"

योगेश्वरी ने उनका हाथ पकड़ लिया था—"हमारे पास समय नहीं है कनिया। हमारी बात ध्यान से सुनो बचिया, लोकनाथ बचवा का मन मक्खन सा है। उसे सँभालना तुम्हारा ही धरम है। निखिलानंद काकाजी कह गए थे—जब शुक्र अस्त होने लगे, तीन घटिका शेष हो, तब तुम्हारी बुलाहट होगी। डरो मत बचिया, हम तुम्हें लेने आएँगे। देखो न, वे भी हमें लेने आ गए।"

गंगेश्वरी कुछ कहतीं या किसी को आवाज लगा पातीं, इसके पहले जगिला माई ने आँखें मूँद ली थीं। मातृवियोग की दुस्सह वेदना लोकनाथ की आँखों में रामरेखा घाट की राख बनकर सिमट गई थी—"माई थी तो उसका मोल मैं नहीं आँक पाया। वह बोरसी की आग बनकर सुलगती रही। बाबूजी के क्रोध का समय-कुसमय दंश झेलती जगिला माई का जीवन रामायण के पृष्ठों में सिमटकर रह गया था। सुंदरकांड पढ़तीं, सीता की विरह-विकलता को आत्मसात् करतीं, झर-झर आँसू बहाती उनकी जननी।"

रेहल सूनी हो गई, पोथियाँ हमेशा के लिए लाल बेठन में बँधी न जाने किस आलमारी की तह में सिमट गईं। अंतिम प्रयाण के सप्ताह भर पूर्व उन्होंने ऋचा को अपने पास बुलाया था—"बचिया री, आज से दुर्गा माता की आरती, ठाकुरजी का भोग तुम्हारे जिम्मे।"

"क्यों आजी, आप कहीं तीरथ करने जा रही हैं क्या?"

योगेश्वरी के मलिन मुख पर डूबते हुए सूरज की उदास छवि थी—"ऐसा ही समझ ले बचिया, काया में कुछ अनचीन्हा-सा कष्ट है।"

"तो हम अभी बाबूजी से कहकर कोई दवा…"

"अरे, नहीं बचिया, तेरी माई ने काढ़ा बना दिया है न। थोड़ी सी थकान है, आराम करने का मन हो रहा है।"

जीवन भर की विश्रांति पा गई थीं योगेश्वरी। किसी से कुछ भी कहासुनी नहीं। कोई शिकायत नहीं। जगमोहन तिवारी दो-तीन बार आकर देख गए थे—"इस तरह कुवेला में कभी खटिया पर बैठती तक नहीं थीं। लोकनाथ, पूछो तो बबुआ, अधिक जी खराब है क्या?"

योगेश्वरी मुसकराती हुई उठ बैठी थीं—"बबुआ, हमें कुछ भी नहीं हुआ है।

अलबत्ता तुम्हारे बाबूजी की तकलीफ का इलाज जरूरी है।''

उन्होंने इशारे से जगमोहन तिवारी को पास बुलाया था—''यह लीजिए, हमारी रुद्राक्ष की माला। आज से आप भी मइया का नाम जप प्रारंभ कीजिए। आपका सब दुःख छूमंतर हो जाएगा।''

योगेश्वरी के श्राद्धवाले दिन रुद्राक्ष की वही माला उँगलियों के पोर पर थामे प्रस्तर-प्रतिमा बने बैठे थे—प्रत्याख्यान का ऐसा दुस्सह पथ चुना जगिला, अनबोलता जीव बनकर हमारी हर मनमानी झेलती रहीं, कभी प्रतिकार में एक शब्द भी नहीं कहा और यों निर्ममता पूर्वक निःशब्द चली गईं?

लोकनाथ अच्छी तरह जानते थे, उनकी योगेश्वरी माई ने इच्छा-मृत्यु का वरण किया था। जीवन में पहली बार अपने इकलौते पुत्र के समक्ष कुछ कहने का साहस जुटा पाई थीं वे—''धारा के विपरीत बहना ही हमारा प्रारब्ध रहा, बबुआ। ठाकुरजी की कोठरी में जगमग जलती जोत ही हमारा अवलंब बनी। गंगाजी के दोनों कछारों की तरह हमारा और तुम्हारे बाबूजी का जीवन···। कठिन परिस्थिति में भी तालमेल बिठाने की कोशिश करती, भीतर-ही-भीतर दरकती चली जा रही हमारी इच्छा शक्ति। एक ही आसरा था, तुम ज्ञानी बनोगे, हमारी आत्मा के संस्कारों से तुम्हारा जुड़ाव होगा। यह कामना पूरन हुई बबुआऽ, अब इस बंधन का कोई अर्थ नहीं।''

लोकनाथ के अश्रु तर्पण-जल के साथ मिलकर गंगाजी की रेती में बिखर गए थे। गंगेश्वरी का दायित्व बढ़ गया था। दिन भर अन्नपूर्णा बनकर सबके भोजन पानी का प्रबंध करती, जगमोहन तिवारी की चाय से लेकर उनकी दवाई और रात के रोटी-पानी की चिंता लिये जागती-सोती गंगेश्वरी पति के दो शब्द सुनने के लिए तरस जातीं—दिन भर गाँव-ज्वार के लोगों का मेला लगा रहता है। कॉलेज से घर लौटते छात्रों का ताँता, आज यहाँ थियेटर, कल वहाँ व्याख्यान, देर रात तक अपनी पढ़ाई-लिखाई, कोई जरूरत गाहे-बगाहे होती भी तो ऋचा दौड़ पड़ती।

''बाबूजी, क्यों परेशान हो रहे हैं, मुझे बताइए न।''

''कुछ नहीं बच्ची, कल ही अपना नया वाला पार्कर कलम यहाँ रखा था, मिल नहीं रहा! तुमने देखा क्या?''

ऋचा दौड़ती हुई स्कंद के कमरे में जाती, किताबों के भीतर छिपाया कलम तुरत लाकर सामने रख देती—''लीजिए, आपका नया कलम।''

''समझ गया, यह शैतानी उसी दुष्ट बालक की है।''

लोकनाथ मधुर हास बिखेरते अपने काम में जुट जाते।

उनके दोनों प्रिय छात्र फणिभूषण और कालेश्वर व्याख्याता की नौकरी पाकर आरा छोड़ चुके थे। महीने में एक बार जब वे आते तो जगमोहन निकेतन गुलजार हो जाता।

"जाइए, अपनी भावज से मिल लीजिए। आप दोनों को देखकर वे प्रसन्न हो जाती हैं और हाँ, मेरी ओर से नहीं, अपनी ओर से विनम्र निवेदन अवश्य कीजिए, आज रसभरे मालपुओं का भोग बने तो क्या कहने।"

क्या खूब बैठकी जमती!

भक्ति और माधुर्य की सुंदर बानगी थी लोकनाथ के स्वर में—

"श्री रामचंद्र कृपालु भजुमन हरण भवभय दारुणम्

नवकंज लोचन कंच मुख, कर पंज पद कंजारुणम्।"

श्रीराम की महिमा गाते हुए लोकनाथ भक्ति विभोर हो अपनी सुध-बुध खो बैठते। फणिभूषण के विशेष आग्रह पर एक बार वे उनके महाविद्यालय में भारतीय संस्कृति के उदात्त तत्त्व विषय पर व्याख्यान देने गए थे। आचार्य जगदीश सभा की अध्यक्षता कर रहे थे। लोकनाथ के प्रथम संबोधन को सुनते ही सभागार करतल ध्वनि से आलोड़ित हो उठा था—"मेरे प्रिय अंतेवासियो"!

आचार्यवर की वात्सल्य तृषित दृष्टि लोकनाथ के मुख पर टिकी हुई। भारतीय संस्कृति की अनहदता का पाराबार लोकनाथ की ऊर्जस्विनी वाणी के प्रवाह में सिमट आया था। एतरेयोपनिषद् कहता है—

"ॐ वाङ् मे मनसि प्रतिष्ठिता

हे सर्वशक्तिमान, मेरी वाणी,

मेरी चेतना में प्रतिष्ठित हो।"

बंधुगण, विश्व एक सनातन वृक्ष है। सत्त्व, रज, तम-ये त्रिमूल, धर्म, अर्थ, काम, मोक्ष, ये चतुर्थ रस सिद्धियाँ, सुख-दुःख इसके दो फलाफल, जन्म, रहना, बढ़ना, परिवर्तित होना, घटना अर्थात् क्रमशः क्षरित होना और नाश को प्राप्त होना, ये छह प्रकृतियाँ, सप्त धातुएँ, अष्ट शाखाएँ, नौ द्वार, दस पत्र अर्थात् दस रूप प्राण।

वैदिक वाङ्मय के साधकों की उदात्त वाणी कहती है—"सूर्य, ऋषि, कृषि, गौ और ग्राम संस्कृति ही साधना की भारतीय संस्कृति का उदात्त तत्त्व है। ऋत्विजों के द्वारा प्रदत्त सत्य ज्ञान और सह अस्तित्व की हमारी अकूत जिजीविषा के प्रमाणक

अभिलक्षण हैं। अतएव स्वर्ण-पात्र के सत्य का मुख ढँकने की आवश्यकता नहीं। आइए, हम-आप मनसा परिव्राजक बनें। सद्ग्रंथ, तुलसीदल, भक्ति की शक्ति बनकर स्फुरित शंख-ध्वनि और शुचि सारस्वत साधना में ही मनुष्यता के संस्कार सन्निहित हैं। आप सारस्वत साधक बनें, आपकी तेजोमयता ही भारतीय संस्कृति की उन्नायिका होगी, ऐसी मेरी प्रबल आस्था है।''

अभूतपूर्व अभिनंदन था वह! सामने बैठी ऋचा की चेतना वाणी की उस अनहद रागधर्मिता से जुड़ी पिता की मीरा बन बैठी थी—''मेरे बाबूजी जैसा कोई दूसरा पुरुष इस धरती पर नहीं।''

भाव सजल नेत्रों से दुलारते आचार्य जगदीश आकंठ आलोड़ित थे—''ऋचा, लोकनाथ मेरे मानस-सुत हैं बिटिया, तुझे अपने जनक की परछाईं बनना होगा। ज्ञान के इस हिमशिखर को अपना आदर्श बनाना होगा।''

गंगेश्वरी बहुधा खीझ उठतीं—''अरी रिचिया, तेरे बाबूजी को तुझे पढ़ाने का टैम मिलेगा कभी? जब देखो तब अपने चेले-चपाटियों से घिरे रहते हैं। तू जब तक उनके माथे पर सवार नहीं होगी, वे तुझ पर धेयान नहीं देंगे।''

उस दिन ऋचा ने हठ पसार दिया था, ''बाबूजी, आपकी छात्र मंडली सामने बैठकर पढ़ती है और हमें हमेशा की तरह आपकी पीठ के पीछे, कोने में सिमटकर पढ़ना पड़ता है। चाहे कुछ हो जाए, हमको सभी विद्यार्थियां के बीच बैठना है। आपके ठीक सामने और एक शर्त, 'राम की शक्तिपूजा' पढ़ाते समय आप सिर्फ मुझे देखेंगे और किसी को भी नहीं। ठीक है न?''

लोकनाथ की वात्सल्य भरी वह मीठी हँसी, ''अच्छा ठीक है, लेकिन मेरी भी एक शर्त है। उस दिन पढ़ाते समय एक शब्द के उच्चारण में तनिक चूक हुई थी और तू हो-हो करती हँस पड़ी थी।''

''नहीं बाबूजी, नहीं। कान पकड़ती हूँ। आगे से ऐसी गलती कभी नहीं।''

''तो ठीक है, मधुसूदन तुम्हारे पीछे बैठेगा। तुम सबसे आगे।''

आचार्य जगदीश के समक्ष बालक बनकर बिसूरने लगे थे लोकनाथ—''माई नि:शब्द चली गईं। बाबूजी पक्षाघात से पीड़ित निर्वाक् पड़े हैं। सुनयना दीदी की व्यथा देखी नहीं जाती। मैं क्या करूँ आचार्यजी, घर का सब जंजाल तारारानी के ऊपर आ गया है। मेरी लेखनी मुझसे विमुख हो गई है। मन में न जाने कैसी अव्यक्त विकलता ने बसेरा ले रखा है। मेरे पठन-पाठन पर भी विपरीत प्रभाव पड़ने लगा है।''

ऋचा अपने पिता की ढाल बनी संकल्पबद्ध थी—"स्कंद पटना जाना चाहता है। उसे रोकिए मत बाबूजी। मेरी पढ़ाई घर की चारदीवारी के भीतर सुविधापूर्वक हो जाएगी। दिशा-निर्देश देने के लिए आपसे बढ़कर कौन होगा। रही बात अभिस्तावित ग्रंथों की, तो जगमोहन निकेतन की पाँच कोठरियों में सजा-सँवरा हमारा यह ग्रंथागार किस दिन काम आएगा। मैं आपकी तरह स्वाध्यायी बनना चाहती हूँ। मुझे यह घर छोड़कर कहीं नहीं जाना।"

आचार्य जगदीश सशंक मना कर रहे थे—"ज्ञान के अहंकार से बड़ा भाग्यदोष दूसरा नहीं होता। मैं देख रहा हूँ कि तुम्हारे सपूत में राम बनने के कोई लक्षण नहीं। जिसे पाकर दशरथ पूर्ण काम हो गए थे, ऐसे ही शील-सौंदर्य ये युक्त शक्ति सामर्थ्य में संयत, आत्मज की परिकल्पना की होगी न तुमने।"

लोकनाथ का मौन करुणा की झंकृति बनकर पूरे परिवेश को संतप्त कर गया था, "गुरुजनों के प्रति सम्मान का भाव नहीं, तक-वितर्क की निर्मूलता वाक्‌युद्ध की सीमाएँ पार कर गई है। अभी से ऐसी उद्धतता है। ये लक्षण ठीक नहीं हैं, गंगेश्वरी।"

सहधर्मिणी के नेत्रों में सहज आश्वस्ति भाव था—"आप अधिक सोच न करें। अभी बालबुद्धि है। धीरे-धीरे सब ठीक हो जाएगा।"

एक दंभ भरी अवमानना स्कंद की नियति बनती जा रही थी।

"इस घर में कितना शोर-शराबा है? मेरी पढ़ाई-लिखाई के लिए कहीं कोई अनुकूल जगह नहीं। माई, यहाँ रहकर मेरी पूरी प्रतिभा बरबाद हो जाएगी। मुझे इस छोटे कस्बे से बाहर निकलना ही होगा।"

आचार्य जगदीश की भविष्यवाणी उल्टी पड़ती जा रही थी—स्कंद का गरूर अपने चरम पर था—"बाबूजी के गुरु की दकियानूसी मेरे सामने नहीं चलेगी। त्रिपुंडधारी आचार्य का वही पुराना खटराग, माता-पिता को, गुरु को भगवान् मानो, उनकी सेवा करो, उनकी इच्छा के विरुद्ध कुछ मत सोचो, कुछ मत करो। ये पुरखे-पुरनिया नहीं हुए, हिटलर हो गए। कहे देता हूँ, मुझे इतिहास पुरुष, श्रवण कुमार बनने की तनिक भी इच्छा नहीं है, मैं अपना जीवन आप जीना चाहता हूँ।

"उस दिन बाबूजी के गुरु आचार्य जगदीश अचानक आगबबूला हो उठे थे, लोकनाथ तुम्हारा पुत्र घोर पातकी है। इसने मेरी भक्ति को ललकारा, मेरे इष्टदेव श्रीराम की अवमानना की, श्री हनुमान के लिए अपशब्द कहे। इसकी उद्धतता तो देखो—कहता फिरता है, स्वतंत्र जीवन जिएगा, अपना भविष्य स्वयं तय करेगा।

तुम्हारे पिता जगमोहन तिवारी के साथ तुम्हारा वैमत्य किसी से छिपा नहीं है, तब भी, तुम्हारी सेवा, श्रद्धा भावना उनके लिए कभी कम नहीं हुई। जननी जनक दोनों के लिए तुम्हारी सेवा-परायणता एक निदर्शन बनी हुई है।''

नगर के सुप्रसिद्ध ज्योतिषवेत्ता नेमिप्रकाशजी ने स्पष्ट शब्दों में कहा था, ''अतिशय प्रतिभावान, दृढनिश्चयी और भाग्य का बली होगा यह जातक, इसके जन्मांकचक्र में एक बड़ा दोष है, कैसे बताऊँ लोकनाथजी।''

''आप कहें शास्त्रीजी, प्रत्येक दोष के निवारण का भरसक प्रयास करूँगा मैं।''

''यह बालक पूर्ण मंगला है, इसके दांपत्य जीवन में सुख भाव अत्यल्प है। कालांतर में गृहकलह या अलगाव की स्थितियों को अस्वीकार नहीं किया जा सकता।''

अर्थशास्त्र विषय लेकर स्नातकोत्तर की परीक्षा में प्रथम श्रेणी में विशिष्टता सहित प्रथम आए थे स्कंदरत्नम्। लोकनाथ ने स्नेहवश पूछ लिया था—''आगे की क्या योजना है? शोध-कार्य वगैरह...''

उस स्वर में रुक्षता रहरेठे की खूँट बनी चेतना की कोमलता में भीतर तक चुभती चली गई थी। ''क्या रखा है इस टीचरी में? घर का दारिद्र्य देख रहे हैं हम, केवल जन्म देने से ही कर्तव्य पूरा नहीं हो जाता किसी अभिभावक का। दानवीर कर्ण बनकर आपने अपना पूरा वेतन गाँव-घर के लोगों पर लुटा दिया। इसी टीचरी में लालमोहन प्रसाद ने अपने दोनों बेटों को विलायत भेजकर इंजीनियर, डॉक्टर बना दिया। और...''

विषबुझे शब्दबाण छोड़ते स्कंद का आक्रोश गंगेश्वरी की सहनशक्ति के परे हो गया था—''लाज नहीं आती एक दुराचारी आदमी के साथ अपने बाबूजी की तुलना करते हुए, तुम्हारी मति-बुद्धि किसने हर ली रतन बबुआ, तुमको कुछ जानकारी भी है? अपना दीन-ईमान बेचकर लखपति, करोड़पति बने हैं लालमोहन परसाद। सूद पर पइसा चलाते हैं। गाँजा, भाँग, चरस का कारोबार करते हैं। टीचरी तो एक बहाना है। कहाँ वह दस नंबरी घाघ आदमी और कहाँ साधु सुभाववाले तुम्हारे बाबूजी।''

पाषाण मूर्ति बने लोकनाथ अपने दालान की ओर मुड़ गए थे।

फणिभूषण ने सभागार को संबोधित करते हुए कहा था—''सरल सुभाव छुअत छल नाहीं।

ऐसे हैं हमारे गुरुदेव आचार्य लोकनाथ तिवारी, गहन अध्यवसाय के बल पर अपनी विलक्षण मनीषा को प्रमाणित करनेवाले गुरुदेव ने मातृ-वत्सल भाव से हमें

संस्कारित किया है। तेजोमय यह ज्ञान-मूर्ति ही हमारे जीवन का एकमात्र आदर्श है।''

कहाँ चूक हो गई थी लोकनाथ से? अपने ही पुत्र के हाथों पराजित, अपमानित होने के बाद अपना वजूद उन्हें बेमानी लगने लगा था। व्याधिग्रस्तता की वह दुस्सह दशा, मर्मांतक उदरशूल से रातभर पीड़ा विकल रहे थे वे—''ताराजी, गरम पानी की थैली दीजिए, मेरी अलमारी से कॉलोसिंथ, मैगनेशिया फॉस की शीशी निकालिए जल्दी। और हाँ, कैंथरिस मदर टिंचर हो तो वह भी।''

गंगेश्वरी दौड़कर ऋचा को जगा लाई थी—''बचिया, सभी दवाइयों के नाम अँगरेजी में हैं। तू ढूँढ़ ले जल्दी। हम पानी गरम करती हैं।''

डॉक्टर रवींद्र ने कहा था—''पेशाब रुक-रुककर हो रहा है, किडनी में पत्थर होने की आशंका है। इन्हें तुरत अस्पताल में भरती करना पड़ेगा।''

गंगेश्वरी ने शंकर सुनार को बुलाया था, ''बबुआ, सोने की दो चूड़ियाँ हैं। इन्हें रख लो। हमें तुरत नगदी की जरूरत है।''

शल्य चिकित्सा पूरी हुई। पूरे चालीस घंटे के बाद लोकनाथ की संज्ञा वापस लौटी थी। बिछावन पर पड़े जगमोहन तिवारी की विवशता आँसुओं का ज्वार बनकर फूट पड़ी थी—''कनिया ऋचा, कोई बताता क्यों नहीं, हमारे बबुआ कहाँ है, क्या हो गया उन्हें? जरूर तुम लोग कुछ छिपा रही हो, वे ठीक तो हैं न?''

गंगेश्वरी ने किवाड़ की आड़ लेकर सबकुछ बताया था—''अब वे बिल्कुल ठीक हैं। कल अस्पताल से छुट्टी मिल जाएगी।''

अधलेटे जगमोहन की दाहिनी हथेली में कंपन हुआ था—''योगेश्वरीवाली रुद्राक्ष की माला नहीं मिल रही, जरा खोज देना कनिया।''

उनका वह विकल मंत्र-जप।

''जगिला, ओ जगिला, अरी योगेश्वरी कहाँ हो तुम? असह्य यंत्रणा झेल रहे हैं तुम्हारे लोकनाथ बबुआ। याद है न, बचपन में खरोंच भी लग जाती थी तो तुम कालीथान पर अखंड दीपक जलाकर मंत्र जप करने बैठ जाती थीं—

ॐ ह्रीं जूं सः ॐ त्र्यंबकं यजामहे...।''

उन्होंने ऋचा को पास बुलाया था—''मंदिर में अखंड दीया जलाओ बच्ची। अपनी माई से कहो, गरीब दुखियो को भोजन, वस्त्र दें। लोकनाथ पूरी तरह निरोग होकर आ जाएँ तो सत्यनारायण भगवान की कथा...।''

लोकनाथ का कुशल संवाद पूछने महाविद्यालय के प्रधानाचार्य, शिक्षक और

विद्यार्थीगण अस्पताल में जुट गए थे।

ऋचा ने धीरे से पूछा—"बाबूजी, स्कंद को खबर..."

उन्होंने हाथ के इशारे से मना कर दिया था, "वह प्रतियोगिता-परीक्षाओं की तैयार कर रहा है। यह समय उसके लिए कीमती है। दो-तीन दिनों की बात है। घर चलूँगा, सब सामान्य हो जाएगा।"

स्कंद ने आग उगलता हुआ टंकित पत्र भेजा था—"पड़ोसी दयानाथ के पुत्र सुभगनाथ से ज्ञात हुआ कि आपका बड़ा ऑपरेशन हुआ है। कॉलेज के विद्यार्थियों ने आपकी सेवा की है। आपने मुझे सूचना देने की भी आवश्यकता नहीं समझी। शायद बाहरवालों के सामने यह दिखाने चाहते हों कि पूत कपूत निकल गया। यही न?"

गंगेश्वरी ने पहली बार मुँह खोला था, "ए रतन बचवा, तहरा अक्किल में भाँग पड़ल बाऽ। अइसन उलटा सोच कब से पोसले बा...। तेहरा जे बूझे के बा, बूझत रहिह। बाकी अइसन देवता बाप के अपमान करे के तहरा कवनो अधिकार नइखे।"

लोकनाथ डबडबाई हुई आँखों से देर तक पत्नी का मुँह निहारते रहे थे—

"आचार्य जगदीश ने ठीक कहा था, लोकनाथ, निस्संदेह बहुत भाग्यशाली हो तुम...गंगेश्वरी बहू तुम्हारे जीवन में प्रोज्ज्वल नक्षत्र बनकर आई हैं। सम विषयम किसी भी परिस्थिति में तुम्हारी अनुगामिनी ही नहीं, तुमसे बढ़कर हैं ये। स्वयं तपकर पग-पग पर तुम्हारे लिए अनुकूलता का सृजन करनेवाली मेरी यह तारा माँ।"

लोकनाथ अकसर परिहास किया करते, "देवि, कैसे समझ लेती हैं आप मेरे मन की बात। आपकी पखरिश बंगाल में हुई है, कहीं कोई जादू-टोना तो नहीं?

क्या बात है ताराजी, हर बार की तरह इस बार भी मौन को अपना कवच बना लिया न आपने? मुझे मीठी पूरी, गाजर का हलवा और सूजी की खीर पसंद है, यह आपने कैसे जाना? बताइए तो..."

सहज संकोच उनके मौन को मुखर होने से रोक दिया करता था। वे कहना चाहती थीं, "यह तो आपका बड़प्पन है। हमारी पढ़ाई-लिखाई छोटी उमिर में ही छूट गई। आप ठहरे इतने बड़े बिदमान। हमारा-आपका मेल ही क्या?"

योगेश्वरी माँ की जिद पर तारा ने एक भोजपुरी गीत उन्हें सुनाया था—"तुम्हारी माई ने जरूर तुम्हें गीत गाना सिखाया होगा। अपने मन से कोई भी गीत सुनाओ बहुरिया।"

"पहिले दरवाजा तो बंद कर दें अम्माजी, कोई सुन लेगा।"

लोकनाथ ने किवाड़ से कान सटा दिए थे। उनकी प्राणप्रिया तारा का कंठ-स्वर इतना दिव्य होगा, उन्हें इसका अनुमान तक नहीं था। बेटी की विदाई का वह मार्मिक गीत—

"बँसवा के जरिया कोंपलवा एक रे जामेला
सगरी अजोधिया रे अँजोर
माई के कोखया सुंदरि धिया रे जमली
सगरी अजोधिया रे अन्हार
सुंदरि धिया चउकवा चढ़ि रे बइठेली
अम्मा कवरवा धइले ठाढ़
उम्मा नयनवा ढरे हो लोर।"

बँसवारी से बाँस की एक नई कोंपल फूटी, वंश बढ़ाने पूत आया और समूची अयोध्या में आनंद का उजास फैल गया। किसी जननी की कोख से सुंदर बिटिया का जन्म हुआ और पूरी अयोध्या नगरी दुःख के गहन अँधेरे में डूब गई। बेटी विवाह मंडप में बैठी और माँ किवाड़ थामे स्तब्ध खड़ी रही, माँ के नेत्रों से झर-झर अश्रु बरसते रहे! अब बेटी परायी हो जाएगी।

योगेश्वरी रोगशय्या से उठ बैठी थीं, "तुम्हारे कंठ में माता शारदा का वास है बहुरियाऽ, सदा सुखी रहो। समधिनजी ने सारे गुण तुम्हारे भीतर भरे हैं।"

उस रात लोकनाथ ने उन्हें पास बिठाया था—"ताराजी, आपकी एक विद्या के विषय में कल ज्ञात हुआ। आपने कभी बताया नहीं कि आप इतना मधुर गाती हैं?"

"अच्छाजी, तो आपने घात लगाकर सेंधमारी कर ही ली।"

"इसे घात लगाना नहीं कहते और इसे सेंधमारी करना भी नहीं कहते, यह तो एक बड़ा आविष्कार है। लोकगीत गायिका श्रीमती तारारानी, तय रहा कि अगली बार आप हमारे साथ आकाशवाणी चलेंगी। आपके स्वर का परीक्षण होगा, फिर आपके गाए हुए गीतों का ध्वन्यांकन होगा, उसके बाद वे गीत आकाशवाणी से प्रसारित किए जाएँगे। आपकी आवाज घर-घर में गुँजायमान होगी।"

"हटिए भी, इतना लंबा-चौड़ा मजाक हमारे साथ? हम कहीं नहीं जाएँगी, कहे देती हैं। एक बात और, इतनी भारी-भरकम हिंदी हमारे दिमाग के ऊपर से गुजर जाती है जी। आप हमसे भोजपुरी में बतियाइए न।"

"अच्छा ठीक है, आपको ऋचा सबकुछ सिखा देगी। वह लिखने लगी है न,

मेरे साथ कई बार आकाशवाणी जा चुकी है। सच कहता हूँ ताराजी, ऐसी खाँटी आवाज सुनकर पुलकित हो उठेंगे संगीत विभाग के प्रफुल्ल दादा, आपके सुर-ताल को संशोधित करने के लिए विंध्या दीदी भी तो रहेंगी न।''

घबड़ाहट में रो पड़ी थीं वे, ''अम्माजी के सामने गुनगुनाना ही हमारा गुनाह हो गया। ऋचा, अपने बाबूजी को समझा देना बचिया, अपने घर के फाटक तक जाना हमारे लिए परबत पार करने के बराबर है। इ अकास बानी, पताल बानी हम का जानी, कहावत है कि सीताजी कहवाँ मगन त आपन रामरसोई में! हम कहीं नहीं जाएँगी, कहे देती हैं।''

''अच्छा ठीक है न माँ, बाबूजी ने हँसी-मजाक में कह दिया, चलो कोई बात नहीं। एक बात बताओ, मेरे ब्याह के समय तो गाओगी न, या उस समय भी···।''

ऋचा को अच्छी तरह याद था—मकर संक्रांति का वह दिन। स्वाद-रसिक गुरु मंडली, मित्र मंडली का घर में वह जमावड़ा, प्रत्येक वर्ष की तरह षट्रस व्यंजनों से कहीं अधिक स्वादिष्ट खिचड़ी की बड़ी देगची उतारती गंगेश्वरी अम्मा की वह तत्परता—''बच्ची दुलारी से कहो, जल्दी से धनिया, अदरख की चटनी पीसकर पथलौटी में तैयार रखे; आलू, बैंगन, परवल के भुर्ते, दही, पापड़, आचार सबकुछ तैयार है। सब लोग आते ही होंगे।''

सबसे पहले आचार्य जगदीश पधारे थे, ''कहाँ हैं हमारे दुलरुवा, इस गृह-भोज के राजा भोज! औढरदानी लोकनाथ।''

उत्सव के आनंद से उमगता हुआ जगमोहन निवास। पाँत बिछी हुई और बाल-वृंद को साथ लिये फणिभूषण प्रेममगन भोजन परोसते हुए।

गंगेश्वरी ने धीरे से ऋचा को पास बुलाया था, ''जी ठीक नहीं लग रहा है। बचिया, किसी को कोई जरूरत हो तो दे देना। हम अपनी कोठरी में तनिक सुस्ताने जा रही हैं।''

''अम्मा, तुम ठीक तो हो न। बाबूजी को भीतर बुला लाएँ?''

''नहीं-नहीं। बस, थोड़ी सी थकान है। पीठ में हल्का सा दर्द है, बाकी कुछ भी नहीं।''

आचार्य जगदीश ने इसरार किया था, ''आज अन्नपूर्णा बहू के दर्शन नहीं होंगे क्या?''

लोकनाथ ने तत्परता के साथ ऋचा को पास बुलाया था—''जाकर देखो तो

बच्ची, अम्मा जग गई होंगी, उन्हें बुला लाओ।''

ऋचा का वह हृदय विदारक क्रंदन। ''बाबूजी, जल्दी चलिए। अम्मा को कुछ हो गया है। वे बोल नहीं रहीं। हिलती-डुलती भी नहीं।''

लोकनाथ के हाथों में होमियोपैथी दवाओंवाली संदूकची थी—''कार्बोवेज, क्रेटीगस''। सबकुछ बेअसर। ऐसा प्रबल हृदयाघात!''

जगमोहन निवास की आत्मा अपनी योगेश्वरी सासू माँ के पास, किसी अज्ञात दिशा की ओर प्रयाण कर चुकी थी। पलक झपकते ही सबकुछ शेष हो चुका था।

हतवाक् हो चुके थे लोकनाथ। मरण की इतनी बड़ी छलना। किसी से कोई बातचीत नहीं। अधूरी गृहस्थी का इतना बड़ा शाप-भार उनके ऊपर डालकर कहाँ चली गई इस घर की आत्मा?

थहराकर शीतलपाटी पर गिर पड़े थे लोकनाथ। आचार्य जगदीश ने अवलंब देना चाहा था—''तुम्हारी कठोरतम परीक्षा ले रहे हैं प्रभु। तारा बहू कहीं गई नहीं, वह तुम्हारे भीतर समा गई है। उठो, अंतिम संस्कार की तैयारी करो। इन बच्चों को सँभालो। ऋचा बिटिया की हालत देखो।''

पड़ोस की कल्याणी आजी ने ऋचा को अपनी गोद में सँभालने की कोशिश की थी—''भागवंती थी तेरी माई, माँग भर सिंदूर लिये चुपचाप चली गई। उठ बिटिया, गंगेश्वरी कनिया का आखिरी सिंगार करना है। जा तो, इसका सिंगारदान ले आ।''

रसोईघर के सामनेवाले बरामदे में निष्पंद लिटाई गई कंचन काया।

बड़ी मठिया पर उल्लसित कंठ से रामचरित मानस के पुष्पवाटिका प्रसंग का मधुर गायन करते लोकनाथ, राम की शक्तिपूजा का तन्मय वाचन करते लोकनाथ देखते हुए निष्पलक याद आया उपवन विदेह का, प्रथम स्नेह का लतांतराल मिलन।

कोहबरघर में लाल बनारसी साड़ी में लिपटी छोटी सी गठरी, धीरे-धीरे हिलती सी लोकनाथ ने धीरे से पीठ पर अपना हाथ रखना चाहा था, ''हटिए भी, अभी माई, भौजी सब आ जाएँगी।''

''पहले आप अपना घूँघट उतारिए।''

''नहीं, हमें लाज आती है।''

''ताराजी, आपको जीवन भर हमारे साथ रहना है।''

दिपते हुए नक्षत्रों सी बड़ी-बड़ी आँखें, ''अच्छाजी, हमारा नाम भी नहीं जानते, हम गंगेश्वरी हैं। तारा-वारा नहीं।''

''भई, हम तो आपको तारा ही कहेंगे। भोर का तारा।''

''अरे नहीं, माई कहती है, भोर का तारा देखना असगुन होता है।''

''तब तो और भी ठीक है। मैं रोज सुबह आपका मुख निहारूँगा।''

''धत्!''

प्रिया के पास बैठे लोकनाथ की मुँदी हुई पलकों के भीतर अश्रु-ज्वार उमड़ आया था। पंडित युक्तिनाथ उपाध्यायजी ने महीने भर पहले जन्मांग चक्र का अनुशीलन किया था—''सुदीर्घ जीवन और अक्षय सौभाग्य लेकर आई हैं आपकी सहधर्मिणी।''

पटुके से आँसू पोंछते लोकनाथ निकट आए थे—''ऋचा, तुम्हारी माँ को एक बार ठीक से देख तो लूँ!''

... ...

आचार्यजी ने प्रबोध दिया था, ''अपरूप सौंदर्य साथ लिये जा रही है बहूरानी। शांतचित्त, योगिनी थी तुम्हारी तारा प्रिया!''

श्राद्धवाले दिन ऋचा ने पिता को माँ बनकर परिशांत दी थी—''उठो बाबूजी, विश्वविद्यालय जाने की तैयारी करो।''

लोकनाथ ने पुत्री को निकट बिठाया था—''तू सबकुछ सँभाल लेगी बच्ची, घर-गृहस्थी, रसोई, अपनी पढ़ाई।''

''बाबूजी, अम्मा से हिम्मत उधार लूँगी। मैं पूरी कोशिश करूँगी।''

पूरे बारह वर्ष। एक कल्प!

पर्वत के वक्ष में दहकते हुए अग्निराग सा लोकनाथ का जीवन! पश्चिमी व्यामोह में घर-बार का नेह त्याग बौड़म बना भटकता ज्येष्ठ पुत्र। नि:शक्त पिता का पीड़ा-विकल वार्धक्य भार और माई का प्रतिरूप बनी गृहस्थी के सुमेरु को कंधे पर उठाए, पूरे घर का रख-रखाव सँभालती ऋचा का जीवन-व्रत!

''बच्ची, कॉलेज नहीं जाना है।''

''रहने दीजिए बाबूजी, झूठमूठ रिक्शे के पैसे बरबाद होंगे न। परीक्षा सामने है, रातभर जगकर तैयारी कर लूँगी मैं।''

प्रधानाचार्य ने कहला भेजा था, ''महाविद्यालय में कविता-प्रतियोगिता का आयोजन है। तुम अपनी कोई भी मानक कविता भेजो। रचना माँ पर केंद्रित होनी चाहिए।''

उस रात अम्मा अपने संपूर्ण वजूद के साथ उसके समक्ष थी—

''बिटिया, मेरा अग्निस्नान अकारथ नहीं जाए। पारसमणि से तुम्हारे पिता, अपनी शिष्य परंपरा में दिव्य, अपने ज्ञान में बृहस्पति, स्वाभिमान में सूर्य। मुझे अच्छी तरह ज्ञात है, मेरे बाद वे टूटकर बिखर जाएँगे। उनका जीवन...'' तारा माई ने दोनों बाँहें बढ़ा दी थीं, जानकी विरह में विकल श्रीराम की तरह तिल-तिल क्षरित होती मेरे जनक की साँसें। किसी से कुछ भी कहना नहीं, जो मिले, खा लेना, जैसा चाहे, पहन लेना। तारा माई थी तो एक मीठा उपालंभ लिये साधिकार पुकारते, ''ऋचा अपनी अम्मा को जल्दी भेजना जरा, मेरी शेरवानी नहीं मिल रही है और मेरे सब रूमाल गंदे हैं। आज निराला जयंती है। मैं सभा का अध्यक्ष हूँ। मुझे सबसे पहले पहुँचना चाहिए न।''

तारा अम्मा की वह तत्परता देखते ही बनती—''छोटे बालक बनते जा रहे हैं, तेरे बाबूजी, शेरवानी सामने धरी है, रुमाल और पानी का गिलास मेज पर है, मुझे सौ काम हैं। इनका क्या, बन-ठनकर निकल पड़े, रात गए घर लौटे।''

तारा रानी के मधुर बोल लोकनाथ की जीवन शक्ति थे।

''आपको क्या पता, हमारी साहित्यिक सभाओं में किन गंभीर विषयों पर चर्चाएँ होती हैं। ऋचा अपनी अम्मा को राम की शक्तिपूजा का भाव बताना जरा। इन्हें अपने सोहर, झूमर से फुरसत हो तब तो।''

अम्मा की वह मान भरी भुवन मोहिनी मुसकान। ''बिटिया, कह दे अपने बाबूजी से, सोहर, झूमर ही नहीं, रामायण भी गाती हैं हम, कुछ गीत हमने भी रचे हैं।''

लोकनाथ चुपके से सुनते, मंद-मंद मुसकान में अपनी पुलक छिपाते ऊर्जस्वित हो उठते—अटूट आत्मविश्वास से भरी उनकी भार्या, प्रत्येक शंका का द्रुत समाधान देतीं, प्रत्येक अशुभ को शुभ में परिणत करने की विलक्षण शक्ति सहेजती गंगेश्वरी। तभी तो अनंत यात्रा पर जाने से पहले उन्होंने ऋचा को पास बिठाया था—''सुन बचिया, बड़े जेठे का आदर मान, छोटे का दुलार, यह बात कभी मत भूलना, इस जगती में काम पियारा होता है, चाम नहीं। अपनी लगन और मेहनत से तू गृहस्थी को स्वर्ग बना सकती है। ऋचा, तू मेरी कोख जायी है। पूरा भरोसा है कि तू मेरी हर बात मानेगी।''

ऋचा ने हँसते हुए अपनी अम्मा को अँकवार में बाँध लिया था—''तुम तो ऐसे

बोल रही हो, जैसे आज ही मेरी विदाई हो रही हो।''

''बिटिया जनम ठहरा, एक न एक दिन तो दूजे घर जाना ही होगा न।''

अम्मा की अधूरी गृहस्थी को सहेजने में जी-जान से जुटी ऋचा!

''बाबूजी, उठो, खाना खा लो।''

लोकनाथ की वह अश्रुतरल असहाय दृष्टि।''जी अच्छा नहीं, भूख तो बिल्कुल ही नहीं।''

''अच्छा यह दूध तो पी लो। खाली पेट रहना ठीक नहीं।''

रघुवंशम् के अजविलाप की करुणा लोकनाथ की असह्य पीड़ा बनकर उमड़ आई थी—

''गृहिणी, सचिव, सखी, मिथ:
प्रिय शिष्या ललिते कलाविधौ,
करुणा विमुखेन, मृत्यु ना हरता
त्वां वद किं न मेहृतम्।''

''कितने रूपों में ताराजी मेरे साथ थीं—गृहणी, भार्या, सचिव, अंतरंग बांधवी, ललित कला प्रिय मेरी अनुगता, उन्हें छीनकर मृत्यु ने मेरा सबकुछ छीन लिया।''

आचार्य जगदीश ने वात्सल्य भाव से लोकनाथ को शास्ति दी थी—''देह मथुरा, मन बसे ब्रज, बहुरिया के नेह की यह निठुराई ही तुम्हारी नियति है। उठो पुत्र, जीवन-संग्राम के योद्धा बनो। इस विकट प्रभंजन के विरुद्ध तुम्हें अकेले ही खड़ा होना होगा। तुम्हारी साँसों में वह सिद्ध योगिनी बसी हुई है, उसका स्मरण करके तुम्हें शोकमुक्त हो जाना है।''

'संस्कृति का जीवन मर्म' पुस्तक येन-केन-प्रकारेण पूरी हुई थी।

अप्रत्याशित वार्धक्य की दुर्बलता घेरती जा रही थी लोकनाथ को—''बचिया, ताराजी की आलमारी में क्रेटिगस दवा है। दस बूँद पानी में डाल देना जरा।''

''क्या बात है, बाबूजी?''

''नहीं, कुछ नहीं ऋचा, आज सुबह से कलेजे में शूल जैसी चुभन हो रही थी। पहले तो लगा कि वायु विकार हो सकता है, लेकिन कक्षा में शिरोव्यथा ऐसी प्रारंभ हुई कि मैं अपना व्याख्यान पूरा नहीं कर पाया।''

डॉ. हरवंश आए थे। उन्होंने सप्ताह भर के लिए पूर्ण विश्राम की हिदायत दी थी—''अनिद्रा और तनाव के कारण आपकी यह दशा हुई है। अतीत का दंश भूलकर

वर्तमान को सहेजने का प्रयास करें लोकनाथजी।''

बाबूजी के किताबी थैले से वह पत्र चुपचाप निकाल लाई थी ऋचा। तो यह था उसके पिता की शिरोव्यथा का दहकता हुआ प्रयोजन।

''मैं इन दिनों यूरोप की यात्रा पर हूँ। मेरे साथ रोजलिन भी है, भारतीय मूल की स्वीडिश कन्या, मेरी होनेवाली भार्या। देश लौटने पर वह भी आरा आएगी। ऋचा से कहें, ऊपरवाले तीन कमरे बिल्कुल फिट रखे, आधुनिक साज-सज्जा के साथ। आपकी जो आउटडेटेड किताबें हैं, उन्हें पैक करवाने का कष्ट करेंगे। रोज एक महीने उसी घर में रहेगी। स्मरण रहे, उसके पिता आलोक जॉन इंग्लैंड के अत्यंत सफल हीरों के व्यवसायी हैं। मैंने अपने मित्र से कहकर एक बावरची का प्रबंध कर लिया है। हम दोनों का भोजन ऊपरी मंजिल पर ही बनेगा।''

लोकनाथ की लेखनी धीरे-धीरे गति पकड़ रही थी।

'भारतीय संस्कृति का जीवन मर्म' ग्रंथ का अंतिम अध्याय पूरा करने की तैयारी में थे वे।

न वित्तेन तर्पणीयो मनुष्यो

कभी भी वित्त मनुष्य का परितोषकारक नहीं हो सकता। मनुष्य की चेतना में वक्रता के लिए कोई स्थान नहीं। भारतीय लोक संस्कृति की विलक्षण विशिष्टता, सादगी और निश्छलता, निष्ठा, समरसता, विवेक दृष्टि और कर्मठता। मातृदेवो देवो भव, पितृ देवो भव, आचार्य देवो भव।

लोकनाथ की प्राण शिराओं में दर्द की तेज लहर दौड़ गई थी। कलम का स्रोत अनिर्वचनीय ग्लानि से अवरुद्ध हो गया था, किस संस्कृति की गाथा लिखने चले थे वे? सकल विद्याओं के मंथन का क्या फल मिला उन्हें, ताराजी चली गईं, इस अमानिशा का तमस कटे भी तो किस प्रकार?

आचार्य जगदीश सेवानिवृत्त होकर गोरक्षिणी ग्राम चले गए थे। स्कंद के पत्र के साथ उनका संदेश भी प्राप्त हुआ था—''तुम्हारी योगेश्वरी माई ने तुम्हारा नाम न जाने क्या सोचकर रखा था, लेकिन मैं बारंबार विचार करता हुआ इसी निष्कर्ष पर पहुँचता हूँ, तुम्हें शिवत्व प्राप्त करना होगा। कंठ में लिपटा हुआ भुजंग, विषपायी महादेव का औढरदानी स्मित, यह नियति कमोबेश प्रत्येक मनुष्य की होती है। संतान का आचरण गरलमय हो जाए तो शिवत्व धारण करने के सिवा दूसरा कोई मार्ग नहीं। आशुतोष तुम्हें शक्ति दें।''

साँस-साँस पत्नी के बिछोह की असह्य यातना, अधूरे लेखन कार्य को पूरा करने

की विकलता, जीवनीशक्ति के तेजी से चूकते जाने का प्रबल अहसास।

अनुपम वात्सल्यमयी जननी की कोख से निःसृत ऐसा विषवृक्ष। राममय थे लोकनाथ, भावी पीढ़ी की अहंमन्यता का अनुमान लगाती उनकी चेतना मर्मांतक दंश झेल रही थी और वे विवश थे।

आधुनिकता बोध का ग्रहण लग चुका था पुत्र को। पांडित्य का इतना बड़ा दंभ, मनुष्य विरोधी, धनवादी ऐसी मनोवृत्ति कहाँ से आ गई, उसके शील-संस्कार कहाँ खो गए?

स्कंद से एस. रत्नम् बन गए थे लोकनाथ के आत्मज। बहन की उँगली थामे पिता के पीछे-पीछे चलनेवाला, खूब सहमा सा रहनेवाला नन्हा बालक एकबारगी में बहुत बड़ा हो गया था। कद-काठी में भी, ज्ञान के गुमान में भी।

एक छोटी सी बेशकीमती अटैची, कोट, पैंट, महँगे फ्रेमवाला चश्मा।

दालान में बैठे लोकनाथ को देखकर क्षणभर के लिए रुके थे वे। बाएँ हाथ की एक उँगली से पिता का घुटना छूने का अभिनय मात्र किया था।

लोकनाथ को स्मरण हो आया था—आचार्य जगदीश इसी बैठकखाने में विराजमान थे। स्कंद ने देखकर भी अनदेखी करते हुए गलियारे की ओर से निकल जाना चाहा था।

लोकनाथ ने शयनकक्ष में स्कंद को बुलाया था—"तुमने मेरे गुरु का अपमान किया है! क्यों?"

"गुरु होंगे आपके। मैं उन्हें कतई पसंद नहीं करता।"

"तुमने बड़ों का अनादर करना कब से सीख लिया?"

पुत्र की आँखों में मौन तिरस्कार का भाव देखकर तिलमिला उठे थे लोकनाथ।

"होंगे आपके आचार्य, मैं आपसे कितनी बार कह चुका हूँ, उनके साथ मेरे विचारों का बिल्कुल मेल नहीं है।"

"विचारों की विपरीतता का असर संबंधों पर तो नहीं पड़ना चाहिए। तुम उनसे क्षमा माँग लो।"

"नहीं, कभी नहीं। और मेरा उनका संबंध कैसा? इस तरह का व्यक्ति मेरे लिए पूजनीय कभी नहीं हो सकता। मैं धार्मिक पाखंड को बिल्कुल ही बरदाश्त नहीं कर सकता।"

लोकनाथ ने मात्र दो शब्द कहे थे—"मनुष्य बनो।"

बाद में ऋचा ने बताया था, "मेरी बनाई चाय जरा सी चखकर भाई ने पूरी

प्याली बेसिन में उड़ेल दी। तुम जानती भी हो, चाय कैसे बनाई जाती है। तुम्हारी बनाई चाय कोई भलामानस पी ले तो सात दिनों में कोलेस्ट्रॉल, ब्लड प्रेशर सब बढ़ जाएगा।''

पूरा जगमोहन निवास नकारात्मक आवेग से आक्रांत हो उठा था—''मेरा कमरा, मेरा सामान, सबकुछ इतना तहस-नहस। किसने किया यह सब और ऊपरवाले कमरे अभी तक खाली क्यों नहीं हुए। अच्छा हुआ कि मैं पहले आ गया। रोजलिन हफ्ते भर बाद आएगी।''

''कोई बात नहीं। डेविड कल आ जाएगा। ऋचा दी, ऊपरवाले कमरों का सामान कहाँ हटाया जाएगा, यह आप हमारे अर्दली को ठीक से समझा देंगी।''

लोकनाथ को अपनी नई पुस्तक का आवरण देखने के लिए वाराणसी जाना था। वे जाने से पहले एक बार स्कंद को समझाना चाहते थे, उसे पास बिठाकर प्रबोध देना चाहते थे—''तुम दिशाभ्रमित होते जा रहे हो। अब भी समय है, चेत जाओ, स्कंद। तुम्हारी अम्मा की कितनी अपेक्षाएँ थीं तुमसे?''

पाषाण-शब्दों की कचोट से लहूलुहान आत्मा का दंश अकेले में आँसुओं का सैलाब बनकर फूटा था—''मैंने अपने लिए नई दिशा चुनी है, इसमें किसी को कोई आपत्ति नहीं होनी चाहिए। चेतना तो आपको चाहिए। मुझे अपने किसी भी काम में कोई दखलंदाजी पसंद नहीं। सबकुछ जानते हुए भी आप...।''

उबलते हुए दुस्सह क्रोध की अग्नि में झुलस गए थे लोकनाथ—''ताराजी, कहाँ चली गईं आप? कब तक मौन झेलता रहूँ मैं। अपनी संतति का दिया संताप अब सहा नहीं जा रहा है।''

उस दिन की सांध्य-प्रार्थना में पिता के सकल क्षोभ की परिणति अवरुद्ध कंठ से फूटते स्वर के व्याघात में हुई थी—

''ग्रह, व्याधि, रिपु घेरे हुए,
अब दुःख सहा...जाता...न...हीं...।''

ऋचा स्तब्ध थी।

कैसे कहती, किस प्रकार खोलकर दिखाती दैनंदिनी के उन ऊर्जस्वी शब्दों को—

निर्मम से निर्मर प्रहार हो,
हर हाल में मन प्रशांत हो।

साहस जुटाकर वह पिता के समक्ष बैठी थी, उसका वह जननी भाव।

''बाबूजी, देवी माँ के अनन्य भक्त हैं आप, फिर भी ऐसी कातरता। क्षमा करेंगे, मैंने आपकी दैनंदिनी को पढ़ने का पाप किया है, वृद्ध जरद्गव बनकर अपने ही कोटर में सामर्थ्यहीन पड़ा हुआ एक विवश पिता।'' आचार्यजी ठीक कहा करते थे—''अनेक जन्मों के पुण्य का प्रतिफल हुआ करती है, सद्विचारोंवाली संस्कारवान संतान। निस्संदेह मेरे गत कर्मों का ही कोई दोष रहा होगा।''

''आप ऐसा क्यों सोचने लगे हैं, बाबूजी ? स्मरण है, मुझे मियादी बुखार हुआ था। तीन महीनों तक मेरे सिरहाने बैठकर रामरक्षा स्तोत्र, देवी कवच, लाहिड़ीजीवाली गीता का पाठ करते रहे थे आप। दुर्बलता के कारण बार-बार मेरी आँखें मुँद जाती थीं और आप कितने कोमल स्वर में गा उठते थे—

दीन दयाल बिरिदु संभारी,
हरहु नाथ मम संकट भारी।

''आज ऐसा क्या हो गया है ? आप इस कदर अकेलापन क्यों महसूस कर रहे हैं। अभी तो बहुत कुछ करना बाकी है, फिर आपने ऐसा क्यों लिखा—जीवन में कुछ भी कर न सका।''

करुणा से सना हुआ उनका वह हास—''कभी-कभी अपने-आपको सँभालना होता है न बच्ची। आवेश में जो कुछ भी लिखा जाता है, वह अनर्गल सिद्ध होता है, घबड़ा मत, मुझे अभी बहुत काम करना है, तेरे प्रति भी मेरा दायित्व है। नहीं, तुझे उदास नहीं होना है। तेरा आत्मविश्वास को इस निर्धन पिता का सबसे बड़ा धन है। तू लिखेगी बचिया, खूब लिखेगी और वही मेरी परिशांति का प्रयोजन बनेगा।''

लोकनाथ का स्वाध्याय मंदिर भग्नावशेष के रूप में सामने था। वाल्मीकीय रामायण, उत्तर रामचरित, महावीर चरित, ईशावास्योपनिषद्, ऋग्वेद संहिता, आदित्यपुराण, धर्मयुग, हिंदुस्तान की बँधी हुई फाइलें। चित्रकूट घाट के तुलसीदास का बड़ा सा तैलचित्र, गीतिका के निराला की भव्य मुसकानवाली आदमकद तसवीर। हिंदी, संस्कृत, अंग्रेजी के दुर्लभ ग्रंथों से भरा हुआ तीन कमरों का ज्ञान साम्राज्य देखते-ही-देखते उजड़ गया था।

''डेविड, ये सारी किताबें नीचे बड़े साहब के कमरे में पहुँचा दीजिए।'' ध्यान रहे, दस कमरों में पेरिस करवाना होगा। रंग आदि लाने की जिम्मेदारी ठेकेदार की है और हाँ, कारपेंटर को बुलाकर नया डोर लगवाना होगा।''

ऋचा ने समझाना चाहा था—"बाबूजी काशी से लौट आते तो उनसे पूछकर…"

स्कंद की विद्रूप हँसी ने निरुत्तर कर दिया था, "इतना टाइम नहीं है मेरे पास, और भी बहुत कुछ देखना है मुझे। ऋचा दी, आप डेविड को समझा देंगी, ये सभी पोथे नीचेवाले दालान में रख देगा। बाकी व्यवस्था मेरे दिल्ली से लौटने के बाद।"

ऋचा छोटी थी, तब लोकनाथ अकसर एक कहानी सुनाया करते थे—"एक अध्यापक थे। उनके कक्ष में एक बहुत पुरानी, पुश्तैनी घड़ी टँगी थी। उसकी टिक-टिक सुनकर ही उनकी नींद खुलती थी। उनके विलायतपलट बेटे को उस घड़ी से चिढ़ थी। उसके घंटे की आवाज उसे बेहद कर्णकटु लगती थी। एक दिन अपने पिता की अनुपस्थिति में उसने वह बेशकीमती घड़ी कबाड़वाले को दे दी। उस रात वे अध्यापक सोए तो उठे ही नहीं। जानती है बच्ची क्यों? क्योंकि उनके प्राण उस घड़ी में ही बसते थे। इसी तरह मेरे प्राण मेरी पोथियों में बसते हैं। योगेश्वरी माई, तेरी पितामही के दुर्लभ ग्रंथ, भृगुसंहिता की पांडुलिपि, श्रीमद्‌भागवत, कल्याण के विशेषांक, शेक्सपियर, गेटे, बायरन की रचनाएँ…। इनके बिना मैं अपने घर की कल्पना तक नहीं कर सकता। इनमें से किसी एक भी ग्रंथ को क्षति पहुँची तो मेरा जीवन दुस्सह हो जाएगा।"

अच्छी तरह याद था ऋचा को! लोकनाथ के किसी शिष्य ने अनर्थ कर डाला था—धर्मयुग के मुख पृष्ठ में तिलकुट बाँधकर ले आया, "गुरुदेव, मुझे विश्वामित्र कॉलेज में प्राध्यापकी मिल गई है। आपकी कृपा…"

पिता की वह रौद्र भंगिमा देखकर ऋचा दौड़ती हुई माई के पास चली गई थी—"सुदर्शन, यह क्या अनर्थ कर डाला तुमने! 'धर्मयुग' का वध कर डाला, विद्या का सम्मान नहीं, क्या खाक साहित्य के अध्यापक बनोगे तुम? तुम्हारा मुख देखना भी असह्य है। तुम जा सकते हो!"

ग्लानि से भरा, तिलकुट की टोकरी उठाकर जाता हुआ वह युवक। उनकी दीन मुद्रा आज तक नहीं भूल पाई थी वह।

अम्मा ने कितनी शीतल वाणी से बाबूजी का उपचार किया था—"दोष विनय के नइखे। तिलकुटवाला का जानी धर्मयुग के महातम। उ बचवा के मन टूट गइल। अकारन खिसियाइल आपन देह-परान खातिर भी घातक होला। रउरा छोट बालक बानी का जी?"

लोकनाथ का ग्रंथागार खुली छत पर जहाँ-तहाँ बिखरा पड़ा था। रामायण

का मुखपृष्ठ फटा हुआ, कौटिल्य शास्त्र के मध्यभाग के पृष्ठ मुड़े-तुड़े उधड़े हुए। ऐतरेयोपनिषद् औंधे मुँह गिरा हुआ।

क्रोधानल का ऐसा प्रचंड आवेग—"किसने अनुमति दी इतने बड़े विनाश की? यह कचोट मेरी अंतरात्मा पर डाली है तुमने। मुझे प्रताड़ित करके बड़ा सुख मिलता है न तुम्हें?"

बबूल वन में नंगे पाँव चलने का अहसास था स्कंद के शब्दों में—"शांत हो जाइए। अकारण क्रोध स्वास्थ्य के लिए ठीक नहीं होता। सच को स्वीकार करना चाहिए। दादाजी का बनवाया हुआ यह घर, इसकी ऊपरी मंजिल के केवल तीन कमरों को अपने अनुकूल करवा रहा हूँ मैं! नीचेवाले सात बड़े कमरे आपके लिए पर्याप्त हैं। वैसे भी आपकी लेखक मंडली बिना सिर-पैर की बातें करती है। मेरा मिजाज उखड़ जाता है। इसीलिए तो मैंने ऊपर रहना ही ठीक समझा और आपकी भलाई भी…।"

मस्तिष्क की शिराएँ ताप विकल हो उठी थीं। अपने कमरे में चुपचाप सिमटकर देर तक मूक् रुदन करते रहे थे वे।

"ताराजी, आप होतीं, तब भी क्या ऐसा ही होता? इस कुपथगामी अश्व की वल्गा आपके हाथों में थी। उद्धतता की चरम सीमा पर पहुँचा हमारा यह वंश। इसी संतान के लिए आपने पुत्रदा एकादशी का व्रत रखा था, छठ माता, आदित्यदेव के आगे गुहार लगाई थी?"

साँझाबाती के समय ऋचा ने साँकल बाजई थी—"बाबूजी, उठो, दरवाजा खोलो। तुमने कहा था न, आज मठिया पर बुलावा है। सुंदरकांड का समवेत गायन कार्यक्रम है। जौनपुर के राजेश्वरानंद स्वामी पधारनेवाले हैं।"

विकल दावाग्नि से झुलसे हुए मलयवन का वह दाह।

"तू खबर करवा दे बच्ची, मेरा जी ठीक नहीं है।"

"बाबूजी, अपने आपको सँभालिए। आपका गायन सुनने के लिए निमेज, करजा, ब्रह्मपुर, दहिवर, तिवारीपुर, कहाँ-कहाँ से लोग-बाग आए हैं। भाई राजेश्वरनंदजी ने यह विशेष प्रार्थना-पत्र आपके लिए भिजवाया है। मैं हल्दीगुड़वाला दूध लाती हूँ, अम्मा का पुराना नुस्खा। तब तक आप तैयार हो जाएँ।"

गुलाबी पृष्ठ पर लिखा वह सम्मान भरा आमंत्रण—"गुरुदेव, आपकी अमृतोपम वाणी सुनने की, आपके देवोपम रूप के दर्शन की प्रबल आकांक्षा मुझे इस अरण्य नगरी तक खींच लाई है। देश-विदेश में मानस गायन करते बीस वर्ष पूरे हुए। मैं एक

क्षण के लिए भी यह नहीं भूला कि मेरे प्रथम दीक्षा गुरु तो आप ही हैं। आपने मुझे मानस का मर्म बताया, इस अकिंचन को रागी राजेश से राजेश्वरानंद बनाया। आपकी निश्छल भक्ति ही मेरी सबसे बड़ी जीवन-शक्ति है।''

भरी सभा में रागी राजेश के विशेष अनुरोध पर लोकनाथ ने दशरथ की वात्सल्य विभोरता को अपना स्वर दिया था—

''दसरथ पुत्र जन्म सुनि काना।
मानहूँ ब्रह्मानंद समाना॥''

स्नातक के छात्र, उनके शिष्य की आँखों में प्रेमाश्रु थे—''बचपन में ही अपने माता-पिता को गँवा चुका हूँ गुरुदेव। वात्सल्य सनी वाणी में आशीष के खील-बताशे लुटाते आप जब भी मुझे अपने अँकवार में लेते हैं, मैं आनंद से बेसुध हो जाता हूँ। आपकी छत्रच्छाया में जननी-जनक दोनों का अभाव पूर्ण होता है। काश, मैं भी स्कंद की तरह आपका और तारा माँ का पुत्र होता।''

ताराजी का विशेष स्नेह था राजेश के प्रति। पत्र पढ़ते समय लोकनाथ के मनोभाव धीरे-धीरे परिवर्तित होने लगे थे।

''ऋचा, मेरा पीला रेशमी कुरता और उसका जोड़ा उत्तरीय निकाल ला और तू भी तैयार हो जा।''

सुंदरकांड का मर्म समझाते लोकनाथ तुलसीमय हो उठे थे।

''श्री रघुनंदन के पद सेवक हुनमान माता जानकी के समक्ष हैं। वेदना विकल सीता के समक्ष श्री राम का संदेश सुनाते हुए महाबली हनुमानजी का हृदय करुणार्द्र हो उठता है—

कहेउ राम वियोग तव सीता। मो कहुँ सकल भए विपरीता॥
नव तरु किसलय मनहुँ कसानू। कालनिसा सम निसि ससि भानू॥

किससे कहें राघव अपनी वेदना? विश्व की सकल ऋद्धि-सिद्धियाँ विपरीत हो गई हों जैसे।

कुवलय, विपिन, कुंत बन सरिसा। बारिद तपत तेल जनु बरिसा॥

राजेश्वरानंद के मुँदे नेत्रों से अविरल अश्रुधारा प्रवाहित थी—''आपके दारुण संताप का कारण मुझे ज्ञात है, गुरुदेव। तिल-तिल क्षरित हो रही आपकी चेतना का परिताप स्पष्ट देख पा रहा हूँ मैं। आपकी पीड़ा का थोड़ा सा अंश मैं सहेज पाऊँ तो मुझसे बड़ा बड़भागी कोई नहीं होगा।''

सुंदरकांड का अखंड पाठ पूरा होनेवाला था। अपनी वाणी को विराम देते, इसके पहले राजेश्वरानंद गुरु के समक्ष विनत भाव से बैठ रहे थे।

"आज के इस शुभमुहूर्त में एक विनती है। आपके चरणों में हम शिष्यों का बैकुंठ हुआ करता था, आपका ऋग्वेदीय आह्वान, आपका वह शंखनाद। किस अकथ्य पीड़ा ने आपकी विराट्ता को अपना आहार बना लिया? आपके अभिभाषण में संगीत का स्वर निनादित हुआ करता था, वह कहाँ लुप्त हो गया? अपने आराध्य श्रीराम के लिए, दिवंगता गुरुमाता के लिए अपने पुराने जीवन में लौट आइए आचार्यदेव! ऋषि विश्वामित्र की तपोभूमि से निःसृत प्रज्ञापुरुष हैं आप।"

श्रोतावृंद जा चुके थे। ऋचा ने धीरे से इंगित किया था—"ठंड बढ़ रही है बाबूजी, राजेश्वर भाई, हम सबको को भी चलना चाहिए।"

राजेश्वरानंद ने अपने चेतना गुरु को अवलंब दिया था—"आपकी लेखनी में ग्रामात्मा का वास है। भिखारी ठाकुर पर व्याख्यान देते समय आपकी वह विलक्षण लयबद्धता—

एक दिन बहि जइहें जुलुमी बयरिया से
डार पात जइहें भहराइ रे बिदेसियाऽ।
कितना मर्मस्पर्शी स्वर वेध था वह।
आँसुओं के तीर्थ पर करुणामय होती पाँच ग्रामों की वह सभा।
... ...

"गुरुदेव, विदा लेने से पहले एक अनुनय है—आप और ऋचा बहिन हमारे गाँव चलें। आपका मन थोड़ा सा परिवर्तित होगा। वहाँ सब आपको पितृवत् आदर मान देते हैं। अपने इस मानसपुत्र की इतनी सी प्रार्थना स्वीकार करें पिता।"

"पिता!"

कठुआए हुए पाषण हृदय से ममत्व की तृषा विकल धार फूट पड़ी थी।

"नक्षत्रों से भरे नील व्योम के छत्र तले, ताराजी की स्मृतियों को साक्षी मानकर आज तुमसे कहता हूँ। तुम मेरे पुत्र ही तो हो, मेरे सच्चे उत्तराधिकारी! राजेश्वर, वचन देता हँ। गाँव लौटूँगा अवश्य। तुम्हारे सान्निध्य में रहने की बड़ी इच्छा है, पर अभी नहीं। जीवन यज्ञ की कुछ समिधाएँ और बटोरनी हैं। तुम्हारी गुरुमाता की बड़ी इच्छा थी—गाँव में कन्याओं के लिए एक विद्यालय खुले। उन्होंने अपने हाथों से वहाँ की ठाकुरबाड़ी में दीपक जलाया था और पंडितजी से निहोरा किया था—हम

रहें या न रहें, यह दीप जलना चाहिए। घी, बाती का खरचा हमारा। वह नियम आज भी पूर्ववत् है। ताराजी का ज्ञानयज्ञ अधूरा है।''

लोकनाथ ने एक निर्णय लिया था, ''ऋचा, इधर आ, तनिक हमारे पास बैठ बच्ची।''

''बाबूजी आपके लिए कॉफी बना लाऊँ?''

''अभी नहीं, उससे भी अधिक जरूरी बात तुमसे कहनी है। याद है, बचपन में अलबर्ट आइंस्टाइन की कहानी पढ़ती थी और रटा करती थी—इस दुनिया में सबसे बड़ा क्या? बुद्धि! केवल बुद्धि। तुझसे सीख लेकर मेरी बुद्धि ने एक निष्कर्ष सहेजा है। इस जगमोहन सदन के दो भाग करने होंगे। भूतलवाला भाग अपनी इस बावरी बिटिया के नाम और ऊपरी तल आकाशगामी पूत के लिए। बीच का दरवाजा हमेशा के लिए बंद। अब नए सिरे से जीवन जीना सीखना होगा मुझे। राजेश्वर, मेरे लिए मुक्तिदूत बनकर आया था। मैं उस ज्ञानी पुत्र का अनुगत हूँ। अवसाद के गर्त से उबरने का मार्ग उसने मुझे बताया। मैं उसका ऋणी हूँ बच्ची। जाओ, विश्राम करो। मुझे भी आगामी कल की तैयारी करनी है।''

ऋचा ने पुरी दालान की सजावट बदल दी थी। चारों तरफ अलमारियों में सयत्न सजाई गई दुर्लभ पुस्तकें, बीच में बाबूजी की चौकी, एक किनारे शीतलपाटी पर धरी मुंशी डेस्क और उसके इर्द-गिर्द करीने से रखी गई लेखन सामग्री। चौकी के सिरहाने-पैताने सब ओर पुस्तकों से भरी छोटी अलमारियाँ। बाल्मीकिवाली रामायण की जिल्द सामने से उखड़ गई थी। मोहनलालजी अपना पूरा सरंजाम लिये बाहरी बरामदे में हाजिर थे—''दीजिए दीदीजी और भी किताबें हों तो एक साथ लिये जाएँगे, दो दिन का बखत लग जाएगा न सबका नाम-नक्श दुरुस्त करने में।''

डेविड ने बड़ी बेरहमी से किताबों को पटका था। ऋचा छोटी थी तो उसके हाथ से शब्दकोश छूटकर गिर गया था। अम्मा ने कितनी बारीक हँसी हँसते हुए ताड़ना दी थी, ''न, बचिया न, कितबियन में सारदा माई बसेली। जइसे छोट बचवन के उठावल जाला तइसहीं खूब नरम हाथ से किताब सँभारल जाला। एकर अंग-भंग मत करिह!''

अम्मा के मुँह में बाबूजी के शब्द—''फणि, राजेश्वर, एक बात तुम लोग सदैव स्मरण रखना। एक भी पृष्ठ फटे या मुड़े तो यह सरस्वती का अपमान होता है। अनेक विद्वानों को देखा है मैंने। जिह्वा से उँगली सटाकर एक-एक पृष्ठ पलटते हुए या पन्नों के बीच बेरहमी के साथ ईंट, पत्थर जैसी वजनी चीजें रखते हुए।''

ऋचा ने मोटे कागज काटकर ढेर सारे निशान बना दिए थे—

"बाबूजी, किसी भी पुस्तक के किसी पृष्ठ पर चिह्न लगाना हो तो ये लाल-पीली धारी वाले छोटे टुकड़े सामने रखे हैं और रेखांकित करने योग्य कोई पंक्ति हो तो ये लाल-हरी स्याहीवाली कलम अलमारी में बाईं ओर रखी हुई। खानेवाली मेज पर दूध-रोटी का कटोरा रखा हुआ है। खा लेना, नहीं तो ठंडा हो जाएगा। मैं कॉलेज जाऊँ?"

दो मिनट के भीतर फाटक खोलकर लपकती हुई भीतर आती ऋचा।

"अब क्या छूट गया बच्ची।"

"तुम्हारे पाँव छूना भूल गई बाबूजी।"

बिटिया के मस्तक पर हाथ रखते मन-ही-मन कृतार्थ हो जाया करते थे लोकनाथ। "ऋचा, तू जब तक है, तभी तक यह गेह है और तेरा यह जनक भी! मेरे सकल सत्कर्मों का सुफल है मेरी यह जानकी। अपनी माँ की तरह ही सहज, शांत, आत्मतोष से आकंठ भरी।"

"बाबूजी, मेरे पास कपड़े हैं। आपके लिए दो जोड़ी कुरता-पाजामा लाना है और एक जैकेट भी।"

उपनिषदमय हो उठे थे लोकनाथ—"इस लौकिक जगती में विद्या भी है और अविद्या भी। ज्ञान का मिथ्याभिमान अविद्या उपजाता है, तभी तो मानसिक दोष उभरते हैं और जीवन कुंभीपाक हो जाता है।"

स्कंद का चयन भारतीय विदेश सेवा के लिए हुआ था। ऋचा आरण्य देवी के मंदिर में प्रसाद चढ़ा आई थी। अनेक प्राध्यापक, शिष्यगण लोकनाथ से मिलने, उन्हें बधाई देने घर आए थे—"डेविड ने बताया था—स्कंद सर कल रात ही दिल्ली के लिए निकल गए।"

लोकनाथ शांत भाव से अपने कक्ष में विद्यमान थे—हर्ष का अतिरेक नहीं, वेदना की व्याप्ति नहीं! उनकी अंतश्चेतना पद्मनयना भार्या की दिव्य आभा को अपने भीतर धारण करती तेजोमयी हो उठी थी—"ताराजी, आप सुन सकती हैं तो आपके पुत्र से जुड़ा यह सुसंवाद देना चाहता हूँ। उसका पथ निष्कंटक हो, वह मनुष्यता का वरण करे।"

ऋचा प्रसाद लेकर ऊपर गई थी। स्कंद ने बेमन से एक इलायचीदाना उठाया था—"तुम जानती हो न दी, इन सब चीजों में मेरा तनिक भी विश्वास नहीं। मैंने

दिन-रात खटकर यह पद पाया है। पूज्य पिताश्री की तरह यज्ञोपवीत छूकर मैं भी यह संकल्प ले लेता कि चाहे कुछ हो जाए, यह एकचक्र नगरी कभी नहीं छोड़नी है, तो यहीं किसी स्कूल, कॉलेज में जीवन भर टीचरी करता रह जाता।''

ऋचा ने स्कंद का हाथ पकड़ लिया था—''हर मनुष्य का अपना-अपना आकाश होता है। अपना-अपना प्रारब्ध भी। बाबूजी का आत्मतोष इसी तरह की जीवन-पद्धति में था। उन्हें लेखनी का वरदान मिला है और वे मेरे आदर्श हैं।''

''लेकिन मैं संतुष्ट नहीं दी, बचपन में छोटी-छोटी चीजों के लिए तरसा करते थे हम। तुम्हें याद नहीं हो, पर मुझे एक-एक घटना अच्छी तरह याद है। एक मोटरकार लेने के लिए कितना रोया था मैं! हमारे पिताश्री ने साफ मना कर दिया था—इतना महँगा खिलौना खरीदने की कोई जरूरत नहीं। पंचतंत्र की कथा पढ़ो और पहाड़े याद करो। परिस्थितियाँ बदल गई हैं ऋचा दी, जिंदगी के गणित में अब कोई भी मुझे नहीं पछाड़ सकता। मैंने अपनी दिशा स्वयं चुनी है, मैं अपना भाग्यविधाता स्वयं हूँ।''

ऋचा ने असत्य कहा था—''स्कंद, मिलने आया था बाबूजी, आप बाजार गए हुए थे। इसीलिए मुझे बताकर चला गया।''

लोकनाथ ने एकटक बिटिया का मुख निहारा था—''सयानी हो गई है मेरी ऋचा।'' बिना कुछ कहे वे अपनी कोठरी में चले गए थे।

रत्नदेव कन्या पाठशाला की नींव रखी गई थी। कुवलय पंडित के पौत्र नमन पंडित ने मंत्रोच्चार किया था। हू-ब-हू अपने पितामह की सी कंठ ध्वनि। काशी हिंदू विश्वविद्यालय का परास्नातक। उसने आगे बढ़कर लोकनाथ की अगवानी की थी—''ताऊजी, बहुत सुना था आपके विषय में। दादाजी के संदूक में आपका जन्मांग चक्र आज भी यत्नपूर्वक सहेजकर रखा हुआ है। कितनी सुंदर रचनाएँ हैं आपकी। कोई भी पटना या बनारस जाता है तो मैं आपकी नई किताब ढूँढ़कर मँगवाता हूँ।''

पूरे दस वर्षों के बाद अपने गाँव आए थे वे। बहुत कुछ बदल गया था। बिशुन बनिहार ने झटपट दालान की साँकल खोली थी—''आइए, बिराजिए मलिकार!''

''आप कैसे हैं बिशुन भाई, सब ठीक है न, कोई कष्ट तो नहीं?''

''अरे, नहीं-नहीं। आपके रहते भला कवन कष्ट। घर की दिया-बाती हमारी छोटकी बिटियवा बिजुरी सँभार लेती है। बाबा, आजी के जुग-जमाने की सब चीज-बतुस जस की तस हैं। अबकी बार एतनी देर काहे लगा दी?''

उभयनिष्ठा आजी, योगेश्वरी माँ, ताराजी, बाबूजी सबकी स्मृतियों के साथ एक

बार फिर से अपना स्वर्णिम अतीत जीने के लिए ही तो अपनी जन्मभूमि लौटे थे वे!

ऋचा की पुलक देखने योग्य थी, ''यहाँ सबकुछ पहले जैसा ही है। अम्मा की रामरसोई, आजी का पूजनगृह, दालान, बखरी, बँसवारी, बाग-बगीचा!''

बिजुरी चहककर बतिया रही थी, ''हमारे माई-बाबू दिन-रात कठिन मेहनत करते हैं न, इसीलिए तो।''

''दिदिया, हम आपके लिए रोटी सेंक दें।''

''नहीं बिजुरी, आज की रसोई मैं सँभालूँगी।''

आदिपुरखे रत्नदेव तिवारी के नाम पर खोले गए स्कूल की पहली छात्रा बिजुरी बनी थी। लोकनाथ ने उसका नामकरण किया था, 'विद्युत्लता।'

''बिशुन भाई, इस बच्ची की फीस के लिए आप बिल्कुल चिंता नहीं करेंगे। यह जिम्मेदारी मेरी।''

उस रात पहली बार ताराजी को नवविवाहिता रूप में देखा था लोकनाथ ने।

''अच्छाजी, हम जादा पढ़े-लिखे नहीं हैं, अँगरेजी में आपकी गिटपिट नहीं समझ सकते, इसलिए न आप बिलायती बोल बोले जा रहे हैं।''

''देख लीजिएगा, हम यहाँ की धरती पर विद्या के बीज बोएँगी, ज्ञान की फसल उगाएँगी। एक दिन ऐसा जरूर होगा, इस गाँव की सभी बेटियाँ पढ़-लिखकर नइहर-ससुराल का नाम आगे बढ़ाएँगी।''

ऋचा ने चुपके से कहना चाहा था—''अम्मा के नाम की एक पट्टी कहीं लग जाती।''

लोकनाथ ने इंगित से मना कर दिया था। ''तेरी अम्मा को किसी तरह का दिखावा पसंद नहीं था। किसी जन्म की वैरागन रही होंगी ताराजी। एक युक्ति सोची है मैंने। इस विद्यालय की जो बालिका कक्षा में सर्वोच्च अंक लाएगी, उसे 'तारारानी सम्मान' दिया जाएगा। किताबें और कुछ नगद राशि भी।''

रत्नदेव बाबा की स्मृति में उगाया गया अश्वत्थ वृक्ष, पाँच शाखाएँ; गोलाकार मंडप बनाती हुई ऊपर जाकर एकजुट दिखनेवाली। उसी समाधि-स्थल पर रामकथा का आयोजन था। तिवारीपुर गाँव के दुलरुआ लोकनाथ को सुनने के लिए आस-पास के लगभग सभी गाँवों के आबाल-वृद्ध जुटे हुए।

राजेश्वरानंद ने आमुख गुरु वंदना से किया था—

''बंदउँ गुरुपद पदुम परागा।

सुरुचि सुबास सरस अनुरागा॥''

नेत्रों में श्रद्धा जल भरकर गुरु की ओर निष्पलक देखते रहे थे वे—

''अमियमूरिमय चूरन चारू।

समन सकल भवरुज परिवारू॥''

अमृतमयी वाणी में तुलसी का उच्चार—

''सिय राममय सब जग जानी…''

उस दिन दसरथ मरण प्रसंग की वेला थी। लोकनाथ के साथ हारमोनियम पर सुर मिलाते राजेश्वरानंद ने तान सँभाली थी।

''राम कुसल कहु सखा सनेही।

कहँ रघुनाथ, लखन, वैदेही॥''

प्राणप्रिय पुत्र को वनवास मिला। पुत्री सम पुत्रवधू वैदेही संग गई।

अगली चौपाई प्रिय गुरुदेव के लिए थी—

''जनम मरन सब दुःख, सुख भोगा।

हानि लाभु प्रिय मिलन वियोगा॥

काल करम बस…''

राजेश्वरानंद के हृदय में हाहाकार मचा हुआ था—कुवलय पंडितजी के गुणन के अनुसार गुरुमाता और गुरुदेव के गुणों की अद्‌भुत मैत्री थी। देवगण के गुरुदेव की ऐसी आहत मनोदशा का दायी कौन है? एकमात्र पुत्र, वह भी इस प्रकार निष्प्रयोजन पितृविमुख।

लोकनाथ ने सहास उन्हें अपने पास बुलाया था—''अंतेवासी पुत्र, तुम्हारे मनोभाव अच्छी तरह समझता हूँ मैं। तुम्हारी संवदेना पाकर अपने आपको धन्य मानता हूँ। सचमुच, प्रभु का न्याय विलक्षण है। तुम्हारी गुरुमाता ने एक अलभ्य रत्न मुझे सौंपा है। इस बिटियाधन को पाकर मुझे त्रैलोक्य का सुख मिला है। संसार की समस्त पीड़ाओं का शमन इस बच्ची की निश्छल मुसकान में हो जाता है।''

ऋचा भोजन परसकर ले आई थी—''बाबूजी, भाई, आइए इस आसन पर विराजिए।''

''देशी घी की सुगंध आ रही है, आज क्या पकाया है, ऋचा!''

''बिशुन काका बाजरे का आटा ले आए थे। सरसों का ताजा साग बनाने चली तो अम्मा की टोका-टाकी ने राह रोक दी थी—'बच्ची, कड़े डंठल, मोटी पत्तियों को

अलग करती जाना, सरसों का साग मक्खन की तरह नरम होना चाहिए।''

योगेश्वरी माई हू-ब-हू इसी तरह सामने बैठी पंखा झलती, वात्सल्यपूर्वक भोजन कराया करती थीं। ताराजी कभी-कभार चुटकी लिया करती थीं—''सासू माई ने आपका मन सहका दिया है। वे जिस तरह पूछ-पूछकर, ना-ना कहने पर भी जबरन खिलाती जाती हैं, यह आदत ठीक नहीं। हमारे पास इतना बखत कहाँ?''

''क्यों झूठ-मूठ अभिनय करती हैं, ताराजी, आप अपनी सासूमाई से बीस हैं। बातों में बहला-फुसलाकर कब चुपके से दो-तीन फुलके खिला देती हैं, पता ही नहीं चलता। मेरा उदर गंगा घाट के पंडे की तरह गोल-मटोल हो जाए, इसके पहले मुझे चेतना होगा।''

ऋचा ने बाजरे की रोटी चुपके से उनकी थाली में सरका दी थी। राजेश्वरानंद ने लक्षित की थी, लोकनाथ गुरुजी की वह त्र्यंबकीय हास मुद्रा—''देखा तुमने, कितनी चतुराई से इसने अपनी बात मनवा ली। अपनी योगेश्वरी आजी की करुणा और तारा अम्मा का कोमल धैर्य-हमारा उदर पोषण हो गया और तुम?''

''भाई, अभी बिशुन काका, बिजुरी, दोनों का भोजन परसना है, उसके बाद...''

स्मृति से बड़ा कोई योग नहीं। हृदय के आतशी दर्पण में सुमधुर यादों का केंद्रीभूत होना और उस कल्पतरु के तले बैठकर जीवन-मरु के उत्ताप को शीतल करने की युक्ति ढूँढ़ना।

लोकनाथ ऐसी मनोदशा से घिरते ही न जाने किस भाव समाधि में चले जाया करते थे। ऋचा सावधानीपूर्वक उनके कमरे का द्वार बंद करती, चैतन्य हो जाती थी—''बाबूजी की लेखनी बाधित नहीं हो। उनके दरवाजे पर हल्की सी भी दस्तक नहीं देने पाए।''

तिवारीपुर ग्राम के पुरोधा संपदकाचार्य नंदकिशोर तिवारी उनकी लेखन के प्रेरणा-स्रोत थे। जीवन पराभव के साथ समय लिखा गया उनका वह अंतिम पत्र—

''लोकनाथ, तुम्हारा यह अकिंचन पितृव्य, हिमवान की तरह अडिग रहनेवाला नंदकिशोर आज निपट एकाकी है। स्वाधीनता संग्राम के समय आग उगलनेवाली मेरी कलम को काल का ग्रहण लग चुका है। तीनों पुत्र, तीन दिशाओं के विपथगामी। बड़ा कृष्ण प्रवासी हो चुका है, उसे गाँव की मिट्टी प्रिय नहीं। नकली इत्र, फुलेल में जीवन की सुगंधि खोजता सबसे दूर चला गया। तुम्हारा हमउम्र सुरेंद्र निपढ़ निकल गया। पहलवानी, सट्टेबाजी और अब तो पूरी तरह लस्त-पस्त भाँग-गाँजे के नशे में

चूर पड़ा रहता है। रामरेखा घाट पर शवदाह के लिए आनेवाले लोगों से रेजगारी और पूड़ी-बूँदी वसूलता है। छोटका नंदू सहजबौरी का शिकार है। कभी खूब सयानों की तरह कथा-पुराण बाँचेगा, कभी सिर के बाल नोंचता नीम पागल बना तीनों टोलों में बवंडर की तरह भटकता फिरता है।

"मेरी बौद्धिकता, मेरे साहित्य की श्री मेरे ही घर में विनष्ट हो गई। हिंदी के बड़े पुरोधाओं के बेशकीमती पत्र, शहीदों की लिखावट में उनके मूल्यवान विचार मेरी अलमारी में सहेजकर रखे गए थे। नंदू ने सबको अलाव में डाल दिया। किसी ने रोकने का प्रयास किया तो गालियाँ बकता उससे उलझ गया। मेरे बाप की चीज-बतुस है, मैं जलाऊँ, चाहे तापूँ, किसी का क्या जाता है?

"तुम्हारे बारे में सोचता हूँ तो क्लेश होता है, लेकिन एक बात का परितोष भी है, तुम अनवरत लिख रहे हो। तुम्हारी आध्यात्मिक शक्ति ही तुम्हारे सकल व्यवधानों से जूझने का उपचार देगी।

सदैव तुम्हारा ही"

दिवसावसान का इंगित था उस पत्र में।

कर्मयोगी परंपरा और आधुनिकता के सुंदर समुच्चय उनके काकाजी। ठठाकर हँसते तो गंगाजी के कछारवाला टीला लरज उठता। अपने संपादकीय आलेखों से फिरंगियों को धूल चटानेवाले, बार-बार उन्हें चकमा देकर बच निकालनेवाले नंदकिशोर काकाजी अपनी ही संततियों के सामने विफल हो गए थे।

लोकनाथ की शैशवावस्था थी, नंदकिशोर तिवारी उनके दालान पर बैठे थे। उन्हें देखते ही डर के मारे वे योगेश्वरी माई के पीछे दुबक गए थे—

"भूत जैसे काले-कलूटे हैं ये तो। हम नहीं जाएँगे माई, हमें डर लग रहा है।"

कितनी अद्‌भुत थी उनकी श्रवणशक्ति। "बबुआ, डरो मत, आओ मेरे पास! तुम्हें एक कहानी सुनानी है। दुर्वासा ऋषि का नाम नहीं सुना है न। प्रबल क्रोधी थे वे। उन्होंने मुझे शाप दिया था—जा, तिवारीपुर की धरती पर करिया बाभन बनकर पैदा हो जा। बच्चों को खूब डराना। लेकिन लोकनाथ बबुआ, इस काले चेहरे का एक लाभ भी मिला। कोई ललमुँहा हमें देखते ही पीछे हट जाता। ब्रह्मराक्षस बनकर मैं उनसे प्रतिशोध लेकर ही रहता।"

लोकनाथ का भय जाता रहा था। उन्होंने अपनी नई कलम उपहार में दी थी—"लो बबुआ, इस कलम से अपने गाँव पर एक सुंदर लेख लिखना। अभी नहीं, तनिक और बड़े हो जाओ तब।"

लोकनाथ ने ऋचा को बुलाया था—"बच्ची, प्रयागराज चलना है। तुम्हारे नंदकिशोर बाबा अधिक अस्वस्थ हैं। उन्हें देखना आवश्यक है।"

"लेकिन बाबूजी तुम्हारी तबीयत भी तो ठीक नहीं है न? घुटनों में दर्द, उठने-बैठने में परेशानी। किस प्रकार…"

"सब सँभल जाएगा।"

ऋचा ने सुझाया था—"कल अम्मा की पुण्यतिथि है। हवन, निर्धन भोजन, दान आदि का कार्य निबटा लेंगे, तब चलेंगे।"

पड़ोस के भैरवनाथ वैद्यजी से घुटनों के दर्द की दवा और मालिश का तेल ले आए थे लोकनाथ!

"आज शनिवार है, मूँगदाल की खिचड़ी बना ले बच्ची।"

भोजन आदि से निबटने के बाद सोने की तैयारी में थे लोकनाथ।

दरवाजे पर एक तेज दस्तक। अनवरत…।

किवाड़ों की दरार से भीतर आती एक क्षीण सी कंठध्वनि।

स्कंद, इतनी रात गए अचानक…?

लोकनाथ कमरे से बाहर निकल आए थे—"कौन है ऋचा?"

"स्कंद है बाबूजी, एकदम रोगी-सा दिख रहा है। बातचीत करने में भी कठिनाई।"

डेविड ने बताया था—रास्ते भर साहब के पेट में बहुत दर्द था। कल से कुछ खाया-पिया नहीं।

लोकनाथ अपने घुटनों की पीड़ा भूल गए थे—"ऋचा, मेरा आपातकालीन दवाइयों का डिब्बा लाना।"

रात भर मेटेरिया मेडिका के पृष्ठ पलटते, मन-ही-मन महामृत्युंजय का जप करते अतिशय व्यग्र हो उठे थे लोकनाथ।

पेट के बल औंधे लेटे स्कंद और सिरहाने बैठे पुत्र की पीठ सहलाते, औषधियों की निरंतरता का ध्यान रखते पूर्ण सचेष्ट बाबूजी की वह घबड़ाहट देखकर आशंकाग्रस्त हो गई थी ऋचा!

"क्या बात है बाबूजी, इसकी तबीयत अधिक खराब है क्या?"

"श्री हनुमत् कवच का पाठ करो ऋचा, स्कंद बचपन में जब भी बीमार पड़ता था, इसकी सुरक्षा के लिए तुम्हारी अम्मा हनुमत्कवच का पाठ करती थीं, कुवलय पंडित संकल्प लेकर शिवाले में जप करते थे—महामृत्युंजय का जप।"

चार-पाँच घंटों तक तलपेट पर गीली मिट्टी का लेप, बायोकेमिक और होमियोपैथी दवाओं का पारी-पारी से प्रयोग। दर्द से थोड़ी सी राहत मिली थी। स्कंद को नींद आ गई थी।

डेविड ने जाँच की पूरी रिपोर्ट लोकनाथ के सामने रखी थी—लीवर में इन्फेक्शन, क्रेटेनाइन बढ़ा हुआ, हिमोग्लोबिन की घटती जा रही मात्रा, प्लेटलेट्स बहुत नीचे…।

एक साल के भीतर शरीर की ऐसी दुर्दशा।

डेविड ने ऋचा के सामने सारी स्थिति रखी थी, "रोजलिना मेमसाहब दो महीने से अधिक नहीं टिकीं, खिचखिच तो रोज होती थी, लेकिन आखिरी दिन मारपीट की नौबत आ गई और वे हमेशा के लिए अपने देश लौट गईं। ऋचा दीदी, जाते समय साहब का हस्ताक्षर किया चेक भी अपने साथ ले गईं। उस दिन इन्होंने खूब नशा किया और तब से लेकर आज तक इनकी तबीयत में गिरावट आती चली गई। डॉ. निकोलसन ने मुझे बताया—इन्हें इनके घर ले जाओ। अपने परिवार के बीच रहकर शायद थोड़ा ठीक लगे। इनका अवसाद ही रोग बन गया है।"

सुबह उठते ही लोकनाथ रेवती बाबू के यहाँ जाने के लिए तत्पर हो गए थे—"कहीं जा रहे हो बाबूजी?"

"स्कंद कैसा है, ऋचा? उसे ये दवाइयाँ देती रहना, तब तक मैं रेवती बाबू को यह रिपोर्ट दिखाकर आता हूँ।"

डॉ. रेवती प्रसाद साथ चले आए थे—"कैसे हो स्कंद?"

करवट बदलकर उठने की चेष्टा की थी स्कंद ने।

"अरे नहीं, बरखुरदार, औपचारिकता की कोई आवश्यकता नहीं। याद है बचपन में खाँसी, सर्दी, टांसिल की बीमारी होती थी तो तुम्हारी अम्मा चुपके से बुला लेती थीं— मीठी गोली का कोई भी असर इस लड़के पर नहीं होनेवाला। आप कोई कड़वी दवा पिलाइए भाईसाहब। और तुम्हारा वह पुक्काफाड़ रुलाई।"

स्कंद ने झुककर डॉ. रेवती प्रसाद के पाँव छू लिये थे।

वाष्प का गोला बनकर आँसुओं का तीव्र आवेग लोकनाथ को भीतर तक हिला गया था—"वापस लौटने में बहुत देर कर दी बच्चे।"

बैठकखाने में रेवती बाबू देर तक बैठे परामर्श देते रहे थे—बदपरहेजी और मानसिक तनाव ने इसकी ऐसी हालत कर दी है। कुछ भी कहना कठिन है। सर, आप तो स्वयं पहुँचे हुए चिकित्सक हैं। इस समय इसे आपकी स्नेह भरी छत्रच्छाया चाहिए।

लोकनाथ ने निश्चय किया था—आयुर्वेद और होमियोपैथी चिकित्सा साथ-साथ, चंडीगढ़ के उनके बंधु डॉक्टर चंदन ने अपनी ओर से कुछ दवाएँ सुझाई थीं—अमृता, नीम की पत्तियाँ, पपीते की कच्ची पत्तियों का रस, शहद, बेलपत्र, गुड़, नीम, ये सभी देशज औषधियाँ अचूक मानी जाती हैं। इनके अतिरिक्त सिनॉथस क्यू, नेट्रमम्यूर, फेरमफॉस, आर्सेनिक एल्ब, वेराट्रम एल्ब का प्रयोग आवश्यकतानुसार किया जा सकता है।

वैसे तो सबसे अधिक आवश्यकता है आपकी हर क्षण वहाँ उपस्थिति की। शरीर की किस दशा में तत्काल कौन सी दवा, कितनी मात्रावाली दी जाए, यह आपसे बेहतर कौन जान सकता है।

नवरात्र समीप थे। गाँव से नमन पंडित बुलाए गए थे। राजेश्वरानंद ने कई आवश्यक निर्देश दिए थे—''अपनी जिजीविषा बनाए रखें स्कंद भाई, हम सब अहर्निश प्रार्थनारत हैं। आपको रोगमुक्त होना ही है।''

नमन पंडित ने संकल्प करवाया था—ढाई लाख महामृत्युंजय का जप…।

आज्ञाकारी बालक की तरह अनुष्ठान प्रारंभ करवाया था स्कंद ने।

लोकनाथ निर्निमेष देखते रहे थे अपने व्याधिग्रस्त पुत्र का ऐकांतिक समर्पण भाव।

ऐसा दुर्वह कायाकल्प।

पहलेवाला स्कंद होता तो कठोर दृष्टि से वर्जना करता—''नहीं, मुझे यह सब पोंगापंथी लगती है। हटाइए अपना पोथी-पुराण।''

रामरक्षास्तोत्र सिरहाने रखकर दुस्सह कातरता के साथ उसने बड़ी बहन को आवाज दी थी—''मैं ठीक तो हो जाऊँगा न दी?''

ॠचा ने आँसुओं के वेग को बरबस नियंत्रित करना चाहा था—''तुम एकदम ठीक हो जाओगे, स्कंद। बाबूजी का प्रयास कभी विफल नहीं हो सकता।''

बड़ी बहन के दोनों हाथ कसकर थामे स्कंद भाव-विह्वल हो उठे थे—''दी, मैंने आप लोगों को बहुत दुःख दिए न! खास तौर पर अम्मा और बाबूजी को, शायद इसी पाप का दंड ईश्वर मुझे दे रहा है।''

''ऐसा नहीं कहते। याद है न, अम्मा कितने शांत, कितने दृढ भाव से कहा करती थीं, 'मैं कुमाता नहीं, तो मेरा पूत कपूत कैसे हो सकता है? संग-साथ उलटा होने से जिंदगी का सत् लोप हो जाता है। देख लेना तुम सब, स्कंद लौटेगा, अपने

पराए की पहचान होते ही वह चेत जाएगा।''

''मैं हर दिन टूटता-बिखरता था दी, पहले तो मेरे अहंकार ने मेरा सर्वनाश किया, उसके बाद उस बेमेल विवाह ने। अब बचा भी क्या है? देह के कोटर में पड़े प्राण विकल थे इस घर में आने के लिए। सच बताना दी, बाबूजी ने मुझे हृदय से क्षमादान दे दिया न?''

''मेरे भाई, वे तुमसे रूठे ही कब थे।''

''हम दोनों अकसर तुम्हारी बातें किया करते थे।''

किवाड़ की ओट से सबकुछ सुना था लोकनाथ ने। अपने आँसू पोंछते उपासनागृह की ओर मुड़ गए थे। कितनी कठिन अग्नि परीक्षा ले रही थी माँ? ऋचा ने महाविद्यालय से छुट्टी ले रखी थी। दिन-रात भाई की परिचर्या में तत्परता से लगी हुई।

विश्वविद्यालय के बंधु-बांधव, टोले मुहल्लेवाले आते, अपनी-अपनी बुद्धि के अनुसार परामर्श दे जाते। सबकी मौन अभ्यर्थना करते लोकनाथ आत्मस्थ हो जाते।

ऋचा टोकती—''बाबूजी ऐसे चुप मत बैठा करो, मुझे भय लगता है। चलो, स्कंद के कमरे में बैठो।''

पिता की स्नेहोष्मा पाकर पुत्र के मनस्ताप का वह रिसाव, ''बाबूजी, दवाइयों से लाभ हो रहा है, थोड़ी-थोड़ी भूख भी लगने लगी है।''

लोकनाथ का दाहिना हाथ बेटे के मस्तक पर था—''तुम स्वस्थ हो जाओगे, किसी बात की चिंता मत करो।''

अकेले में ऋचा फूट-फूटकर रोती—''भाई की पीड़ा देखी नहीं जा रही है। रात-रातभर कराहता रहता है स्कंद। दर्द को सहन करने का ऐसा कठोर अभ्यास।''

''दी, अनार का जूस थोड़ा और बना दो न और दोपहर के खाने में मूँगदाल की खिचड़ी।''

अपनी मृत्यु मनुष्य देख नहीं सकता, लेकिन लोकनाथ तिल-तिलकर काल के गाल में प्रविष्ट होते अपने पुत्र की दशा देख रहे थे। विषकीट भीतर-ही-भीतर जीवनशक्ति को अपना आहार बनाता जा रहा है। समय बहुत कम है।

यातना का गहन पारावार अपने साथ बहा ले जाने के लिए आतुर था। प्रतिपल स्कंद की छीजती हुई काया के साथ, पोर-पोर में उमड़ती पुत्र-शोक की विह्वलता। गाँव के पुराने घर की जीर्ण-शीर्ण ओलती टपकने लगी थी, तब योगेश्वरी माई ने

अपनी चिंता व्यक्त की थी, ''घर भहरा जाई ए बबुआ, सम्हार लोग। आज वे जीवित होतीं तो पौत्र की यह दशा देखकर क्या उनकी भी प्राणवायु अवरुद्ध नहीं हो जाती?'' वे ताराजी से पूछना चाहते थे—''कहाँ से लाती हैं ऐसा अपार संयम।''

एक बार स्कंद खेलते हुए दो मंजिल से नीचे गिर गया था। सिर में चोट, हाथ-पाँव दोनों की हड्डियाँ टूटीं। नब्ज गायब। बेहोशी की हालत में सात वर्षीय बालक को पटना अस्पताल ले जाया गया था।

ताराजी एकदम शांत थीं—''आप घबड़ाइए नहीं। इसे कुछ नहीं होगा।'' काश उनके ये असीम मनोबल से भरे बोल स्कंद की जीवनीशक्ति बढ़ाते।

ऋचा के दोनों हाथ थामे बालक की तरह रुदन करने लगे थे लोकनाथ—''बच्ची, तेरा भाई जा रहा है।''

ऋचा का वह हृदयवेधी आर्तनाद, ''ऐसा मत कहो बाबूजी, अभी-अभी ही तो मेरे भाई की घर वापसी हुई है। वह गहरी नींद में सोया है।''

नील पद्म की अधखुली पँखुड़ियों से दोनों नेत्र, मुरझाए होंठ, बर्फ के शिला-खंड पर निष्पंद पड़ा स्कंद।

''ऐसे उत्तप्त नहीं होते बच्ची, उसकी आत्मा को पीड़ा होगी।''

शरीर जा चुका था। टोले-मुहल्लेवालों ने तत्परतापूर्वक सारा सरंजमा जुटाया था—''गुरुदेव, उठिए, साहस कीजिए, स्कंद की देह का अग्नि संस्कार करना होगा।''

राजेश्वरानंद ने सहारा दिया था। अंतिम बार पुत्र के ललाट का वह शीत-स्पर्श—''जाओ स्कंद, अपनी तारा माँ की गोद में। मेरा पितृत्व पराजित है। मैं तुम्हें सँभाल नहीं पाया।''

पुत्र वियोगी चेतना जड़ थी।

नमन पंडित विधि-विधानपूर्वक श्राद्ध कर्म पूरा करवाने की तैयारी में जुटे थे। लोकनाथ अप्रत्याशित रूप से निस्संग हो गए थे—''ऋचा, सभी अतिथि विदा हो गए बच्ची।''

''अभी कहाँ बाबूजी। राजेश्वरानंद भाई और नमन पंडित अस्थिघट लेकर काशी जानेवाले हैं। बाबूजी, आपके लिए दूध ले आऊँ?''

उन्होंने इंगित से मना कर दिया था।

''तुझे याद है ऋचा, स्कंद को दूध बिल्कुल नहीं भाता था। दही की सबसे बड़ी कटोरी हथियाने की उसकी ललक, अधिक-से-अधिक सलाद अपनी तश्तरी

में उड़ेलने की जबर्दस्ती और माँ-बेटे की प्यार भरी वह मान-मनोव्वल।

"तुम ऋचा दी को ज्यादा प्यार करती हो, अम्मा! मुझे नहीं, क्यों भला?"

"ऐसी बात नहीं है रतन। ऋचा बेटी है, पराए घर चली जाएगी। तुम तो मेरे राजा बेटे हो, हमेशा हमारे साथ रहोगे।"

विवर्ण मुख, पिता पुत्री का वह मर्मांतक अश्रुपात।

"ऋचा आज अनुभव हो रहा है बच्ची, मैं क्लांत हूँ। प्रश्नोपनिषद् का आर्ष स्वर मेरे भीतर प्रतिध्वनित हो रहा है।"

सूर्यास्त की वेला में सर्वत्र विस्तारित रश्मियाँ उस तेजपुंज में मिलकर एक हो जाती हैं, उसी प्रकार प्रगाढ़ निद्रा के समय समस्त इंद्रियाँ मन के भीतर विलीन होती चली जाती हैं।

"कहा गया है, पुत्र पिता के संस्कारों से नया जन्म लेता है। उस स्तर पर भी मेरी विफलता ही प्रमाणित हुई और अब आजीवन यह अग्निदाह। माना कि प्रत्येक मरणधर्मा मनुष्य की यही नियति होती है, तब भी यह पीड़ा दुस्सह हो जाती है, बच्ची।"

ऋचा के पास कोई प्रबोध नहीं था। सूनी आँखों से दिवंगत भाई के कमरे की ओर निहारती मौन बैठी रही थी।

लोकनाथ ने ऋचा के मस्तक पर धीरे से हाथ रखा था—"भगवान् के मस्तक पर चढ़ी तुलसी गंध बनकर वायु में बिखर गया तुम्हारा भाई, दोनों ओर से जल रहा काष्ठ-खंड की तरह उसका जीवन, उसे बचा पाना दुष्कर था ऋचा। यही तो कर्म योग कहलाता है न।"

ऋचा धीरे से उठी थी। रसोईघर में दूध जलने की गंध आ रही थी।

"आज अच्छा नहीं लग रहा है, कुछ खाने का मन नहीं, तुम अपने लिए खिचड़ी डाल लो।"

लोकनाथ अपने ग्रंथागार की ओर मुड़ गए थे। आधी बाँहवाली खादी की गंजी, खादी की ही धोती, आँखों पर मोटे फ्रेम का चश्मा, मुंशी डेस्क के सामने बैठे वाणी के बेताज बादशाह, ऋचा के बाबूजी। यह कोठरी उन्हें माँ की कोख की तरह लगती थी। ज्ञान की दुनिया में रमता जोगी बनकर विहार करना चाहते थे। स्कंद के निधन का भयावह सत्य बिसराने की इससे अलग दूसरी कोई युक्ति भी नहीं थी।

बंद कोठरी में हृदय के भीतर प्रतिध्वनित गंभीर पगध्वनि।

एक छायामूर्ति उनके समक्ष खड़ी हुई। उन्नत, प्रशस्त ललाट, गौर वर्णा भव्य काया, पीली धोती, पीला यज्ञोपवीत! अपने वंशज से कुछ कहती हुई।

जीवन तरी बहुत दूर निकल आई है। धारा के विपरीत का यह बहाव, निर्धूम जलती समिधा-सा तुम्हारा शरीर-मन।

दुस्सह अग्नि परीक्षाओं के भँवर जाल से बाहर निकलने का यत्न करो वंशज, अपने भीतर छिपी अनहदता के सिमटाव का मनोबलपूर्वक प्रयत्न···।

चंदन के शीतल स्पर्श सी वह अलौकिक छुअन। लोकनाथ की दहकती हुई मस्तिष्क शिराओं में गंगाजल के प्रवाह-सी तरल अनुभूति।

मुंशी डेस्क पर माथा टेक साँसों को सम करते गहरी निद्रा की गोद में सिमटते चले गए थे लोकनाथ। क्या वे सचमुच सो गए थे?